Anthropologie : état des lieux

Aujourd'hui, l'anthropologie française. A l'heure d'une actualité brûlante. Alors que la crise des sciences humaines perdure et continue de déstabiliser quelques-unes des grandes disciplines du savoir, alors que se reposent avec une acuité renouvelée les questions fondamentales concernant l'homme, il est en effet devenu urgent de retrouver un terrain stable, à partir duquel fonder une « nouvelle grille » de lecture des phénomènes humains, qui prenne en compte les progrès les plus récents de la connaissance. Urgence renforcée, d'ailleurs, par un net regain d'activité de la biologie et de certaines sciences dérivées qui, depuis plusieurs années, grâce à d'incontestables avancées dans la compréhension des mécanismes du vivant, ont entrepris de légiférer souverainement sur la question. Il n'est qu'à évoquer la sociobiologie... ses prétentions à détenir (enfin!) « la clef de la nature humaine » (Edward O. Wilson), et du coup, à inféoder « les sciences politiques, le droit, l'économie, la psychologie, la psychiatrie et l'anthropologie » (Robert Trivers). Conséquence : il est de bon ton désormais de se rallier, sous couvert de la cause biologique, à une espèce de matérialisme simpliste et vulgaire. Qu'est-ce que l'homme, demandiez-vous? Réponse du chœur savant : un être neuronal... Et pourquoi est-il neuronal? Parce qu'il a un cerveau-machine... Et c'est ainsi que les biologistes, promus mécaniciens célestes, officient avec superbe. Comme quoi les Dieux bougent encore.

Attention! que surtout l'on ne se méprenne pas : ces lignes ne tirent pas la leçon de l'*Etat des lieux* qui est ici rassemblé, on s'en avisera aisément à la lecture des diverses interventions. Elles prétendent simplement mettre en perspective les enjeux véritables qui travaillent, en ce moment même, le champ du savoir, et montrer par là l'importance que revêtent aujourd'hui les recherches qui sont effectuées dans une discipline comme l'anthropologie. Une quête décisive, menée selon de multiples points de vue, mais toujours convergeant vers un point unique : les mystères de l'homme, ses « chimies » particulières qui en font un être de culture autant qu'un être de chair.

En fait, et Jean Pouillon l'exprime clairement dès son introduction, cet *Etat des lieux* repose sur deux interrogations essentielles : où en est l'anthropologie et comment se situe-t-elle sur le registre du savoir contemporain? Autrement dit : quel est maintenant le projet anthropologique, quels sont les terrains d'investigation des anthropologues, quels outils sont utilisés? Ce n'est donc pas un bilan qui est recherché dans ces pages, mais au contraire une photographie, un instantané qui fasse le point de la discipline. Et, à l'arrivée, on le constatera, l'ensemble des textes dessine une formidable fresque où sont remodelés les contours de la planète anthropologie. C'est Nicole Sindzingre, par exemple, qui examine les effets de ce qu'elle nomme la dissolution de la « communauté anthropologique ». Ou un essai d'explication de l'après-crise : série de propositions pour définir

(Suite au verso.)

des critères plus précis qui aideront à déterminer l'appartenance — ou non — de certains objets, comme de certaines méthodes, à l'anthropologie. C'est aussi Carmen Bernand et Jean-Pierre Digard qui, à travers l'analyse de cas concrets, tentent de résoudre le difficile problème de la « parcellarisation » de l'ethnologie. La multiplication des terrains où interviennent les ethnologues a entraîné un nécessaire ajustement de leur outillage théorique (ainsi que de leurs méthodes) à la différence culturelle. D'où une extension considérable du champ de la discipline qui impose de nouvelles synthèses. C'est encore, et surtout, la confrontation de l'anthropologie avec les autres branches du savoir. La psychanalyse, sous la houlette de Charles-Henry Pradelles de Latour : une combinaison stimulante qui éclaire d'un jour nouveau la lecture des systèmes de parenté. Les mathématiques, grâce à Michel Perrin : quand la théorie des catastrophes de René Thom permet de déchiffrer la fonction chamanique. La biologie moléculaire, avec Michel Morange : l'art et la manière d'emprunter les outils du biologiste afin d'élucider des mystères massifs, tel celui du mouvement des populations humaines, ou de mettre au net le rôle des gènes dans le comportement humain. Comme l'explique Michel Morange, « ils le conditionnent, mais ils ne le déterminent pas », etc. Il faut lire tous les exposés et en priorité le prélude de Jean Pouillon. Les idées seront mieux en place. Et l'on saisira que l'anthropologie est désormais à l'unisson des vrais problèmes du temps.

Il était logique que l'initiative d'une semblable entreprise, d'un tel *Etat des lieux,* reviennet à « L'Homme ». La revue a été créée en 1961 par Claude Lévi-Strauss, qui avait convié dans son comité de direction un linguiste, Emile Benveniste, et un géographe, Pierre Gouron. Démarche qui manifestait le désir d'ouverture de l'anthropologie à deux domaines, pour elle, fondamentaux. Au fil des années, des élargissements ont été opérés. André Leroi-Gourhan est entré au comité de direction, et, avec lui, la paléontologie. D'autres encore ont suivi. Et c'est ainsi que « L'Homme » a été très vite reconnue, en France et à l'étranger, comme la principale revue de l'anthropologie française. Comme le lieu où s'exprimaient les « ténors » de la pensée, le laboratoire de la réflexion sur la chose humaine. Fidèle à cette vocation, aujourd'hui donc, « L'Homme » a pris l'initiative du débat. Affaire à suivre. Affaire à lire.
Anthropologie : état des lieux est une pièce de plus à verser au dossier des grands remaniements en cours dans le champ de la connaissance. Longtemps, on peut le prévoir, cet ensemble servira de référence à la méditation commune.

L'HOMME
Revue française d'anthropologie

Anthropologie : état des lieux

Inédit

NAVARIN/LE LIVRE DE POCHE

Ce volume de *L'Homme* est le n° 97-98.
L'Homme, revue française d'anthropologie, est publiée chez Navarin Editeur par l'Ecole des Hautes Etudes en Sciences sociales.

SOMMAIRE

HOMMAGE

Introduction

DE CHACUN A TOUT AUTRE, ET RÉCIPROQUEMENT

Jean Pouillon

Le premier numéro de la revue *L'Homme*, fondée par Claude Lévi-Strauss, parut au début de 1961. Pourquoi rappeler maintenant ce qui aurait pu l'être en 1981 ou ne l'être qu'en 1991 ? La raison n'est peut-être qu'euphonique : un quart de siècle, cela sonne mieux, et sans doute impressionne davantage, que vingt ou trente ans. Mais serait-elle aussi euphorique ? Vingt-cinq ans, ce n'est certes pas si mal pour une revue ; l'important toutefois c'est la durée, la persistance de ce qu'elle entend refléter, en l'occurrence la vitalité de l'anthropologie. Qu'en est-il donc aujourd'hui ? L'ensemble des articles qui suivent donne à cette interrogation une réponse positive, quoique inévitablement partielle. Il ne saurait en effet être question de procéder à un inventaire ou de présenter un bilan. D'ailleurs un bilan, cela se dépose après banqueroute et aucune des contributions ne conclut à une faillite de l'anthropologie : la plus critique est même, on le verra, la plus optimiste puisqu'elle débouche sur la possibilité d'un nouveau départ.

Le comité de rédaction avait adressé aux auteurs sollicités un argument (qu'on trouvera en annexe à cette Introduction) où plusieurs thèmes étaient proposés à leur réflexion. Sans doute est-il normal que pour la plupart ils aient retenu celui qui mettait en avant l'ambiguïté de la situation actuelle : que devient l'anthropologie quand disparaissent ou du moins sont occultés des modes de vie et de pensée auxquels les ethnologues s'étaient de préférence attachés, mais quand, en même temps, foisonnent des recherches dans des domaines nouveaux, avec d'autres méthodes et selon des orientations diverses ? Comment définir une discipline ainsi morcelée et que ce morcellement amène à se confronter à d'autres pour parfois en importer des modèles ? Où et comment est-il possible de retrouver ou de reconnaître une unité ?

Ces préoccupations convergentes assurent la cohérence du numéro mais ont rendu malaisé son ordonnancement. Une répartition des articles en chapitres aurait masqué leur continuité, déchiré l'étoffe qu'ensemble ils tissent et dont la mise en lumière apporte une réponse — peut-être la seule possible — aux questions précédentes. Il a donc fallu choisir un parcours, choix dont l'arbitraire — on pouvait aussi bien en faire d'autres — ne diminue pas la validité : les chemins éventuels en effet s'entrecroisent, et cette Introduction a précisément pour but de le montrer. Il s'agit en somme, toutes proportions gardées, de suggérer que, tels les mythes selon C. Lévi-Strauss, et quelles que soient les intentions particulières de leurs auteurs, ces textes « se pensent entre eux ».

En raison de la perspective retenue — celle d'un risque de dilution, dû à l'extension de ce qu'il devient plus difficile de délimiter comme champ de l'anthropologie — il apparaît naturel d'ouvrir avec les articles de N. Sindzingre et de C. Bernand et J.-P. Digard, qui l'un et l'autre insistent sur « l'actuelle dissolution de la communauté anthropologique » et « la parcellisation qui résulte de la diversité des problématiques propres à chaque terrain » sans pour autant y voir le signe d'un épuisement ; ils posent ainsi fort bien le problème qui est non pas de choisir entre diversité et unité, mais de tenir à la fois les deux bouts de la chaîne. Les deux textes ne se situent cependant pas sur le même plan : C. Bernand et J.-P. Digard mettent l'accent sur l'aspect géographique de la diversité, « chaque terrain suscitant des approches qui lui sont propres, en fonction de ses particularités culturelles et sociales » auxquelles l'ethnologie a su s'adapter, prouvant ainsi sa vitalité. N. Sindzingre aperçoit un risque de dissolution, moins dans la multiplication des domaines que dans le recours — que d'ailleurs cette multiplication peut entraîner — « à des modèles plus abstraits ou formalisés » empruntés à des disciplines connexes. Son optimisme final tient à ce que les emprunts peuvent avoir lieu dans les deux sens ; peut-être aussi s'explique-t-il par la métaphore qui lui a inspiré son titre : segmentation n'est pas dissolution, et s'il y a des lignages, ne peut-on supposer l'existence d'un clan ? Plus concrètement, elle voit la marque de l'anthropologie dans la capacité de mettre en corrélation des domaines et des niveaux disjoints que d'autres disciplines étudient isolément. Comme Lévi-Strauss le disait déjà en 1960 : l'anthropologie « pratique une coupe perpendiculaire qui [...] l'oblige à considérer simultanément tous les niveaux » (*Paroles données*, p. 34). L'article de M. Augé — qui soulève aussi d'autres problèmes et aurait pu, on le verra plus loin, être joint à d'autres textes — va dans le même sens ; traitant de l'anthropologie de la maladie et expliquant pourquoi il récuse l'expression « anthropologie médicale », l'auteur écrit en effet : « ... il n'y a qu'une anthropologie qui se donne des objets empiriques distincts [...] sans se diviser pour autant en sous-disciplines ». Et il poursuit en se demandant si tous ces objets d'observation, sous le regard de l'anthropologue, ne constituent pas « un objet unique d'analyse ».

Le deuxième groupe, également de trois articles, illustre certaines des remarques de N. Sindzingre sur les relations d'échanges entre disciplines distinctes. C.-H. Pradelles de Latour, à propos du système de parenté trobriandais et pour l'opposer au système occidental, utilise et la notion lévi-straussienne de l'alliance et le discours lacanien de la psychanalyse. Caractérisant le système trobriandais par une dichotomie des représentations paternelles, il retrouve celle-ci à la base « des oppositions binaires qui sous-tendent les croyances et les mythes de cette société », ce qui renvoie à nouveau à ce qu'on pourrait appeler la capacité relationnelle de l'anthropologie. M. Perrin fournit un exemple de l'importation réussie d'un modèle mathématique : la théorie dite des « catastrophes » lui permet d'élucider « une conception indigène [celle des Guajiro d'Amérique du Sud] de l'accès à la fonction chamanique », en ordonnant « des faits apparemment confus ou contradictoires ». Quant à M. Morange, un biologiste, il indique les moyens que la biologie moléculaire offre à l'anthropologue pour « suivre le mouvement des populations humaines dans le temps et l'espace » ; l'intérêt de son article réside aussi en ce que, à partir de la biologie moléculaire elle-même, il critique la sociobiologie, en montrant que cette dernière s'appuie sur des théories génétiques périmées.

Le troisième groupe se relie également, et très directement, au premier. A. Testart et G. Lenclud donnent des réponses contradictoires à la question — quel sens donner à la diversité des problématiques ? — que posaient déjà N. Sindzingre, C. Bernand et J.-P. Digard. Ces derniers s'accordaient pour s'accommoder de cette diversité, mais de deux façons somme toute assez différentes : une chose est de la juger féconde par elle-même, une autre d'y voir un risque de faiblesse — le mot est de N. Sindzingre — mais surmontable. Avec les deux textes auxquels on arrive maintenant, on retrouve une divergence analogue mais autrement et beaucoup plus vigoureusement accentuée. Pour A. Testart, que les problématiques diffèrent a pour simple conséquence qu'une seule mérite d'être qualifiée « anthropologique » : l'anthropologie se définit par son objet, lequel commande sa méthode — et non l'inverse —, et cet objet « est l'étude des sociétés primitives » ; celles-ci peuvent être diversement définies et le choix du critère induit « des variations de conception non négligeables, mais elles sont sans portée pour notre propos ». Bref, l'anthropologie, c'est l'anthropologie traditionnellement consacrée aux sociétés dites traditionnelles. Indiquons tout de suite que la question du « traditionnel » réapparaîtra plus loin. Ainsi Testart rejoint-il paradoxalement Bernand et Digard — le terrain suscite une approche spécifique — mais s'en écarte aussitôt puisqu'à ses yeux il n'y a qu'un seul terrain, au sens large, de l'anthropologie. Pour Lenclud au contraire cette dernière ne se définit ni par une seule méthode ni par un terrain privilégié, et les recherches consacrées aux sociétés dites complexes participent du projet anthropologique. L'extension de l'anthropologie n'est pas sa négation : « L'anthropologie sociale ne peut [...] exclure [...] la connaissance de cette sorte particulière de société qui est celle-là même où elle est née. » Notons au passage que cette remarque fait écho à une interrogation qui figurait dans notre argument et à laquelle il n'a guère été répondu : « Ne pourrions-nous prendre un peu de distance à l'égard de nous-mêmes [...] et nous demander ce qui dans notre société et ses institutions [...] a favorisé une certaine conception de l'être humain et a engagé nos travaux sur telle ou telle voie de préférence à d'autres ? » Ainsi, toujours en contraste avec Testart, Lenclud rejoint-il Sindzingre et Augé : la diversité ne dément pas l'unité de l'ambition anthropologique.

Les deux articles suivants, d'Y. Delaporte et de C. Pétonnet, vont dans le même sens en apportant des exemples de recherches menées dans des sociétés urbaines et modernes : Delaporte illustre « quelques traits de l'enquête ethnologique dans notre propre société » en se référant à son étude du milieu des entomologistes parisiens ; Pétonnet fait de même en essayant d'analyser le « télescopage » des notions de culture et de couleur au sein des classes moyennes aux États-Unis, plus spécialement en confrontant les expériences qu'elle a pu faire à Harlem et dans un milieu d'enseignants à Philadelphie.

L'article de M. Abélès, qui ouvre le quatrième groupe, aurait pu être rattaché aux précédents, dans la mesure où on peut le lire comme une réponse de plus à celui de Testart : il analyse en effet le système politique français moderne dans une perspective analogue à celle de l'anthropologie de la politique dans les sociétés « exotiques », c'est-à-dire en privilégiant les concepts de territoire et de pouvoir ; faut-il dire alors, dans les deux cas en récusant Testart — dont l'intérêt, on le voit de mieux en mieux, est d'être comme un point central de rebroussement —, que la méthode reste la même sur des terrains différents, ou que cette différence n'est qu'apparente et dissimule un invariant ? Ne pourrait-on également reprendre à son propos la métaphore de Sindzingre ? De même en effet qu'une structure segmentaire se reproduit, au moins idéalement, en chaque segment, la décentralisation qui s'instaure en France ne dément pas « le centralisme caractéristique d'un système qui reproduit à chaque niveau l'opposition entre centre et périphérie » : organisation en abîme dans un cas comme dans l'autre. Abélès se situerait aussi dans la même ligne qu'Augé : de même que celui-ci parle non d'anthropologie médicale mais d'anthropologie de la maladie, celui-là parle non d'anthropologie politique mais d'anthropologie de la politique ; quel que soit l'objet empirique, c'est toujours d'anthropologie tout court qu'il s'agit.

Reste à savoir s'il n'arrive pas qu'un même terme général recouvre des objets empiriques fort différents, ce qui ne va pas sans effets mystificateurs. C'est ce que se demande E. Terray à propos de l'État et des processus de sa formation : comment parler de l'État en général, comme certains le font volontiers aujourd'hui, alors que dans ces processus « il convient de réévaluer les parts respectives de la nécessité et de la contingence [...] au bénéfice de la seconde » ? De ce fait, Terray refuse la division du travail qui réserverait l'histoire, « le passage au réel », aux seuls historiens. On retrouve ici le thème, rencontré dès le début, des rapports entre disciplines connexes, qui va réapparaître avec l'article de N. Loraux. La nature et l'histoire de l'État ne sont évidemment pas le seul sujet de réflexion pour une anthropologie de la politique : la politique, c'est aussi la relation, conflictuelle souvent, entre l'individuation de la personne et sa socialisation. M. Izard en étudie la forme chez les Moose du Yatenga, pour qui la liberté est liée à l'étendue, la nécessité — et d'abord celle qu'institue le pouvoir, exercé et subi —, l'ancestralité, donc à la durée. Quant à l'article de N. Loraux, il a quelque chose de paradoxal, non par la thèse qu'il défend, mais simplement parce qu'on ne sait trop où situer l'auteur, incertitude qui d'ailleurs renforce la thèse. Historienne, elle reproche à ses collègues de s'être laissé séduire par les anthropologues en traitant la cité grecque comme une « société froide », mais c'est à ces derniers qu'elle fait appel pour réintroduire le conflit, la politique, « au sein même de la réflexion anthropologique sur la Grèce ancienne ». Le paradoxe, à vrai dire, n'en est peut-être un que pour nous qui, ainsi qu'elle le suggère en passant, avons hérité des Grecs eux-mêmes cette distinction disciplinaire entre histoire et anthropologie.

Les trois articles suivants — de N. Belmont, F. Paul-Lévy, M. Panoff — reprennent sous un autre angle la question du lien, affirmé par Testart, nié par Lenclud, entre anthropologie et sociétés « primitives ». Mais qu'entend-on par sociétés primitives ? Il y a d'une part des sociétés qu'on dit, ou qu'on a dites primitives, mais qui subsistent ou existaient encore récemment et qu'on a donc pu étudier directement — ce sont des sociétés « exotiques » et ce qualificatif n'a de sens que spatial —, d'autre part des sociétés qui ont disparu et qui sont primitives, cette fois au sens temporel, par rapport à celles qui leur ont succédé ou en lesquelles elles se sont transformées. Les secondes n'ont laissé que des traces, des « survivances », qu'il y a peu collectaient, dans les sociétés « modernes », les folkloristes aujourd'hui décriés. N. Belmont montre le lien entre « l'éviction du folklore comme discipline » et le développement de l'ethnologie classique, celle des sociétés exotiques : pourquoi en effet enregistrer des « survivances » qu'on ne comprend plus, alors qu'on peut étudier des « survivants » ou prétendus tels, qui, eux, s'offrent à la compréhension puisqu'ils sont toujours là ? Mais elle observe aussi que les matériaux folkloriques sont de plus en plus réintégrés dans des travaux portant sur des sociétés modernes, travaux qui, de traces résiduelles, en font des composantes intelligibles de notre propre système social. D'où une révision critique de la notion d'archaïsme : celui-ci est sans doute la forme obligée de toute croyance, il « n'exclut donc pas le contemporain et l'actuel ». Autrement dit, reconnaître l'archaïsme, ce n'est pas nécessairement adhérer à l'idéologie primitiviste, dont F. Paul-Lévy démonte les contradictions tout en soulignant le rôle que Comte lui a fait jouer dans le classique, mais de plus en plus contesté, partage des tâches entre ethnologie et sociologie : à la première l'étude des « primitifs », à la seconde celle des sociétés modernes. Une fois de plus, on retrouve le thème des relations entre disciplines et celui de la définition, restreinte ou élargie, de l'anthropologie. Il est vrai qu'on décèle aussi chez Comte les moyens de remettre en cause le primitivisme et d'esquisser le projet de ce que Durkheim appellera « sociologie générale » en y englobant l'ethnologie, avant que Mauss, comme le rappelait Lévi-Strauss dans sa leçon inaugurale de la chaire d'anthropologie sociale, n'inverse le rapport en proclamant que la « place de la sociologie » est « dans l'anthropologie ».

Sous-jacente au débat sur le primitivisme, la question est de savoir selon quelle dimension différencier les sociétés : temporelle ou spatiale, avant-après ou ici-ailleurs ? Lorsque domine ce que F. Paul-Lévy appelle « le référent spatial », le primitif cède la place à l'exotique. Mais l'anthropologie gagne-t-elle au change ? C'est précisément ce que se demande M. Panoff : tout comme N. Belmont le note à propos du folklore et F. Paul-Lévy à propos du primitivisme, il constate que « l'exotisme n'a pas bonne presse chez les anthropologues ». Et pourtant son attrait persistant ne les réunit-il pas, quoi qu'ils en disent ? Paradoxalement, ceux qui se tournent vers leur propre société le confirment : l'anthropologie des campagnes françaises est souvent mieux connue, au moins du grand public, par ses recherches sur la sorcellerie que par des travaux sur l'exode rural. Dans l'« endotique », c'est encore l'exotique qui est visé. Sans doute la recherche anthropologique est-elle toujours une entreprise de distanciation, mais faut-il pour autant ne choisir que ce « dont l'éloignement est déjà donné », l'archaïque ou l'étranger, et oublier que la distanciation est avant tout « un travail de soi sur soi » ?

L'article de P. Jorion est une critique souvent injuste mais, espérons-le, utilement provocante d'une anthropologie charitable qui, sous couvert de rendre scientifiquement justice aux « Sauvages », ignore délibérément ce qu'ils ont à nous apprendre. Au lieu de montrer « comment il peut y avoir plusieurs façons de concevoir le monde », dont la nôtre n'est qu'une variété, elle prétend expliquer « pourquoi les Sauvages, pensant exactement comme nous, sont néanmoins constamment dans l'erreur ». Il faut donc, dit-il, « reprendre à zéro » et mettre au point « une approche authentiquement anthropologique ». Mais reprendre à zéro, ce n'est pas partir *de* zéro : pour Jorion, en effet, l'anthropologie est pour ainsi dire entrée en hibernation pendant une trentaine d'années à partir de 1920 ; « il y eut ensuite dix années de structuralisme au cours desquelles on reprit l'anthropologie là où elle s'était arrêtée [...]. Et depuis, plus rien. » Si contestable qu'elle soit, cette périodisation signifie en tout cas qu'il existe un acquis et que pour repartir, il faut le reprendre, donc le revisiter ; c'est ce qu'il fait au terme de son article en proposant une hypothèse pour résoudre un problème qui ne date pas d'hier : comment dépasser et le sociologisme et le psychologisme entre lesquels hésitent les anthropologues lorsqu'ils ne sombrent pas dans l'éclectisme ?

P. Boyer traite, lui aussi, d'un problème ancien sur des bases nouvelles, et surtout on peut lire son texte comme donnant sur un point précis une réponse argumentée à la question que l'article précédent conduit à poser : si les autres ne pensent pas comme nous, comment pensent-ils et qu'est-ce que penser ? Cette question apparaît également en filigrane dans l'article d'Augé : en quel sens les croyances « primitives » ou « traditionnelles » sont-elles rationnelles ? Mais Boyer la formule d'une façon plus incisive qui évite le piège du paternalisme charitable que dénonce Jorion : quel est l'usage des prédicats de vérité dans les sociétés traditionnelles et qu'est-ce donc qu'une tradition pour celui qui y adhère, comment se constitue-t-elle ? On dit souvent que les croyances — celles, bien sûr, auxquelles nous ne croyons pas — sont significatives, symboliques, mais quel est l'avis des intéressés ? Pour eux — qui en cela pensent comme nous quand nous pensons ne pas croire ou que nous croyons penser —, la véracité est une dimension essentielle de la tradition. Le but de l'article est alors de « montrer que cet usage [des prédicats de vérité] répond à des critères très particuliers » et de « proposer une nouvelle description des rapports entre tradition et croyance ». Boyer s'inscrit ainsi dans un courant de pensée qui met au premier plan l'étude des processus cognitifs. Telle qu'elle se manifeste dans un récent ouvrage de D. Sperber *(Le Savoir des anthropologues)*, dont la première version d'un chapitre a d'ailleurs été publiée dans cette revue (« L'Interprétation en anthropologie », *L'Homme*, 1981, XXI-I), cette tendance aboutit, semble-t-il, à disqualifier toute autre.

P. Smith, pourtant, plaide pour la coexistence et le dialogue entre les tenants des « approches divergentes » qui, selon lui, se complètent mais ne peuvent se nier ou s'ignorer : celles de Lévi-Strauss, de L. Dumont et de D. Sperber. C'est pourquoi nous avons choisi son article pour clore ce numéro, en raison moins de la conciliation qu'il prône, que du retour qu'il permet d'opérer vers le texte retenu en ouverture : pour reprendre notre comparaison initiale et quelque peu présomptueuse, telle une chaîne mythique cette série d'articles se boucle sur elle-même. En effet, à N. Sindzingre évoquant le risque d'une dissolution de la communauté anthropologique, Smith, qui commence par reconnaître la difficulté actuelle de définir les bases d'un consensus et de dissiper l'ambiguïté des rapports entre ethnologie et anthropologie théorique — que pour notre part nous avons volontairement acceptée en usant indifféremment des deux termes —, répond en affirmant la possibilité de maintenir l'unité du projet anthropologique. En 1958, C. Lévi-Strauss le faisait reposer sur « une certaine conception du monde, une manière originale de poser les problèmes, l'une et l'autre découvertes *à l'occasion* de l'étude de phénomènes sociaux, pas nécessairement plus simples [...] que ceux dont la société de l'observateur est le théâtre, mais qui — en raison des grandes différences qu'ils offrent par rapport à ces derniers — rendent manifestes certaines *propriétés générales* de la vie sociale, dont l'anthropologue fait son objet » (*Anthropologie structurale*, pp. 378-379). On peut être moins optimiste aujourd'hui sur ce que Smith appelle l'« arrimage à l'idéal scientifique » d'un tel projet ; du moins peut-on le conserver à titre d'« idée régulatrice » au sens kantien, ne serait-ce que parce qu'il justifie à la fois le souci théorique et celui de la description ethnographique minutieuse : l'universel se découvre dans le singulier.

JEAN POUILLON.

ARGUMENT

En janvier 1986 *L'Homme* aura vingt-cinq ans révolus et nous aimerions que sa vingt-sixième année s'ouvre avec un numéro qui fasse date. Il s'agirait non pas de dresser un bilan de l'anthropologie aujourd'hui ou de lui assigner un programme, mais, à travers le foisonnement des travaux empiriques, d'en repérer les orientations.

La réflexion pourrait partir d'une double constatation. D'une part, bien que l'accès aux terrains traditionnels soit souvent devenu plus difficile, bien qu'on assiste parfois à l'occultation, sinon à la disparition, de modes de vie et de pensée auxquels l'ethnologie s'était de préférence attachée, le développement des recherches sur la majeure partie du globe — y compris dans les sociétés dites modernes ou développées — et l'accumulation des matériaux permettent de parler d'une extension géographique du champ ethnologique. D'autre part, ce développement en a suscité la parcellisation en même temps qu'il a conduit les chercheurs à confronter leurs méthodes et leurs résultats à ceux d'autres disciplines, d'où une exploration plus poussée de ce qu'on appelle les « interfaces » ; ainsi constate-t-on également une extension thématique.

Trois conséquences en résultent, qui d'ailleurs sont convergentes : une multiplication des problématiques, une dilution apparente du projet anthropologique, une moindre visibilité de la réflexion théorique, appelant à réévaluer les théories totalisantes.

Qu'on le déplore ou non, on devrait en tout cas tenter de voir ce qui réunit encore les anthropologues. Ont-ils un même modèle de scientificité ? Quelle est l'unité de l'anthropologie ou, plutôt, de ce qui la constitue ? Est-ce son « objet » ? Est-ce sa méthode ? Peut-on dégager, au-delà des différences entre sociétés, entre cultures, des invariants ? Quel est en somme l'*ethos* de la recherche ?

Ces questions générales mériteraient d'être posées plus précisément à propos de l'anthropologie française. Ne pourrions-nous prendre un peu de distance à l'égard de nous-mêmes, nous livrer à une sorte d'auto-ethnographie et nous demander ce qui, dans notre société et ses institutions — pas seulement universitaires —, a favorisé une certaine conception de l'être humain et a engagé nos travaux sur telle ou telle voie de préférence à d'autres ?

Enfin ne devrait-on pas s'interroger sur ce qu'attendent de l'anthropologie le public des non-spécialistes et — si tant est qu'elles en attendent quelque chose — les sociétés observées.

Le but de cet argument n'est pas d'énoncer une série de thèmes qui serait soit limitative, soit minimale. Il est d'inciter les éventuels contributeurs à une réflexion épistémologique qui pourrait aussi bien, à partir de leurs propres travaux, emprunter d'autres voies.

Post-scriptum. — Nos lecteurs constateront que plusieurs des problèmes évoqués dans cet argument n'ont pas ou guère été abordés. Peut-être aussi estimeront-ils que ceux qui le furent auraient pu ou dû l'être différemment. La revue accueillera volontiers leurs remarques et leurs critiques.

La communauté anthropologique : des lignages, un clan ?

Diversité et vitalité

L'universel singulier

L'ANTHROPOLOGIE : UNE STRUCTURE SEGMENTAIRE ?

Nicole Sindzingre

Quand il parcourt les ouvrages ou revues de la profession, l'anthropologue qui cherche à rester au fait des tendances de sa discipline est frappé par l'extrême diversité des objets, thèmes ou approches, et peut légitimement s'interroger sur l'exacte nature du métier qu'il exerce. Et ce d'autant plus que, tenu par son insertion dans des institutions de recherche à une spécialisation nécessairement pointue (géographique ou thématique), il éprouve un certain désarroi lorsqu'il est confronté à des secteurs du savoir anthropologique situés au plus loin de ses propres préoccupations. L'impression d'une absence d'unité, de « lieu commun », vient aussi des conflits internes à sa propre institution, de l'exotisme des styles étrangers — britannique, américain, mais aussi ceux qu'élaborent les sociétés autrefois objets exemplaires de l'anthropologie — qui dessinent un paysage d'obédiences théoriques, de visions du monde et d'objectifs disparates. Ces sentiments — inquiets ou désabusés — sont renforcés par l'irréfutabilité, découlant de leur caractère « littéraire », de descriptions plus ou moins argumentées, qui pourraient aussi bien être autres (avec d'autres termes, sous d'autres angles) mais toujours aussi adéquates au réel. Certains travaux sont bien animés par une idée de l'anthropologie comme activité théorique à la recherche de constantes et de lois générales, susceptibles de constituer le lieu d'un consensus, mais, significativement, ils sont eux-mêmes réduits à n'être qu'un courant particulier de la discipline, épistémologiquement contesté qui plus est par l'extension des analyses culturaliste, contextualiste, interprétative, relativiste, etc. Avec l'éloignement des pères fondateurs et des certitudes théoriques, le fonctionnalisme et, à un moindre degré, le structuralisme ne jouant plus leur rôle de représentations communes, à une époque (« postmoderne ») qui fait état de la fin des « grands récits », que reste-t-il de la « communauté anthropologique » ?

On voudrait suggérer ici que cette dissolution apparente de l'anthropologie, tant en termes d'objets — géographiques, et donc des concepts élaborés pour une aire culturelle — que de références théoriques, qui semble plus flagrante que pour d'autres sciences empiriques, peut être décrite à l'aide d'une métaphore typiquement anthropologique, celle de la segmentarité. Notion élaborée pour rendre compte de la dynamique générale des sociétés observées, la communauté anthropologique pourrait-elle, logiquement, s'y soustraire en tant qu'elle constitue aussi un groupe d'individus qui se reproduit et se réclame d'un ensemble de représentations et donc de lignes de transmission ? Et ce, même si par ailleurs cette notion, depuis longtemps mise en cause, apparaît aujourd'hui aussi mythique que nombre d'autres notions anthropologiques (Kuper, 1982). L'anthropologie est régie par un principe segmentaire : l'effacement des ancêtres éponymes a induit des processus normaux de fission et d'agrégation au sein des groupes qui s'en réclament, processus qui sont à leur tour fonction, diachroniquement, des transformations de la réalité — pression démographique, expansion vers de nouveaux territoires, modifications, lors de leur transmission, des représentations communes. En ce sens, la fragmentation et l'hétérogénéité du paysage anthropologique se manifestent surtout relativement à un énonciateur et à la position de celui-ci dans des groupes d'appartenance à composition éphémère. Affiliations, alliances et conflits varient selon les places respectives des locuteurs et de leurs destinataires, et s'actualisent principalement à des niveaux et en des situations donnés — classiquement, situations d'opposition qui engagent des groupes et obédiences fluctuant selon le cadre du différend et l'interlocuteur de référence.

On argumentera tout d'abord sur des notions pour lesquelles l'anthropologie se trouve fréquemment disqualifiée par des disciplines connexes ou par l'importation de modèles considérés comme plus fondamentaux, à puissance explicative supérieure et le plus souvent formels. Cette quête d'une formalisation marque d'ailleurs toutes les sciences empiriques en tant qu'elles aspirent à la véridicité scientifique. Ce phénomène semble particulièrement flagrant aujourd'hui s'agissant de l'anthropologie dite religieuse, symbolique, cognitive, médicale, etc., et, corrélativement, à propos de notions telles que croyance, représentation, rationalité, ou de théories (d'ailleurs controversées depuis longtemps), comme le relativisme. On poursuivra ensuite la métaphore de la segmentarité afin de montrer que malgré le mouvement centrifuge de différenciations à l'intérieur de la communauté anthropologique, opérées par les références aux disciplines voisines, une position réaliste se dessine en des situations ponctuelles de confrontation sur des questions précises, tandis que se manifestent les déficiences desdites disciplines et notions connexes, position qui légitime une définition minimale de l'anthropologie.

Fissions, alliances et affinités

Dès qu'elle réfléchit sur le concept de culture, l'anthropologie (religieuse, cognitive, etc.) illustre clairement ces divergences entre approches possibles. Il est trivial de constater que les traditions américaine, britannique et française (culturaliste — écologie culturelle, culture et personnalité —, fonctionnaliste, structuraliste, griaulienne, etc.) engagent des conceptions de l'homme, des cultures ou des sociétés, et donc du travail anthropologique, tout à fait différentes[1]. Il en est de même pour les anthropologies élaborées dans des pays dits en voie de développement, où contraintes et enjeux politiques et sociologiques (ou postcoloniaux) expliquent la diversité des prémisses. Tout ceci est vrai d'autres domaines, ainsi la parenté, dont l'analyse présuppose tout autant des hypothèses générales quant au fonctionnement des groupes sociaux, aux relations entre représentations, normes, groupes et substrat biologique, qui peuvent être incompatibles (à propos des rôles respectifs du biologique et du social par exemple).

De fait, comme Needham le remarquait à propos de la parenté, ce qui transparaît ici plus ou moins explicitement, c'est la question suivante : à quel degré ces analyses sont-elles informées par des disciplines adjacentes, où la philosophie — « continentale » ou analytique, logico-linguistique (« philosophy of mind ») — comme activité intellectuelle fondamentaliste et la formalisation (logique ou mathématique) occupe une position « impériale » ? (Needham, ed., 1971). On remarquera ici que la situation est d'autant plus complexe que les styles nationaux anthropologiques ne sont pas nécessairement instruits par un style philosophique local : la philosophie analytique anglo-saxonne — elle-même hétérogène (Recanati, 1984) n'inspire pas toutes les problématiques anthropologiques américaines, notamment en regard des influences de types marxiste ou sémiotique d'origine européenne (ainsi des philosophes américains comme Quine ou Putnam), contrairement à ce que l'on a trop tendance à croire en France. Il n'en demeure pas moins que l'usage — nécessaire — par l'anthropologie de catégories « interfaces », telles que pensée, croyance, représentation, règle, etc., renvoie, de façon plus ou moins explicitée, à une philosophie (et aujourd'hui, de plus en plus, aux approches cognitives, à la psychologie et à la linguistique) ; il en est de même dès que sont choisis des thèmes fondamentalistes : ainsi, les conditions et la validité de la description anthropologique, la relation à autrui (aux « other minds ») et le relativisme, l'anthropologie comme théorie en quête d'universaux en sont des exemples bien connus, et non des moindres.

Cette fragmentation des approches est donc précipitée par le recours de plus en plus visible de l'anthropologue à des problématiques extrinsèques et diverses. On peut faire ici deux remarques. Tout d'abord, cette hésitation essentielle du projet anthropologique, loin de dater d'aujourd'hui, est inscrite dans ses fondations et est illustrée par ses figures les plus marquantes : le droit avec Maine (Kuper, 1985), la psychologie avec Malinowski (Piddington, 1957) et en contrepoint avec Durkheim, et, comme chacun sait, la linguistique avec Whorf et Sapir, et surtout Lévi-Strauss. Ensuite, la tendance à la fragmentation à partir de travaux éponymes — aux hypothèses déjà composites — correspond à un mouvement général, naturel de dispersion et de complexité croissante des sciences, auquel l'anthropologie, encore moins que d'autres sciences, n'a, si l'on peut dire, nulle raison d'échapper, en tant qu'elle a l'ambition d'appréhender l'unité de l'homme social dans la multiplicité de ses œuvres. Reflet de ces courants centrifuges, on pourrait faire une histoire de l'anthropologie à l'image des transformations insensibles des tableaux d'Escher, où l'on voit s'autonomiser des débats de plus en plus autoréférentiels, qui en même temps empruntent (horizontalement) au voisinage ou bien (verticalement) aux théories fondamentales. Les développements récents de l'anthropologie médicale sont un exemple parmi d'autres de ces glissements progressifs, fissions et réagrégations, impliquant anthropologie sociale, physique, santé publique, psychiatrie ou sciences cognitives, où les objets donnent lieu à de nouvelles approches se ramifiant elles-mêmes à leur tour en nouveaux objets (Sindzingre & Zempléni, 1982) ; ce qui donne lieu aussi à malentendus puisque, ici comme ailleurs, l'une des disciplines (la biomédecine) revendique le plus souvent pour elle seule un modèle de scientificité supérieur et englobant, car adossé à la biologie ; et là encore, selon les appartenances, aux mêmes termes (maladie, thérapeutique, guérison) ne sont pas imputées les mêmes références.

Il semble que toutes les disciplines découpées par l'institution académique soient aujourd'hui sollicitées pour fournir des modèles jugés plus pertinents à une communauté anthropologique en manque de représentations, d'activités et de rituels communs. Des alliances sont établies, mais où, de statut inférieur, captive, il arrive que l'anthropologie s'expose insensiblement à l'assimilation. Même la parenté, thème royal s'il en est, relèverait essentiellement d'une analyse mathématique (Jorion, 1984). De nombreux travaux recourent ainsi à des modèles extrinsèques. Les plus récurrents sont (que l'on pardonne l'énumération) des théories respectivement des ensembles, des graphes, de la topologie, des catastrophes, de la thermodynamique, des jeux, des systèmes, de l'information, de la communication[2], des organisations, de la cognition (« computer sciences », intelligence artificielle), etc. L'anthropologie n'est certes pas le seul domaine où pratiquent ces recours qu'on retrouve partout : significativement, ces théories, finalement assez peu nombreuses mais partagées par l'ensemble du champ de la recherche, ont toutes en commun d'être formalisées, mais aussi de se poser comme traitant des aspects premiers de la réalité. Elles manifestent nettement, outre la sous-détermination de toute théorie par les faits, le malaise épistémologique d'une recherche aussi hautement empirique (« bricoleuse ») que l'anthropologie — dont la vocation de description littéraire ou de théorie peut se discuter (Sperber, 1982) —, qui se traduit par une humilité ou une fascination devant des modèles plus abstraits ou plus sophistiqués, donc crédités d'être plus « vrais ».

Toujours dans l'évocation des disciplines sollicitées, le mixte formé aujourd'hui par la philosophie, la psychologie, la linguistique (philosophie de l'esprit, sciences cognitives) occupe une place à part, car en un sens l'histoire de l'anthropologie est aussi l'histoire de sa définition par rapport à celles-ci. La séparation durkheimienne — les catégories de l'entendement sont « des choses sociales, des produits de la pensée collective » ; la règle de non-contradiction de « notre logique actuelle » n'est pas « inscrite de toute éternité dans la constitution mentale » humaine, mais dépend, « au moins en partie, de facteurs historiques, donc sociaux » (Durkheim, 1968, 13, 18) — est aujourd'hui contestée par la psychologie à propos des relations entre le cerveau, le langage et les représentations, et les parts respectives des processus individuels et sociaux. La légitimité d'une séparation entre niveaux physique, psychologique et phénomènes sociaux est aussi un objet important de la réflexion philosophique[3]. Depuis la convergence entre les travaux d'ethnoscience (Conklin, Tyler, Berlin & Kay par exemple) et les courants « cognitivistes », la psychologie et la linguistique tendent à reconquérir une position de pertinence supérieure pour la compréhension des comportements humains, d'autant qu'elles se prévalent d'arguments « forts » — modèles qui peuvent faire état de lois, de règles innées, ainsi la grammaire universelle chomskyenne — que l'anthropologie ne peut ignorer sur de simples pétitions de principe (Sperber, 1982 ; Atran, 1981, 1983).

Trois types de problèmes (au moins) sont liés à cet état de fait. Le premier, relevant d'un débat général relatif à l'unité et au développement des sciences, porte sur les conditions de possibilité d'une réduction d'un niveau scientifique à un autre plus fondamental, au comportement d'éléments de niveau inférieur[4]. C'est une aspiration après tout légitime en soi, qui a fait ses preuves dans les sciences naturelles. C'est aussi l'objet d'une vive discussion — où l'anthropologie est forcément partie prenante — consécutive aux ambitions des disciplines cognitives quant à la validité d'une réduction éventuelle : sociologie → psychologie → neurosciences. Cette aspiration est, significativement, réfutée seulement par des arguments issus de la philosophie[5]. Mais pour l'anthropologie, au vu de l'usage vague qu'elle fait de ses concepts, il n'est pas si facile de réfuter, comme l'a montré Sperber (1983), une conception réductionniste des objets culturels.

Le second type de problèmes relève directement de la nature de l'anthropologie. L'éclatement des objets et approches découle partiellement d'une ambiguïté originelle relative à sa vocation propre, *i.e.* sa dépendance vis-à-vis de tempéraments idiosyncrasiques, de dispositions personnelles, d'options initiales, qui tendent à informer le « style » général d'une recherche : se donnera-t-on pour tâche la découverte d'universaux — et la construction d'une théorie de ceux-ci — ou bien l'explicitation des infinies singularités culturelles ? On mentionnera seulement ici que la relation de l'anthropologie à la philosophie, inscrite dans la tradition française avec Lévy-Bruhl, Durkheim et Mauss, et donc autorisant une tradition d'énoncés à portée universalisante, a été activement disjointe par la « prescription du terrain » (développée par le fonctionnalisme britannique et après Boas aux États-Unis) induisant, comme on sait, la multiplication des monographies singulières et juxtaposées, et une couverture plus ou moins stéréotypée des sociétés du globe. La faillite relative du structuro-fonctionnalisme n'est évidemment pas étrangère aux actuelles interrogations sur les objectifs : généraliser, comparer ou respecter le réel dans sa complexité et ses variations les plus infimes ? Il n'est pas fallacieux de parler de tempérament au sens où les perspectives choisies au départ engagent un certain style de recherche (« théorique », « descriptif »), à son tour marqué par d'éventuelles adhésions à des problématiques (structuraliste, fonctionnaliste, etc.) et concepts internes à la discipline qui orientent, en quelque sorte estampillent, nécessairement toute description. L'étonnante hétérogénéité de comptes rendus relatifs aux mêmes communautés, à une même époque (où l'on se demande parfois s'il s'agit des mêmes gens...) est un phénomène bien connu, inscrit dans les fondements du projet anthropologique, malgré les tentatives de standardisation de la monographie structuro-fonctionnaliste (du type « Notes and Queries »). Celle-ci, en s'interdisant une attention flottante, présupposant le découpage des sociétés et des ethnies, s'est montrée incapable d'expliquer des pans importants du réel. La fragmentation de l'anthropologie reflète ainsi celle des tempéraments : portés vers la profondeur et le raffinement descriptifs ou, en contraste, vers l'abstraction — où les détails ethnographiques ne sont mentionnés que pour appuyer une thèse préalable (ceux-ci pouvant parfois être réduits à un énoncé d'un locuteur de la société X...). Mais l'option monographique ne saurait pour autant revendiquer une fidélité absolue au réel, puisqu'il n'est pas — comme le montre depuis longtemps la philosophie des sciences — d'observation qui ne soit « imprégnée de théorie[6] ». En outre, c'est aussi en fonction d'un tempérament que l'on choisit les objets et que l'on circonscrit le « contexte » jugé pertinent pour en rendre compte. Leur délimitation, la décision de stopper l'intégration de données supplémentaires ne sont pas toujours sans arbitraire — Needham a pu ainsi remarquer ironiquement que le type d'interprétation finalement choisi était en fait purement proportionnel à la durée du terrain.

Le troisième type de problèmes, indissociable des remarques précédentes, les rassemble et explicite l'évanouissement de la discipline devant la vigueur des analyses formelles. Déjà largement débattu, il concerne les faiblesses de l'anthropologie quant à l'exacte définition de ses concepts et objets — son « idée de l'homme ». Écartelée entre les soucis de l'exactitude et de l'exhaustivité monographiques — sans lesquels on voit mal quelle anthropologie pourrait s'édifier — et les ambitions de comparatisme et d'abstraction (repérage de constantes et construction de concepts *ad hoc*), l'anthropologie prête doublement le flanc aux critiques. D'une part, l'angle monographique est soutenu par une approche à la fois à visée holistique et circonscrite le plus souvent à la micro-échelle d'un groupe limité (« communauté ») — dont la taille correspond schématiquement à ce que la mémoire individuelle peut qualitativement maîtriser. Celle-ci a traditionnellement pour principe de traiter chaque domaine du réel en relation avec l'ensemble (le plus grand nombre) des autres domaines : parenté, économie, rituel, culture matérielle, etc. Il n'est donc pas surprenant que les disciplines académiques (économie, histoire, linguistique, etc.), qui revendiquent ceux-ci comme objet propre, arguent d'une compétence supérieure, pour chacun, à celle de l'anthropologue « généraliste », éclectique et démuni. Inscrite au cœur même de la démarche et des premiers objets — les sociétés « primitives », « traditionnelles », « de petite échelle » — de l'anthropologie, l'approche holistique est structurellement porteuse des faiblesses et ambiguïtés de son statut (englobant ou inféodé ?) vis-à-vis d'autres disciplines. Et ceci d'autant plus aujourd'hui que les objets traditionnels deviennent, comme chacun sait, des objets (urbains, européens par exemple) plus complexes et des spécialités déjà anciennes d'autres sciences sociales (histoire, sociologie...). Spécificité même de l'anthropologie, le holisme expose ainsi celle-ci, plus que d'autres sciences, à l'irruption de modèles formels « durs ».

D'autre part, la visée comparatiste, et donc la construction de concepts appropriés, fait de l'anthropologie une cible « visible » d'évaluations issues de la linguistique, de la logique ou de la philosophie des sciences. Certaines critiques sont bien connues, ainsi Needham (1972, 1975, Needham, ed., 1971), inspiré par Wittgenstein (à propos de la parenté ou de la croyance), ou Sperber (1982, 1983, 1985) dans une perspective plus cognitiviste (à propos notamment du sacrifice, du mariage, des représentations). Il est d'autant plus aisé d'y souligner les « airs de famille », « notions polythétiques », la confusion entre niveaux descriptif et interprétatif, ou le caractère technique — et non conceptuel — des termes anthropologiques, que les concepts de la profession résultent d'observations monographiques dues à des auteurs d'origines géographiquement, historiquement et culturellement disparates, usant du langage ordinaire, impliquant donc des référents très vraisemblablement hétérogènes. Comme d'autres sciences sociales, l'anthropologie est contrainte par une donnée qu'il n'est pas en son pouvoir de modifier : ses concepts ont été construits par le langage ordinaire et sont à la fois des termes spécialisés d'autres disciplines (« parenté », « famille », « rituel », « religion », « médecine », etc.).

Ces trois types de contraintes (tempéraments de recherche, holisme, termes issus du langage ordinaire et spécialisé) contribuent donc aux interrogations contemporaines sur l'existence même d'un objet de l'anthropologie. La mosaïque d'approches et d'objets induit nombre de malentendus. Par exemple, va-t-on étudier des objets observables et délimités (un groupe social, une « culture ») ou bien abstraits, théoriques (telle communauté en tant que groupe ; le lignage, le chamanisme, la divination, la possession, chez les X...) ? Cette dernière option conduit à l'évidence à des alliances préférentielles avec des domaines théoriques particuliers. Les itinéraires intellectuels de beaucoup d'anthropologues reflètent ces insensibles glissements : un terrain effectué dans une société matrilinéaire, initialement choisie de façon aléatoire, amènera par exemple à une réflexion sur l'unilinéarité, la notion de lignage, etc. ; dans une société où existent les rituels de possession, sur la psychopathologie, la médecine, etc., puis, éventuellement, à choisir un autre terrain significatif quant à ces thèmes précis. Il n'est pas surprenant que les « modèles théoriques » ainsi élaborés adhèrent de près aux aléas et singularités du terrain, comme en témoigne la parfois difficile communication entre des styles géographiquement marqués : en sont des illustrations la discussion sur la parenté entre africanistes et spécialistes de la Nouvelle-Guinée, ou bien entre africanistes et américanistes quant à l'étude de l'interprétation de l'infortune et des institutions thérapeutiques (sur le chamanisme). En outre, les doutes de l'anthropologie ne peuvent qu'être accrus, même sur le terrain (traditionnel) des « sociétés traditionnelles », par la complexité du phénomène ethnique, désormais manifeste après le déclin du genre monographique et l'appréhension de la variabilité, notamment rituelle, au sein d'une même société ; il en est de même pour les problèmes de frontières, d'emprunts et de circulation des « faits culturels ». Ces interrogations sont, comme on sait, sociologiquement renforcées par les enjeux culturels, politiques et institutionnels nationaux, propres aux groupes observants et observés, étant donné la répartition des terrains issue de la colonisation. Outre les présupposés conceptuels induits par des traditions intellectuelles différentes, les préoccupations sont évidemment déterminées par la position de l'énonciateur et par l'objet de référence : en simplifiant, une anthropologie tranquillement théorique dans des contrées politiquement calmes, une anthropologie naturellement politique qui s'impose dans d'autres, à moins d'une remarquable cécité ; en découlent d'office certains thèmes (paysannerie, développement, intégration nationale...) et sympathies théoriques (sociologie, science politique, marxisme...). Dans les pays dits du tiers monde, on assiste ainsi fréquemment à une faillite des schèmes fournis par l'anthropologie sociale classique, « à la Radcliffe-Brown », en totale inadéquation aux enjeux intellectuels locaux.

Notions critiques

Pour en revenir aux faiblesses notionnelles de l'anthropologie, on constate que les mises en cause ne proviennent pas seulement du crible logico-philosophique cognitiviste. On mentionnera ainsi des notions aussi cruciales que la segmentarité, le lignage, le groupe (depuis Murphy & Kasdan, 1959, Kuper, 1982, Verdon, 1980, 1981), l'ethnicité (Amselle & M'Bokolo, 1985), la maladie (Augé & Herzlich, eds., 1984), le fonctionnalisme (Tcherkezoff, 1983), l'analyse structurale des échanges (Galey, ed., 1984) et même la méthode du terrain (depuis Gough, 1968), pour n'en citer que quelques-unes. On insistera sur l'anthropologie dite religieuse qui, ayant toujours pour arrière-plan la nature de la pensée et de l'esprit humains, constitue un exemple privilégié des incursions de problématiques externes, ici logico-philosophiques, et d'un certain désarroi anthropologique. Celles-ci sont visibles essentiellement dans le monde anglo-saxon, après les débats relatifs aux « modes of thought » qui reprenaient à leur tour les très classiques problèmes de la religion, de la magie et de la rationalité dans les sociétés « primitives », mais en les revitalisant par la « philosophie de l'esprit », la philosophie des sciences (thèmes du grand partage et de l'incommensurabilité avec Popper et Kuhn), la psychologie et la linguistique (nature des universaux logico-linguistiques). Les discussions se sont ainsi focalisées sur les notions de croyance, représentation, rationalité dans les sociétés dites traditionnelles, mises ici en contraste avec les modèles scientifiques, dont l'arrière-fond est le débat relativiste toujours réalimenté[7]. De tels concepts sont typiquement revendiqués par plusieurs disciplines, mais les prémisses de leur usage et les référents diffèrent notablement de l'une à l'autre — existe-t-il même un air de famille entre l'usage du terme représentation chez Durkheim ou M. Douglas et, par exemple, chez Wittgenstein, Chomsky ou Fodor (Sperber, 1985) ? L'évaluation logico-philosophique s'est effectuée autour d'une question assez cruciale pour l'anthropologie — comment rendre compte de l'altérité des systèmes de croyances rencontrés dans d'autres sociétés[8] ?

On ne peut résumer ici le détail de chaque argumentation ; on mentionnera seulement qu'elles ont mis au jour trois points. Tout d'abord les plus généraux : l'exotisme, pour le monde français, d'une problématique déjà controversée dans le monde anglo-saxon, d'où malentendus — ou, le plus souvent, indifférence ; ensuite, déjà évoquée, l'importance du choix initial d'un thème de recherche et d'une sensibilité à certains types d'investigations dans l'établissement des alliances avec les disciplines « d'en face » et pour les conceptions de l'homme (et du métier) qui en découlent. On pourrait dire schématiquement que celui qui s'intéresse aux universaux des catégories, des croyances, des représentations ou des classifications, a toutes les chances de porter son attention sur la nature de l'équipement mental humain, de privilégier l'idée d'une unité de l'homme et de nouer quelques alliances du côté de la philosophie, de la psychologie ou de la linguistique. A l'inverse, celui qui, émerveillé par le divers et ses richesses, s'intéresse aux différences et aux contenus singuliers des croyances ou des rituels, tendra à privilégier l'approche monographique, l'histoire, la sociologie, à analyser les relations à un contexte et à concevoir l'homme comme indissolublement social[9].

Enfin, ces discussions ont elles aussi contribué à illustrer les bégaiements ou le mutisme de l'anthropologie sur les points cruciaux des croyances ou représentations, rationnelles ou « apparemment irrationnelles », généralement considérés comme donnés, comme notions à utiliser et non à élucider — que les raisons en soient une certaine paresse ou les contraintes structurelles du style monographique. Les critiques radicales méconnaissent les spécificités de l'anthropologie, mais celle-ci a eu tendance à en rester à des vues assez simplificatrices, à propos notamment des processus fort complexes impliqués dans le fait de croire — avec certes de notables exceptions, comme Needham (1972) dont les analyses sont nourries de l'œuvre de Wittgenstein. Les « airs de famille », « jeux de langage » et « formes de vie » sont d'ailleurs des concepts désormais largement utilisés par l'anthropologie. La philosophie n'est néanmoins pas seule compétente : une croyance est aussi une attitude propositionnelle et un type d'état mental, et l'anthropologie est ici requise par la linguistique et la psychologie. Ainsi, les questions suivantes sont souvent éludées : la nature de l'adhésion et du scepticisme vis-à-vis d'une croyance — celui-ci sans doute plus prégnant que ne le laissent supposer les monographies de la religion chez les X ; les relations entre une représentation, un énoncé qui la mentionne et un objet qui en est le support ; ou bien les relations entre le langage et le caractère « inobservable » des entités religieuses — toutes questions importantes pour comprendre un culte, par exemple. Après le Wittgenstein des *Investigations philosophiques* et s'appuyant, dans des perspectives différentes, sur les théories dites de la référence, Kripke (1972), Putnam (1975, 1984) ou Travis (1984) ont montré la complexité et les paradoxes intervenant dans la notion de croyance, à savoir que l'énonciation d'une croyance n'implique pas un état mental correspondant, ou bien que l'usage d'un nom n'implique pas une connaissance complète du référent de ce nom. De son côté, l'approche « computationnelle » des représentations mentales et la réflexion sur les systèmes intentionnels (Fodor, Dennett) — sur ce que les machines intelligentes sont capables de croire — ont profondément renouvelé la notion. Malgré leur abstraction, ces analyses sont certainement pertinentes pour la compréhension de phénomènes relevant classiquement de l'anthropologie. Pas seulement la notion de croyance, mais aussi celle de transmission ou bien celle de fétiche — cultes, autels, inférences magiques — qui articule une pluralité de niveaux en tant qu'elle conjoint des processus de nomination, d'énonciation et de croyance, des actions et des objets matériels qui peuvent eux-mêmes faire référence à d'autres représentations (Sindzingre, 1985). Il en est manifestement de même pour la notion de divinité, à la fois nom, entité inobservable, objet de culte. Pour n'en mentionner qu'un, un récent article d'une anthropologue aussi incontestable que M. Douglas (1985), témoigne, à propos des preuves pascaliennes de l'existence de Dieu, de ces défections discrètes et tropismes insensibles vers la philosophie.

Dans le débat sur les « modes de pensée », la rationalité et le relativisme (Wilson, Hollis & Lukes), l'anthropologie anglo-saxonne laisse ainsi progressivement la place à des discussions sur les universaux ou le grand partage. Débat qui n'est certes pas mineur, car il engage les prémisses d'une explication anthropologique de la différence culturelle et les conditions de possibilité de niveaux de comparaison, et il a pour implicite un problème philosophique essentiel, celui de l'« autruicité » (des « other minds ») : que peut-on savoir de ce qui se passe dans la pensée d'autrui ? Usant largement du déjà traditionnel concept de commensurabilité (Popper, Kuhn, Feyerabend), les interrogations sur le relativisme (entre cultures ou époques) gagnent significativement aussi l'histoire, ainsi avec Veyne (1983) sur la vérité et les croyances dans les mythes grecs. Susceptibles de fonder plus aisément une formalisation, les notions logico-philosophiques de « théorie », « proposition », « inférence », vérifiabilité », etc., servent aujourd'hui de lieux communs à la déjà abondante littérature portant sur les énoncés exotiques et leur rationalité — où les croyances azande occupent une place paradigmatique — et qui tend désormais à s'autonomiser comme genre anthropologico-philosophique typiquement anglo-saxon ; les citations y sont d'ailleurs de plus en plus autoréférentielles et les Azande de plus en plus désincarnés (Scholte, 1984). Malgré tout, ayant pour enjeu les questions : comment connaître et comment juger ? le débat sur le relativisme reste exemplaire des échanges entre philosophie et anthropologie (Krausz & Meiland, eds., 1982 ; pour la France la discussion, dans *Critique*, entre Descombes, Rorty, Dumont et Lyotard).

Le défi est sérieux. On connaît les démonstrations de l'existence d'universaux cognitifs (concernant les classifications des espèces naturelles ou des couleurs ; Berlin & Kay, 1969, Rosch & Lloyd, 1978) illustrant les capacités explicatives supérieures d'approches non anthropologiques sur un terrain traditionnel de l'anthropologie culturelle (défendu par Sahlins, 1976), affaiblissant les thèses « fondatrices » du primat du social dans l'explication des productions culturelles humaines — primat dont, d'un tout autre point de vue, l'anthropologie structurale inaugurait la discussion avec sa notion d'« esprit humain ». Est ici remise en question la compétence du parti pris holiste des monographies — avec son accent sur la diversité culturelle et la multiplicité de niveaux de description possibles des faits — à rendre compte de ceux-ci de façon adéquate. Simultanément, il devient manifeste que, malgré les notions et thèmes en apparence communs, les référents et les perspectives d'analyse divergent : ainsi la perspective microsociologique prend en compte des ensembles du « réel » sous le concept de contexte tout en rejetant les modèles trop spécialisés à ses marges ; et les perspectives formalisées renvoient le « contexte » à leurs marges en tant que variable non pertinente, trop complexe et donc à provisoirement éliminer à des fins heuristiques (*cf.* les décalages entre linguistique chomskyenne éliminant par hypothèse l'« extralinguistique » et la sociolinguistique). Rien d'étonnant, par ailleurs, à ce à ce que la philosophie, elle-même soumise à des segmentations thématiques et stylistiques similaires, mais, semble-t-il, lieu d'un consensus plus visible quant à sa spécificité, constitue une tentation permanente pour l'anthropologie, française ou anglo-saxonne ; comme on sait, elle n'est pas une science sociale (empirique), mais s'interroge sur les conditions de possibilité d'un discours sur les faits. Malgré la coupure revendiquée par les disciplines scientifiques, la philosophie rappelle que rien ne peut les affranchir de décisions épistémologiques ; celles-ci ne constituent pas des faits, mais construisent des « règles pour produire des faits, pour dire ce qu'est un fait », des normes de recherche et des stipulations de règles pour constater (Spitz, 1985, 57-59). Ceci est la définition même de la philosophie, et marque les limites de toute enquête purement empirique.

On notera pour finir que l'histoire est requise par la philosophie de façon similaire. Elle oblige tout autant à des options initiales, concernant notamment la possibilité d'analyser des faits indépendamment de leur état antécédent, ou bien sur la nature de la causalité (hypothèses sur le déterminisme ou le hasard, sur le « pas d'effet sans cause », etc.). Ces prémisses déterminent à leur tour des types d'anthropologie : c'est sur l'option « historiciste », on le sait, que le fonctionnalisme, le structuralisme, l'analyse transactionnelle, etc., ont eu à se prononcer — et à diverger.

L'appartenance anthropologique

Les références aux disciplines connexes induisent donc un mouvement centrifuge, des différenciations à l'infini à l'intérieur de la communauté anthropologique. Reste-t-il quelque lignée pure qui pourrait fournir des critères singularisants, minimaux, d'appartenance ? Si l'on concède la métaphore segmentaire, il apparaît qu'en situations ponctuelles de contraste avec lesdites disciplines, une définition minimale dessine les contours et la spécificité de l'anthropologie, et soutient des positions « antiréductionnistes ». Ceci pour des raisons à la fois négatives et positives. Tout d'abord, en « négatif », on peut argumenter sur les apories des disciplines « donneuses » (de concepts) sous deux angles : l'élaboration de raisonnements explicatifs et la pratique d'« import-export » de ces concepts. Ensuite, « positivement », l'anthropologie forme (malgré tout) un niveau d'analyse propre, un regard singulier, constitué de méthodes (le terrain), de concepts (sociétés, groupes, institutions) et de modes d'explication — construction de corrélations entre faits et niveaux respectivement, option qualitative selon une grille de notions permettant de s'exhausser de la pure observation du divers et de jeter les bases d'un comparatisme. De ceci, les disciplines « alliées » n'ont pas la capacité.

En effet, l'usage des modèles formels extrinsèques en anthropologie achoppe sur la question très générale des transferts de théorie à théorie, opérations plutôt délicates si l'on veut conserver les référents et les méthodes d'analyse. Il n'est pas nouveau de souligner que ces transferts sont souvent de nature purement métaphorique, pour la raison même que les termes communs, n'ayant pas les mêmes références, ont alors surtout fonction d'images évocatoires. Les analyses en termes de jeux, systèmes, topologie, flux d'information, intelligence artificielle, etc., ont à l'évidence le plus souvent valeur d'analogies. La question de la nature métaphorique des transferts de modèles présente aussi bien en biologie, en physique ou en psychologie[10], déborde évidemment le cadre de l'anthropologie.

Une conséquence possible — extrême — est que, comme ces théories formelles ne sont pas si nombreuses et sont utilisées par des disciplines multiples, on assiste à une véritable circularité des références : exportés et exploités ailleurs, des concepts peuvent être réutilisés à l'infini, mais biaisés, imprégnés (« loaded ») selon, si l'on peut dire, des « mises en abîme » analogiques. En sont des exemples l'usage anarchique de la relativité, de l'indéterminisme, du théorème de Gödel, de la thermodynamique, etc., en sciences sociales, ou bien celui de la notion d'« esprit » en physique des particules, ou bien encore le recours aux métaphores psychologiques par le cognitivisme pour décrire le fonctionnement d'un ordinateur (et réciproquement aux ordinateurs pour décrire l'intelligence), où sont souvent confondus, notamment, les sens littéral et métaphorique de la notion de « suivre une règle » (Searle, 1985, 65-66). L'anthropologie connaît aussi ces notions importées au statut incertain, fournies en particulier par la linguistique : métaphore et métonymie pour l'analyse du rituel, code et communication pour l'analyse de l'échange matrimonial (Sperber, 1968, 209-219). D'une façon générale, comme le remarquent Kaplan et Manners (1972, 166-168) les modèles formels, soumis à des règles logiques de validité interne, n'expliquent pas les phénomènes empiriques : ils montrent « certaines relations formelles qui peuvent ou non être empiriquement pertinentes », sans garantie de révéler quelque chose des principes conceptuels indigènes (*ibid.*, 167).

Pour revenir au débat sur la rationalité et le relativisme, et aux emprunts à la philosophie, il apparaît qu'à force de se couler dans le moule logico-philosophique, avec ses approches et niveaux d'abstraction propres, il aboutit parfois à la circularité des références évoquées, ainsi qu'à des questions qui sont triviales ou absurdes pour un anthropologue. Dans le genre littéraire inauguré par les ouvrages de Winch ou de Wilson, l'analyse des universaux, de la rationalité et de la magie dans les sociétés traditionnelles, les hypothèses sur l'« incommensurabilité » entre cultures s'appuient généralement sur quelques exemples azande ou nuer, glosés à l'infini sur un énoncé ou une croyance considérés comme exhaustifs de leur conception de la sorcellerie ou de l'identité (« les jumeaux sont des oiseaux... »). L'expérience du terrain suffit à réfuter la thèse d'une non-traductibilité entre langues et cultures (Horton, 1979, 201), sachant que toutes les langues comportent des termes flous ou ambigus (« mystérieux » ; Sperber, 1985), requérant des explicitations plus longues que d'autres — l'exotisme est, si l'on peut dire, inversement proportionnel à la durée du séjour. Au fur et à mesure de l'autonomisation de ces réflexions, les niveaux d'abstraction et de réduction adoptés entraînent des faiblesses flagrantes[11]. On a parfois l'impression que la « variable culturelle » fonctionne ici comme pure mention (la mention « Azande ») que l'absence d'expérience de terrain prive de tout contexte et fait prendre à contresens. En fait, on constate que les philosophes s'intéressant aux universaux et aux formes de la pensée humaine sont en position de demandeurs à l'égard de l'anthropologie, de ses données et résultats. Incertitudes ou ignorance sont parfois exprimées quant à la diversité culturelle et à l'universalité de leurs affirmations, de même que la conscience diffuse d'être éventuellement tributaires des cadres cognitifs de la tradition culturelle occidentale. Un exemple de réduction de la philosophie analytique classique est celui des entités « mythiques » ou « religieuses » ramenées à des référents fictionnels d'énoncés existentiels faux (mise en cause maintenant par la nouvelle théorie de la référence ; Putnam et Kripke notamment) — simplification manifeste pour n'importe quel anthropologue.

D'un point de vue plus positif, l'anthropologie constitue en effet une « appartenance » spécifique, même si, comme l'illustre le débat sur la rationalité, celle-ci ne s'actualise qu'« a minima », en des situations données et discussions thématiques avec « ceux d'en face ». On peut appliquer ici les arguments antiréductionnistes généraux relatifs à la légitimité des différences entre niveaux d'analyse et échelles retenus par diverses disciplines. Il existe plusieurs « cartes » possibles, tout aussi valides, du même territoire, plusieurs descriptions construisant leur objet, des « versions du monde » irréductibles (Goodman, 1978). La même entité peut être observée de deux points de vue et décrite à deux échelles qui seront chacune pertinentes (Jacob, 1983, 775).

Il existe à l'évidence une spécificité de l'échelle, de la « version » anthropologique, qui l'impose comme niveau d'analyse nécessaire, comble les méconnaissances (ou la stérilité) d'assertions paraphilosophiques trop portées à la réduction ou à l'universalisation. Point n'est besoin d'insister sur le terrain qui, malgré ses contraintes et faiblesses dues à le prescription de l'approche holistique, conduit à un regard irremplaçable sur les faits humains ; il évite nombre de contresens ou de fausses questions (les « évidences du terrain »), et, même si l'intuition est une notion scientifiquement délicate, il autorise seul cette approche qualitative propre à l'anthropologie : la possibilité empiriquement vérifiée et argumentée de mettre en corrélation des domaines et niveaux autrement disjoints ; seule l'anthropologie montre qu'ils ne peuvent être compris s'ils sont autonomisés (ainsi le « médical » et le « religieux »). Enfin, il existe des concepts sur lesquels l'anthropologie a pu produire des théories — même « faibles », et dont d'autres problématiques n'ont rien à dire : ou bien ils se réfèrent à des niveaux que celles-ci ignorent, ou bien ils sont tenus pour acquis (« taken for granted »). Les plus évidents sont, par exemple, ceux de groupe, d'institution, de pouvoir, de rituel. L'objet historique de l'anthropologie (les communautés, les petites sociétés « traditionnelles ») couplé à la méthode du terrain a seul spécifiquement permis de démontrer au sens fort, irréductible, l'unicité de l'homme social, sous les deux pôles individuel et collectif, de révéler les niveaux de cohérence et aspects multiples de phénomènes mixtes (formés par des représentations, énoncés, corps de règles et groupes d'individus), et de construire des universaux non seulement biologiques ou cognitifs, mais sociaux.

Tout ceci constitue souvent davantage une norme idéale, actualisée seulement lors de situations ponctuelles « segmentaires » (les structuralistes contre les marxistes, les Français contre les Anglo-Saxons, les anthropologues contre les psychologues, etc.). On ne saurait cependant en conclure à la dilution de l'anthropologie dans ses divers objets et théories.

Pour finir, on pourrait rapporter ces questions à un problème général : quels sont les critères de reconnaissance possibles d'un objet ? Comme toutes les productions de l'esprit humain, l'anthropologie peut être envisagée sous le double aspect d'une convention (d'un genre), ou d'une tradition (d'une série) (Scruton, 1983, 22-23)[12]. Conçue comme un genre, juxtaposé à d'autres genres à l'intérieur d'un découpage, appréhendé synchroniquement, comme une convention aux contenus rigidement fixés, l'anthropologie pose pour chacune de ses œuvres la question de leur appartenance — « digitale » (l'objet est dans ou hors du genre) et de leur référence ; le problème de « reconnaître que quelque chose est ou non de l'anthropologie » est alors, comme pour l'œuvre d'art, insoluble : les critères se dissolvent toujours, ils ne peuvent être fixés qu'à partir d'une extériorité. Mais envisagé comme une tradition, une série diachronique, « qui change tout en restant la même chose », où les noms et les thèmes (et non les contenus) sont les « indicateurs rigides » (Kripke) de référents fluctuants et évolutifs le long d'une chaîne temporelle d'énoncés, le problème des critères de reconnaissance n'implique plus les constatations pessimistes évoquées dans cet article : ainsi conçue à l'instar des œuvres esthétiques, de leurs fragmentations et transformations, l'anthropologie, loin de suggérer sa prochaine disparition, illustre sa vitalité.

NICOLE SINDZINGRE.

NOTES

1. *Cf.* par ex. la recension de KAPLAN & MANNERS (1972), d'où, comme bien souvent, les travaux français sont significativement absents, ceux de Lévi-Strauss exceptés.

2. Dont G. BATESON (1936) fut un pionnier avec *Naven.*

3. *Cf.* par ex. DENNETT (1979) ; SEARLE (1984). La liaison avec la psychologie a ainsi été maintenue par FORTES (1980) [*cf.* les discussions de COLE & SCRIBNER (1974) ou de LLOYD & GAY, eds. 1981].

4. *Cf.* NAGEL (1961) ou OPPENHEIM & PUTNAM (1958) pour l'exposé du problème.

5. Concernant par ex. la thèse wittgensteinienne de l'impossibilité d'un « langage privé », les notions de conscience ou d'intentionalité ; *cf.* KRIPKE (1972), PUTNAM (1984), SEARLE (1985) sur les apories du réductionnisme et la version plus fine de FODOR (1975), mise en cause par un réductionniste « dur » comme CHANGEUX (1983) ; JACOB (1983) présente les principaux points discutés.

6. « Theory laden », selon le terme de HANSON (1958) ; la distinction entre vocabulaire observationnel et vocabulaire théorique est autant remise en cause que celle entre faits et valeurs (PUTNAM (1984) 223 *sq.*) ; pour l'anthropologie, *cf.* GEERTZ (1973), BOON (1982) ou, d'un tout autre point de vue, SPERBER (1982) sur l'anthropologie comme activité interprétative.

7. HORTON (1967) fit une des contributions les plus marquantes, en comparant notamment les « théories » religieuses locales (des ancêtres, esprits, etc.) aux théories physiques relatives aux entités inobservables (électron, etc.).

8. Avec, notamment WINCH (1958), HORTON (1967), WILSON, ed. (1970), HORTON & FINNEGAN, eds. (1973), GELLNER (1974), HANSON (1975), SKORUPSKI (1976), HORTON (1979), DOUGLAS (1979), HOLLIS & LUKES, eds. (1982), HATCH (1983), JARVIE (1984), SPERBER (1983), BOYER (1986).

9. Un exemple des malentendus issus de ces différences — incompatibilités ? — entre les prémisses et le style est GEERTZ 1973, 1976 et surtout 1984, où les thèses rationalistes, antirelativistes, exposées dans HOLLIS & LUKES, eds. 1982, sont accusées d'être rétrogrades et de passer complètement à côté des apports de l'anthropologie en ce qui concerne la diversité des sens et des perceptions de par le monde.

10. Une question bien connue concerne la validité des analogies entre cerveau humain et ordinateurs et, partant, celle des positions réductionnistes ou non (Fodor, Putnam, Changeux, après le dualisme cartésien et le « fantôme dans la machine »).

11. Ainsi COOPER (1975), proposant une logique « alternative » à trois termes inspirée du physicien H. Reichenbach, pour expliquer les énoncés « apparemment irrationnels » azande.

12. Je remercie R. Ogien de m'avoir communiqué cet ouvrage.

BIBLIOGRAPHIE

AMSELLE, J.-L. & M'BOKOLO, E., eds.
1985 *Au Cœur de l'ethnie.* Paris, La Découverte.

ATRAN, Scott
1981 « Natural Classification », *Social Science Information,* 20, 37-91.
1983 « Rendons au sens commun... », *Le Genre humain,* 7-8, 81-85.

AUGÉ, Marc & HERZLICH, Claudine, eds.
1984 *Le Sens du mal.* Paris, Éd. des Archives contemporaines.

BATESON, Gregory

1936 *Naven*. Stanford, Stanford University Press. Trad. franç. : *La Cérémonie du naven*. Paris, Éd. de Minuit, 1971. Biblio-essais, Livre de Poche, 1986.

BERLIN, B. & KAY, P.

1969 *Basic Color Terms : Their Universality and Evolution*. Berkeley, University of California Press.

BOON, James A.

1982 *Other Tribes, Other Scribes : Symbolic Anthropology in the Comparative Study of Cultures, Histories, Religions and Texts*. Cambridge, Cambridge University Press.

BOYER, Pascal

1986 « The Empty Concept of Traditional Thinking », *Man*, 21 (1).

BROWNS, S. C., ed.

1979 *Philosophical Disputes in the Social Sciences*. Brighton, The Harvester Press.

CHANGEUX, Jean-Pierre

1983 *L'Homme neuronal*. Paris, Fayard.

COLE, Michael & SCRIBNER, Sylvia

1974 *Culture and Thought : A Psychological Introduction*. New York, John Wiley.

COOPER, David E.

1975 « Alternative Logic in Primitive Thought », *Man*, 10, 238-256.

Critique : La Traversée de l'Atlantique, 1985, 456 (articles de V. DESCOMBES, L. DUMONT, J.-F. LYOTARD, R. RORTY).

DENNETT, Daniel

1979 *Brainstorms : Philosophical Essays on Mind and Psychology*. Brighton, The Harvester Press.

DOUGLAS, Mary

1979 « World View and the Core », *in* S. C. BROWN, ed., *Philosophical Disputes in the Social Sciences*. Brighton, The Harvester Press, 177-187

1985 « Pascal's Great Wager », *L'Homme*, 93, XXV (I), 13-30.

DURKHEIM, Émile

1968 *Les Formes élémentaires de la vie religieuse*. Paris, P.U.F..

FODOR, Jerry A.

1975 *The Language of Thought*. Cambridge, Mass., Harvard University Press.

FORTES, Meyer

1980 « Anthropology and the Psychological Disciplines », *in* E. GELLNER, ed., *Soviet and Western Anthropology*. London.

GALEY, J.-C., ed.

1984 *Différences, valeurs, hiérarchie*. Paris, Éditions de l'École des hautes Études en Sciences sociales.

GEERTZ, Clifford

1973 *The Interpretation of Cultures*. New York, Basic Books.

1976 « From the Native's Point of View : On the Nature of Anthropological Understanding », *in* K. H. BASSO & H. A. SELBY, eds., *Meaning in Anthropology*. Albuquerque, University of New Mexico Press.

1984 « Distinguished Lecture : Anti Anti-Relativism », *American Anthropologist*, 2, 86, 263-278.

GELLNER, Ernest

1974 *The Legitimation of Belief*. Cambridge, Cambridge University Press.

GOODMAN, Nelson

1978 *Ways of Worldmaking*. Brighton, The Harvester Press.

GOUGH, Kathleen

1968 « New Proposals for Anthropologists », *Current Anthropology*, 9, 403-407.

HANSON, F. Allan

1975 *Meaning in Culture*. London, Routledge & Kegan Paul.

HANSON, Norwood Russell

1958 *Patterns of Discovery*. Cambridge, Mass., Harvard University Press.

1961 « Is There a Logic of Discovery ? », *in* H. FEIGL & G. MAXWELL, eds., *Current Issues in the Philosophy of Science*. New York, Holt, Rinehart & Winston. (Trad. franç. : « Y a-t-il une logique de la découverte scientifique ? », *in*

P. Jacob, ed., *De Vienne à Cambridge : l'héritage du positivisme logique de 1950 à nos jours.* Paris, Gallimard, 1980, « Bibliothèque des Sciences humaines ».)

Hatch, Elvin

1983 *Culture and Morality : The Relativity of Values in Anthropology.* New York, Columbia University Press.

Hollis, Martin & Lukes, Steven, eds.

1982 *Rationality and Relativism.* Oxford, Basil Blackwell.

Horton, Robin

1967 « African Traditional Thought and Western Science », *Africa,* 37 (I), 50-71.

1979 « Material-object Language and Theoretical Language : Towards a Strawsonian Sociology of Thought », *in* S. C. Brown, ed., *Philosophical Disputes in the Social Sciences.* Brighton, The Harvester Press, 197-224.

Horton, Robin & Finnegan, Ruth, eds.

1973 *Modes of Thought : Essays on Thinking in Western and Non-Western Societies.* London, Faber & Faber.

Jacob, Pierre

1983 « Faut-il 'parler' le 'mentalais' pour penser ? », *Critique,* 437, 774-795.

Jacob, Pierre, ed.

1980 *De Vienne à Cambridge : l'héritage du positivisme logique de 1950 à nos jours.* Paris, Gallimard (« Bibliothèque des Sciences humaines »).

Jarvie, I.C.

1984 *Rationality and Relativism : In Search of a Philosophy and History of Anthropology.* London, Routledge & Kegan Paul.

Jorion, Paul

1984 « L'Inscription dans la structure de parenté », *Ornicar ?,* 31, 56-97.

Kaplan, David & Manners, Robert A.

1972 *Culture Theory.* Englewood Cliffs, Prentice Hall.

Krausz Michael & Meiland, Jack W., eds.

1982 *Relativism, Cognitive and Moral.* Notre Dame, University of Notre Dame Press.

KRIPKE, Saül

1972 « Naming and Necessity », *in* D. DAVIDSON & G. HARMAN, eds., *Semantics of Natural Language*. Dordrecht, Reidel. (Traduit de l'anglais par P. Jacob et F. Recanati, sous le titre : *La logique des noms propres*. Paris, Éd. de Minuit, 1982.)

KUPER, Adam

1982 « Lineage Theory : A Critical Retrospect », *Annual Review of Anthropology*, II, 71-95.

1985 « Ancestors : Henry Maine and the Constitution of Primitive Society », *History and Anthropology*, I (2), 265-286.

LLOYD, Barbara & GAY, John, eds

1981 *Universal of Human Thought : Some African Evidence*. Cambridge, Cambridge University Press.

MURPHY, Robert, F. & KASDAN, Leonard

1959 « The Structure of Parallel Cousin Marriage », *American Anthropologist*, 61, 17-29.

NAGEL, Ernest

1961 *The Structure of Science*. New York, Harcourt, Brace & World.

NEEDHAM, Rodney, ed.

1971 *Rethinking Kinship and Marriage*. London, Tavistock. (Trad. franç. : *La Parenté en question*. Paris, Le Seuil, 1977.)

1972 *Belief, Language and Experience*. Oxford, Basil Blackwell.

1975 « Polythetic Classification : Convergences and Consequences », *Man*, 10, 349-369.

OPPENHEIM, Paul & PUTNAM, Hilary

1958 « The Unity of Science as a Working Hypothesis », *in* H. FEIGL, G. MAXWELL & M. SCRIVEN, eds., *Minnesota Studies in the Philosophy of Science*, II. Minneapolis, The University of Minnesota Press. (Trad. franç. : « L'Unité de la science : une hypothèse de travail », *in* P. JACOB, ed., *De Vienne à Cambridge*... Paris, Gallimard, 1980, « Bibliothèque des Sciences humaines », 337-378.)

PIDDINGTON, Ralph

1957 « Malinowski's Theory of Needs », *in* R. FIRTH, ed., *Man and Culture, an Evaluation of the Work of Malinowski*. London, Routledge & Kegan Paul, 33-51.

PUTNAM, Hilary

1975 *Mind, Language and Reality*. Cambridge, Cambridge University Press (« Philosophical Papers », 2).

1984 *Raison, vérité et histoire*. Traduit de l'anglais par A. Gerschenfeld. Paris, Éd. de Minuit. (Éd. orig. : *Reason, Truth and History*. Cambridge, Cambridge University Press, 1981.)

RECANATI, François

1984 « Pour la Philosophie analytique », *Critique*, 444, 362-383.

ROSCH, Eleanor & LLOYD, Barbara

1978 *Cognition and Categorization*. Hillsdale, Lawrence Erlbaum.

SAHLINS, Marshall

1976 « Colors and Cultures », *Semiotica*, 16, 1-22.

SCHOLTE, Bob

1984 « Reason and Culture : The Universal and the Particular Revisited », *American Anthropologist*, 26 (4), 960-965.

SCRUTON, Roger

1983 *The Aesthetic Understanding*. London, Methuen.

SEARLE, John, R.

1985 *Du Cerveau au savoir*. Traduit de l'anglais par C. Chaleysin. Paris, Hermann (« Savoir »). (Éd. orig. : *Minds, Brains and Science*. London, British Broadcasting Corporation, 1984.)

SINDZINGRE, Nicole

1985 « Healing is a Healing Does : Pragmatic Resolution of Misfortune among the Senufo (Ivory Coast) », *History and Anthropology*, 2, Part I, 33-57.

SINDZINGRE, Nicole & ZEMPLÉNI Andras

1982 « Anthropologie de la maladie », *in* M. GODELIER, ed., *Les Sciences de l'homme et de la société en France*. Paris, La Documentation française, 161-174.

SKORUPSKI, John

1976 *Symbol and Theory*. Cambridge, Cambridge University Press.

SPERBER, Dan

1968 « Le Structuralisme en anthropologie », *in* O. DUCROT *et al.*, *Qu'est-ce que le structuralisme ?* Paris, Le Seuil, 167-238.

1982 *Le Savoir des anthropologues*. Paris, Hermann.

1983 « Issues in the Ontology of Culture », paper presented at the 7th International Congress of Logic, Methodology and Philosophy of Science, Salzburg, July.

1985 « Anthropology and Psychology : Towards an Epidemiology of Representations », *Man*, 20 (I), 73-89.

SPITZ, Jean-Fabien

1985 « L'Empirisme et la science de la nature humaine », *Philosophie*, 5, 45-61.

TCHERKEZOFF, Serge

1983 *Le Roi nyamwezi : la droite et la gauche*. Cambridge, Cambridge University Press — Paris, Éd. de la Maison des Sciences de l'Homme.

TRAVIS, Charles

1984 « Les Objets de croyance », *Communications*, 40, 229-257.

VERDON, Michel

1980 « Descent : An Operational View », *Man*, 15, 129-150.

1981 « Kinship, Marriage and the Family : An Operational Approach », *American Journal of Sociology*, 86 (4), 796-818.

VEYNE, Paul

1983 *Les Grecs ont-ils cru à leurs mythes ?* Paris, Le Seuil.

WILSON, Bryan, ed.

1970 *Rationality*. Oxford, Basil Blackwell.

WINCH, Peter

1958 *The Idea of a Social Science and its Relation to Philosophy*. London, Routledge & Kegan Paul.

DE TÉHÉRAN À TEHUANTEPEC

L'ETHNOLOGIE AU CRIBLE DES AIRES CULTURELLES

Carmen Bernand et Jean-Pierre Digard

L'ethnologie française du début des années 80 se signale, entre autres caractéristiques, par une forte tendance à la multiplication, voire à la dispersion des problématiques et des méthodes. Cette tendance apparaît plus marquée encore si on la compare à ses homologues, anglo-saxonnes notamment. Telle est l'une des conclusions qui se dégagent du dernier *Rapport de conjoncture* du CNRS (Bernard & Digard, 1985).

Cette tendance résulte d'un double processus : d'extension du champ thématique de l'ethnologie, du fait de l'exploration toujours plus poussée des interfaces (avec les sciences de la nature, la psychiatrie, l'histoire, la littérature, etc.), et d'extension de son champ géographique. C'est ce dernier aspect et ses implications, quant au développement de l'ethnologie française actuelle, que nous voudrions examiner ici, sur la base de faits proche-orientaux et américains.

I

L'idée que le champ géographique de l'ethnologie soit en extension peut paraître saugrenue, à un moment où celle-ci semble plus que jamais suspectée, contestée, voire interdite dans de nombreux pays (du Moyen-Orient notamment). Or l'enquête effectuée lors de la préparation du *Rapport de conjoncture* montre que de nouveaux terrains ont été récemment ouverts — la Chine, l'océan Indien, etc. — auxquels doivent être ajoutés les champs exploités depuis peu par l'anthropologie urbaine (l'ouverture géographique potentielle est d'ailleurs bien plus importante si l'on en juge par les pays, tels l'Argentine ou l'Égypte, qui pourraient encore être investis, mais d'où les ethnologues restent presque totalement absents). La même enquête révèle, d'autre part, que l'on dispose maintenant, pour les terrains dont l'accès est entre-temps devenu difficile voire impossible, d'une accumulation de matériaux et d'analyses sur lesquels de nombreux ethnologues continuent à travailler avec d'excellents résultats. L'expérience de la section 33 (anthropologie, préhistoire, ethnologie) du CNRS montre d'ailleurs que c'est sur la base d'acquis méthodologiques et théoriques déjà importants que naissent souvent les réflexions les plus novatrices, tandis que les recherches pionnières, menées sur les terrains où l'on doit partir de zéro ou presque, se révèlent, sauf exception, ingrates et de faible rendement : c'est ce qui explique en partie que le fossé soit si difficile à combler entre les champs classiques de l'ethnologie française, intellectuellement et institutionnellement dominants, où les recherches continuent de se développer à un rythme rapide (africanisme, anthropologie sociale), et les autres, plus marginaux, où l'innovation repose sur quelques individus travaillant avec des moyens dérisoires.

En dépit de ces difficultés et de cette diversité des situations, l'extension du champ géographique de l'ethnologie est donc bien une réalité. Or chaque terrain suscite des approches qui lui sont propres, favorisant les unes, repoussant les autres, à la manière d'une sorte de filtre. Ce tri s'effectue en fonction de critères qui tiennent à la fois aux particularités des sociétés et des cultures étudiées, bien évidemment, maïs aussi et surtout peut-être aux conditions spécifiques du développement de l'ethnologie sur une aire culturelle et à un moment donnés.

Malgré des progrès récemment enregistrés, le Moyen-Orient, par exemple, n'est aujourd'hui guère en faveur auprès des ethnologues français (Digard, 1976, 1978). Cette défaveur n'a pas toujours été la règle, ni chez tous les ethnologues, ni a fortiori chez les chercheurs d'autres disciplines. Bien avant que l'ethnologie ne voie le jour en tant que science, les occasions n'avaient pas manqué à des observateurs occidentaux de se rendre (pas toujours dans les intentions les plus pures) au Moyen-Orient. Conquêtes macédoniennes, occupation romaine, croisades donnèrent lieu aux premiers échanges culturels significatifs entre l'Occident et l'Orient, ainsi qu'aux premiers témoignages utilisables pour leur richesse ethnographique. Le Moyen Age voit ensuite se développer les voyages commerciaux intercontinentaux qui aboutissent, à partir du XVIIe siècle, à des échanges réguliers d'ambassadeurs entre les grands États d'Europe et d'Asie, tandis qu'à Paris l'« orientalisme » est déjà à la mode avec les « turqueries ». Dès lors, le Moyen-Orient commence à être parcouru en tous sens par des Européens, explorateurs, marchands ou techniciens, diplomates, militaires aussi, car la région, du fait de sa position stratégique et, plus tard, de ses richesses pétrolières, constituera un enjeu international de première importance et un champ où s'observeront et même s'affronteront, selon les circonstances, Français et Anglais, Alliés et Allemands, Occidentaux et Soviétiques. Tous ces voyageurs collectent et livrent en vrac leurs impressions, le récit de leurs aventures et des éléments de description des populations et des lieux visités qui forment déjà, pour l'Occident, le début d'une connaissance précise du Moyen-Orient. Surtout à partir de 1850, on compte des auteurs de grande valeur, presque tous britanniques : Lady Blunt, Burton, Lord Curzon, Doughty, Layard, Palgrave, Bertram Thomas... Beaucoup d'autres, mi-officiers, mi-aventuriers, toujours curieux, parfois très cultivés, mais sans formation spécialisée, ont laissé des ouvrages inégaux qui doivent être manipulés avec précaution, en raison des distorsions imposées à la réalité des faits par l'idéologie de leurs auteurs : mythologie aryeniste de Gobineau, romantisme pro-arabe de Lawrence, etc. La présence coloniale de l'entre-deux-guerres se signale par une non moins grande confusion des esprits — apologie d'un certain bédouinisme dionysien mais défiance voire racisme anti-arabe et/ou antimusulman (déjà !), et exaltation de la « mission civilisatrice » de l'Occident[1] — en même temps que par les premiers grands travaux sur le Moyen-Orient dignes du nom d'ethnologie (et dus pour la plupart à d'anciens militaires ou à des missionnaires). C'est, pour la France, la grande époque de l'Institut français de Damas, illustrée notamment par les noms d'Albert de Boucheman (1937), Henri Charles (1942), Antonin Jaussen (1948), Robert Montagne (1947) et Jacques Weulersse (1943). On notera que les travaux de ces chercheurs s'inscrivirent en gros dans le même champ géographique et connurent la même durée que la présence militaire française au Levant : coïncidence troublante, qui aide à comprendre pourquoi l'ethnologie paraît suspecte et teintée de colonialisme à beaucoup d'Orientaux[2] ; aujourd'hui encore, ils l'accusent de se préoccuper uniquement de particularismes ethniques et régionaux, et d'archaïsmes socio-culturels contraires aux efforts unificateurs et modernisateurs des nouveaux États. Aussi la plupart des gouvernements intéressés ne font-ils rien pour attirer chez eux les ethnologues, allant même jusqu'à prendre à l'encontre de ceux qui s'y risquent malgré tout des mesures propres à décourager les plus acharnés...

Il y a donc finalement très peu de temps — alors que l'ethnologie commence justement à affiner son appareil théorique et méthodologique — que le Moyen-Orient connaît auprès des chercheurs français la défaveur que l'on sait. Mais ce serait tronquer la vérité que d'imputer celle-ci aux seules accusations idéologiques et politiques, voire aux tracasseries administratives et policières dont les ethnologues sont de plus en plus souvent l'objet sur leur terrain, car elles ne sont pas propres au Moyen-Orient et ne visent pas que les Français.

D'autres causes doivent donc être cherchées. Les plus déterminantes tiennent sans doute à la compacité culturelle du Moyen-Orient : population en continuel brassage depuis le Néolithique, civilisation musulmane plus que millénaire mais en changement constant et qui n'est elle-même que le prolongement d'autres plus anciennes encore et déjà citadines, enchevêtrement complexe de sociétés ployant sous le poids de l'histoire, etc. Ces conditions contribuèrent à rebuter une ethnologie balbutiante, aujourd'hui (presque) révolue, rêvant après Durkheim et d'autres, d'humanités sauvages, sans écriture — sans histoire, a-t-on même dit —, susceptibles de lui livrer, sous des formes élémentaires, les schémas d'évolution et les règles de fonctionnement des sociétés. Bien plus, ces cultures moyen-orientales, chargées d'histoire, en sont aussi friandes et tiennent l'écrit en véritable vénération : elles ont produit, bien avant que les ethnologues n'existent, leurs propres observations et, partant, toute une littérature en arabe, en persan ou en turc, qui comprend non seulement les textes d'essence religieuse (recueils de « traditions », ouvrages de droit et de jurisprudence touchant, en islam, même aux aspects les plus triviaux de la vie des personnes), mais aussi des chroniques, des récits de voyage, des dictionnaires, des traités sur les sujets les plus divers (sciences et techniques, « savoir-vivre », politique, etc.) qui constituent autant de sources d'information originales. Or, tandis que, poussés par un vieux rêve fondateur, les ethnologues s'embarquaient pour l'Afrique noire, l'Amérique indienne ou l'Océanie, les orientalistes, eux, poursuivaient sans relâche leur minutieux labeur de catalogage et de déchiffrage de tous ces textes, se familiarisant toujours plus étroitement avec les langues, les écritures, les littératures et les religions du Moyen-Orient. Le décalage de l'ethnologie par rapport à l'orientalisme fut d'autant plus grand que celui-ci, notamment en France, s'était montré plus brillant. Il faut dire aussi que les pays intéressés, qui trouvent bien souvent dans leur passé, à tort ou à raison, plus de motifs de fierté que dans leur présent, accordèrent au second des faveurs et des facilités qu'ils refusent encore à la première.

L'ethnologie a donc accumulé, quant au Moyent Orient, un retard d'ensemble considérable : près d'un demi-siècle s'est écoulé entre ce qui peut être admis comme le premier travail d'ethnologie de terrain moderne (Malinowski, 1922) et les premières monographies d'anthropologie sociale consacrées à des sujets moyen-orientaux (Barth, 1961 ; Salim, 1962). Inversement, les travaux d'ethnographie sur le Moyen-Orient contemporains de ceux de Malinowski (comme Musil, 1928) constituent des sommes documentaires, mais ne s'appuient sur aucune problématique et ne dégagent aucune perspective théorique.

L'ethnologie du Moyen-Orient a eu tendance à trop se limiter, précisément, aux thèmes de recherche qui lui étaient immédiatement suggérés par la configuration générale du terrain : présence de certains milieux naturels particulièrement contraignants (en raison notamment de leur aridité), de modes de vie et d'organisation sociale originaux (*cf.* la fameuse, trop peut-être, trilogie bédouins / agriculteurs sédentaires / citadins), d'une grande religion omniprésente (l'islam)... Ces thèmes ont donc suscité une majorité d'études sur les systèmes segmentaires en rapport avec le pastoralisme nomade et, à un degré moindre, l'agriculture irriguée, sur les relations entre nomades et sédentaires, entre ville et campagne, et sur le rôle de la religion dans l'organisation et la représentation des sociétés. De plus, y compris sur les thèmes qui viennent d'être évoqués, l'ethnologie du Moyen-Orient s'est trop souvent contentée de développer des problématiques exogènes qui lui étaient dictées ou même abandonnées, pourrait-on dire, par d'autres disciplines, institutionnellement dominantes. Ainsi, la plupart des travaux ethnologiques sur la « culture matérielle » (surtout habitation, irrigation, poterie, techniques du feu, etc.) ont été entrepris pour satisfaire une demande émanant de l'archéologie (ethnoarchéologie). Pour tout ce qui touche de près ou de loin à l'islam, la concurrence d'un orientalisme solidement établi a longtemps contribué à cantonner, au Moyen-Orient, l'ethnologie dans l'étude des rites et des croyances populaires, des aspects quotidiens de la vie des sociétés actuelles, considérés comme résidus folkloriques des sujets réputés « nobles », qui semblaient, eux, devoir relever de disciplines comme la philologie, le droit ou la philosophie comparés, l'histoire ou l'archéologie classique (Digard, 1978, 499-501). Non pas que ces sujets et ces problématiques soient injustifiés ou inintéressants, loin de là. Simplement, hérités d'une division ancienne du travail universitaire, ils ont contribué à figer l'ethnologie française du Moyen-Orient dans une physionomie bien particulière, si on la compare à l'orientalisme ou à l'ethnologie sur d'autres terrains : science du trivial, du populaire, du quotidien, du contemporain.

Contrairement au Moyen-Orient, l'Amérique du Sud — mais non l'Amérique du Nord ni la Mésoamérique — attire un grand nombre d'ethnologues français intéressés surtout par la mythologie et le chamanisme. Dans cette partie du continent, ce sont les populations amazoniennes qui suscitent la plupart des travaux de terrain, alors que les montagnes andines, où vivent les plus fortes densités indigènes, sont surtout étudiées par des chercheurs issus de l'histoire. En France, l'intérêt qu'éveillent les populations autochtones doit beaucoup au rôle qu'ont joué Paul Rivet, Alfred Métraux et Claude Lévi-Strauss. Sans doute le structuralisme a-t-il favorisé cet engouement américaniste qui, pour brillant qu'il soit, ne recouvre pas l'ensemble des phénomènes sociaux et culturels relevant de la recherche ethnologique. Aujourd'hui, la disparition des primitifs[3] et l'intégration progressive, bien que lente, des populations indigènes des basses terres dans les ensembles nationaux peuvent laisser croire que l'objet traditionnel de l'ethnologie a disparu. Cependant, cette opinion repose sur une image partielle — et partiale — de l'ethnologie, que nous voudrions ici contribuer à nuancer.

Les choix thématiques de l'ethnologie américaniste ont été influencés par l'histoire particulière de la discipline, qui a accordé une importance primordiale aux civilisations préhispaniques, en oubliant que celles-ci, pour une large part, subirent l'occidentalisation, dès le XVIe siècle, donc bien avant la modernisation[4]. L'américanisme, comme discipline scientifique, se constitue vers le milieu du XIXe siècle et a alors pour but l'étude des Antiquités : les vestiges des hautes cultures mésoaméricaines et andines. Il est d'ailleurs curieux de noter que l'américanisme, à ses débuts, représentait une branche de l'orientalisme, dont il s'est séparé en 1873. En 1875 se tient à Nancy le premier Congrès des Américanistes, au cours duquel l'esthétique particulière des anciens Mésoaméricains fait dire à l'une des personnalités chargées du discours inaugural que ces peuples sont « dépourvus de la beauté, donc de sens moral »[5]. L'étude des Antiquités est liée au mystère du peuplement amérindien ainsi qu'à la nécessité d'un repérage des étapes de l'évolution culturelle du continent. Car l'Amérique, à la différence de bien d'autres régions étudiées par les ethnologues, se pose en énigme historique : dans ce continent vide à l'origine, les repères chronologiques de l'Ancien Monde sont inutilisables ; l'écriture, critère alors obligé de toute civilisation, n'apparaît pas dans l'empire incaïque ; l'élevage des grands herbivores autres que les camélidés andins est absent ; la roue et le fer sont inconnus. Toutes ces exceptions, qui embarrassèrent tant Morgan dans l'élaboration des stades culturels, contribuent à forger une image anomale des sociétés américaines qui semblent, de ce fait, obéir à une logique qui leur est propre et défier toute comparaison[6]. Comme l'affirmait Kroeber (1948, 785) : « The various theories "explaining" the cultures of Mexico and Peru as derived from China, India, Farther India or Oceania are all views of non-Americanistic scholars or the speculations of amateurs. »

L'importance que prennent les origines des Indiens américains dans l'américanisme classique a, elle, par contre, favorisé le comparatisme des traits culturels au sein de l'ensemble continental. Dans ce domaine, Erland Nordenskiöld a laissé une œuvre magistrale montrant que la distribution géographique des traits empruntés surtout à la vie matérielle indique non seulement l'ancienneté de ces populations, mais aussi leur marginalisation. Ces traits culturels, il est bon de le rappeler, sont groupés en trois catégories : tout d'abord les traits universels, que l'on retrouve dans d'autres parties du globe, l'aigle bicéphale, la métallurgie du bronze ou le procédé de fermentation par la salive ; puis les éléments originaux ou autochtones, parmi lesquels la pomme de terre, le cacao, le maïs, les camélidés andins ; enfin, les emprunts européens — qui en principe intéressaient moins les ethnologues parce qu'ils portaient la marque du contact et de la dégénérescence... — comme le cheval et le bétail, le fer, certaines plantes cultivées, etc. On doit aux institutions scientifiques nord-américaines l'élaboration de corpus ethnologiques ou *Handbooks* présentant l'ensemble de la documentation disponible à l'époque (ces ouvrages se constituent à partir des années 40) sur les Indiens des trois Amériques. Cette œuvre immense, qui représente encore de nos jours un outil de travail indispensable, fait apparaître la difficulté majeure rencontrée par l'ethnologie américaniste : la faiblesse, voire dans bien des cas l'absence de profondeur historique des peuples décrits. Si l'on prend, par exemple, le *Handbook of South American Indians* (Steward, 1948) où cet aspect est plus visible, on remarque que les aires culturelles qui s'y trouvent définies et, à l'intérieur de celles-ci, les différentes ethnies ou sociétés, n'appartiennent pas nécessairement à une même période historique. Ici, les Indiens décrits seront ceux que les chroniqueurs espagnols citent, là, les informations proviendront d'une période plus récente, voire contemporaine, comme si la dimension historique était, pour la connaissance de ces sociétés, contingente. Or, à la lumière des travaux entrepris depuis une vingtaine d'années dans les régions qui ont abrité les hautes cultures, et depuis moins longtemps dans celles, plus « marginales », des basses terres forestières de l'Amérique du Sud ou du nord de l'Amérique du Nord, l'expression de « peuples sans histoire » devient pour ainsi dire vide de signification. Pour un grand nombre de chercheurs contemporains, l'ethnologie américaniste ne peut plus se concevoir en dehors de l'histoire.

Ce changement de perspective ethnologique, pour fécond qu'il soit, investit timidement deux champs qui, pour les raisons historiques que nous avons exposées brièvement, ont échappé à l'ethnologie classique, alors qu'aucun obstacle théorique n'aurait empêché d'en faire un objet d'étude original : l'un est celui des populations métisses du continent, l'autre celui des Afro-Américains.

Considérons les deux régions où les populations métisses ont très vite représenté la majorité démographique : les Andes et la Mésoamérique. Que sait-on de l'ethnologie de ces masses, dont l'étude est laissée aux historiens et aux démographes ? Pourtant les documents ne manquent pas, parmi lesquels les très riches archives de l'Inquisition de Mexico, de Cartagena et de Lima, dont la lecture montre, entre autres choses, l'existence de magiciens, de guérisseurs, de sorciers, de devins et d'autres personnages traditionnellement étudiés par l'ethnologie, qui étaient soit d'origine européenne, soit des métis. Une connaissance plus approfondie de ces sources permettrait sans doute aux ethnologues d'éviter bien des trivialités sur la christianisation des Indiens ou de mieux comprendre un certain nombre de phénomènes qui font l'objet d'une discipline en plein essor, l'ethnomédecine. Nombreux sont les documents coloniaux qui montrent que les indigènes des communautés andines et mexicaines avaient des contacts fréquents avec les centres urbains et ne formaient pas des communautés isolées ; les références au brassage des populations au cours de l'époque coloniale et l'irruption dans les villages d'individus issus d'autres horizons géographiques sont pléthoriques. Cependant, le souci de retrouver des survivances amène à minimiser ces transformations et à rechercher à tout prix une continuité avec le monde préhispanique, continuité qui, si elle existe, doit être posée en d'autres termes. Il aura fallu attendre ces dernières années pour que les ethnologues commencent à tirer profit, de façon critique et utile, de l'apport des historiens. L'image de l'Indien éternel, figé dans des traditions « immémoriales », se dilue peu à peu.

L'exemple des Afro-Américains pose à l'ethnologie des questions intéressantes, car il illustre à merveille l'indifférence de l'américanisme à l'égard de tout ce qui relève de l'acculturation. il existe aujourd'hui plus de 33 millions de Noirs en Amérique latine dont 27 millions aux Antilles et au Brésil ; le pays le plus puissant du globe, les États-Unis, compte également une importante population d'origine africaine. Enfin, il y a même une république noire, Haïti. Quels sont les reflets de cette réalité dans l'ethnologie française ? La collection complète du *Journal de la Société des Américanistes,* par exemple, comporte 77 tomes (le premier datant de 1896) répartis entre deux séries séparées par l'interruption de la Grande Guerre. Sur l'ensemble, les articles traitant des Afro-Américains sont si peu nombreux qu'il est possible de les passer tous en revue ici. En 1908 et 1910, l'étude de Raphaël Blanchard sur les tableaux mexicains d'Ignacio de Castro, conservés à cette époque au Muséum national d'histoire naturelle, attire, en dépit des côtés anecdotiques du commentaire, l'attention des lecteurs sur des aspects intéressants du métissage biologique et culturel. En 1928, Elsie C. Parsons, auteur, quelques années plus tard, d'une excellente monographie sur les Indiens Otavalo du nord de l'Équateur, publie un travail sur le culte des esprits à Haïti, où elle présente une analyse fine et nuancée des syncrétismes religieux afro-américains. Cet article n'aura eu aucun impact sur les américanistes « vrais » (les spécialistes des sociétés indigènes), qui ne découvriront que vers la fin des années 70 le problème des niveaux de l'acculturation posé par E. C. Parsons (culture populaire française du XVIIIe siècle, circulation de textes magiques du début du XIXe, rapports entre culture savante et culture populaire, etc.). En 1932 paraît dans ce contexte quelque peu insolite l'étude de Dawson sur l'origine des *negro spriritual*s. Les cultes vaudou de Haïta reviennent en 1947, sous la plume d'Émile Marcelin, puis en 1953, étudiés cette fois par Alfred Métraux. Celui-ci analyse, parmi d'autres aspects, la campagne

« anti-idolâtries » désignée sous le nom de « La Renonce » et menée par le gouvernement haïtien en 1941-1942, dont les procédés auraient pu inspirer à tous ceux qui se penchent aujourd'hui sur les « idolâtries » en Amérique indigène bien des comparaisons intéressantes. Enfin, en 1969 paraît un numéro spécial du *Journal* consacré aux Amériques noires, sous la direction de Roger Bastide. Le faible nombre des articles de cette livraison contraste avec la pertinence des sujets traités : rôle des confréries catholiques dans la structuration des relations ethniques et parentales, complexité de l'élaboration syncrétique, phénomène ethnopsychiatriques[7] — thèmes qui ne seront repris que dans les années 70 par les spécialistes des sociétés indigènes. On remarquera également qu'en dehors de Haïti et du Brésil, l'œuvre de Roger Bastide reste quasiment ignorée des américanistes classiques et n'a pas suscité de disciples en France. Par ailleurs, d'autres pays comme le Mexique, l'Équateur ou la Colombie, où des groupes noirs vivent en relation étroite avec les indigènes et posent, de ce fait, des problèmes intéressants, n'ont fait, en la matière, l'objet d'aucune étude ethnographique française.

La parcellisation qui résulte donc de la diversité des problématiques propres à chaque terrain se trouve encore accentuée, il faut bien le dire, par les carences de la circulation de l'information scientifique : faute de moyens nouveaux (en qualité comme en quantité), il devient de plus en plus difficile à un chercheur de faire face à la multiplication des publications et de se tenir au courant des découvertes faites par d'autres sur des terrains éloignés du sien. Toujours est-il que certaines perspectives, même parmi les plus fécondes, n'ont jamais franchi les frontières des aires culturelles où elles s'étaient développées. Ainsi, un auteur comme Fredrik Barth est inconnu de la plupart des chercheurs français travaillant ailleurs qu'au Moyen-Orient[8]. Réciproquement, il a fallu près d'un quart de siècle pour que les recherches sur les systèmes de parenté et d'organisation sociale iraniens et turcs commencent à tenir compte des acquis enregistrés par l'africanisme. Et les progrès accomplis en Afrique noire par l'anthropologie politique (organisation lignagère, État, guerre) et l'anthropologie religieuse (système de représentations, notion de personne, sacrifice) n'ont aucune influence sur les études ethnologiques — rares, il est vrai — concernant les Arabes d'Orient. De leur côté, la plupart des orientalistes et des islamologues s'obstinent à ignorer les résultats obtenus, sur le même terrain qu'eux, par les ethnologues : il suffit, pour le constater, de feuilleter, par exemple, la nouvelle édition de l'*Encyclopédie de l'islam*[9]...

C'est une situation analogue qui prévaut pour l'Amérique. Ainsi, rares sont les non-spécialistes des Andes qui citent les travaux de John Murra, dont la contribution au débat théorique sur le territoire et l'État est importante, en raison du type particulier de l'État inca, qui se fonde non pas sur une conquête au sens classique du terme, mais sur le contrôle de niches écologiques réparties sur un territoire discontinu. Inversement, les ethnologues des Andes qui se sont penchés sur des communautés d'éleveurs de camélidés ou d'ovins, semblent ignorer les apports fondamentaux des spécialistes du pastoralisme nomade de l'Ancien Monde, comme s'il était impossible de tirer, de telles comparaisons, des conséquences théoriques. Il y a aussi là, en fait, un refus de la théorie et de l'abstraction qui semble caractériser certaines études ethnologiques les plus récentes. Par ailleurs, les considérations sur l'impact de l'occidentalisation et sur les contacts de religions se fondent en général sur des matériaux d'Afrique ou d'Océanie propres au XXe siècle, alors que l'exemple le plus accompli est fourni par l'Amérique hispanique, qui, depuis les premières années du XVIe siècle, apparaît comme un véritable creuset de syncrétismes. Que dire, enfin, de l'abîme qui sépare les chercheurs américanistes de ceux qui étudient l'ethnologie des sociétés méditerranéennes chrétiennes ? Comment s'en étonner alors que, malgré les travaux pionniers de George Foster (1960) et les recommandations, maintes fois répétées, de l'ethnologue et romancier péruvien José Maria Arguedas (1968), malgré des textes dont le contenu aurait dû bouleverser les problématiques classiques sur la magie et la médecine indigènes (Aguirre Beltrán, 1963), les spécialistes continuent à mouler leurs recherches dans le cadre stéréotypé caractéristique des monographies mésoaméricaines et andines ?

II

L'étroite association des terrains et des problématiques, et la diversité qui en résulte pour ces dernières contribuent-elles à entraîner une dilution de l'objet et un appauvrissement de la recherche théorique en ethnologie ? Cette idée, logique à première vue, ne peut être admise sans examen.

En effet, les matériaux offerts par chaque terrain et les interrogations spécifiques qu'ils suscitent sont souvent à l'origine d'approches et de méthodes nouvelles, susceptibles, malgré les difficultés précédemment évoquées, d'être utilisées ailleurs avec profit. Le cas du marxisme, élaboré à partir d'une analyse de l'Europe industrielle du XIXe siècle, vient immédiatement à l'esprit ; il est trop connu pour qu'il soit utile de s'y attarder, d'autant que les autres exemples ne manquent pas. Issu en grande partie de recherches de terrain effectuées au Brésil, le structuralisme a connu le succès que l'on sait (aurait-il connu un développement identique si le hasard avait conduit son inventeur à Bagdad ou à Kaboul plutôt qu'à São Paulo ? la question reste posée). En revanche, la résistance opposée à l'analyse structurale par le mariage dit « arabe » avec la cousine parallèle patrilatérale oriente actuellement les chercheurs vers des approches qui renouvellent les conceptions jusqu'alors admises sur les rapports entre endogamie et exogamie et les rôles respectifs de la filiation et de l'alliance dans la constitution des systèmes lignagers (voir surtout Bonte, 1979, 1986). Née, de même, de conditions de recherche et d'interrogations typiquement proche-orientales (rapports entre nomades et sédentaires, entre irrigation et pouvoir, entre ville et État), l'ethnoarchéologie a suscité des méthodes et des concepts (analogie, etc.) qui sont aujourd'hui, presque partout (notamment dans les recherches américanistes), d'utilisation courante[10].

Au demeurant, si l'on compare par tranches chronologiques (années 1940, 1950, etc.) les sujets, les problématiques et les méthodes des travaux d'ethnologie, le constat de disparité qui s'impose pour hier — entre culturalisme et fonctionnalisme, marxisme (lui-même scindé en plusieurs courants) et anthropologie sociale dans la voie ouverte par Louis Dumont, théories du *social change* de Firth et autres Anglo-Saxons et structuralisme lévi-straussien, *Kulturkreise* allemands et études d'acculturation américaines... — n'apparaît guère moins accentué que celui qui prévaut pour aujourd'hui. Il n'existait pas non plus, auparavant, d'objet unique. Quoiqu'ils s'en défendissent, les tenants de chaque méthode, de chaque théorie, de chaque école se reconnaissaient aussi à une certaine prédilection pour tel ou tel niveau ou catégorie de faits ethnologiques : intérêt des Américains pour les sociétés paysannes et acculturées, des Français et des Allemands pour l'exotique, des Italiens pour les phénomènes et les mouvements religieux, des structuralistes pour les mythes et la parenté, des marxistes pour l'économique, des disciples de Leroi-Gourhan pour les techniques... Les théories (quand théorie il y avait) s'attachaient donc la plupart du temps, dans la pratique et malgré leurs intentions affichées, à un objet bien délimité. Elles en paraissaient d'autant plus solides et irréfutables.

Aujourd'hui, si l'apparente unité de l'ethnologie semble menacée et son objet se diluer encore, c'est que l'empire des théories à prétentions totalisantes s'effrite chaque jour davantage sous l'effet du passé, c'est-à-dire de l'irruption de l'histoire, et du présent, c'est-à-dire de la « modernité », de la sécularisation, de l'homogénéisation des traits culturels, de mouvements sociaux divers mais qui puisent leurs références aux mêmes sources. Les sociétés primitives, simples, élémentaires, sans écriture ou sans histoire ont vécu, si tant est qu'elles aient jamais existé.

A l'ethnologie classique, tributaire en quelque sorte de l'idée d'insularité, les sociétés étudiées jusqu'à la Deuxième Guerre mondiale apparaissaient comme des enclaves primitives préservées du monde extérieur, de la modernisation, de l'occidentalisation. L'ethnologie était donc la science qui étudiait l'altérité dans un sens particulier : celui de sociétés « autres » parce qu'elles représentaient des voies différentes de la civilisation occidentale ou antérieures à elle. Cette altérité était surtout incarnée par les « primitifs », terme assez vague au demeurant, qui recouvrait celui de chasseurs-cueilleurs, mais qui, dans certains cas, pouvait aussi englober des sociétés aux techniques plus complexes (les Mélanésiens, par exemple). Quoi qu'il en soit, le sens profond de primitif est bien celui qui indique une sorte de priorité temporelle, réelle ou non, dans l'évolution des sociétés. Là encore, l'évolutionnisme culturel a marqué de façon profonde les choix ethnologiques. Si nous devions retenir un critère, parmi tant d'autres, devant servir de ligne de démarcation entre les primitifs et les autres types de société, peut-être choisirions-nous celui de l'écriture, dans la mesure où il a paru pertinent à de nombreux auteurs qui ont distingué des peuples à tradition orale et des peuples de l'écrit. Mais, depuis les monographies classiques jusqu'à nos jours, les études concernant la place, la fonction et l'impact de l'écriture dans les civilisations ont enregistré des avancées considérables, et l'on ne pourrait plus aujourd'hui établir de distinction aussi catégorique que celle qui vient d'être évoquée. L'écriture, on le sait, influence considérablement les comportements, même si elle n'est pas connue de tous. Des sociétés composées d'illettrés se trouvent soumises, d'une manière ou d'une autre, au pouvoir de l'écrit. A une tout autre échelle, il n'est pas, au Moyen-Orient, de nomade ou de paysan, même analphabète, qui ne tienne à quelque papier (extrait du Coran, d'une liste généalogique ou d'un titre foncier) comme à la prunelle de ses yeux. Pour les Espagnols du XVIe siècle, les seules sociétés dignes d'intérêt étaient celles dotées d'un gouvernement « politique » ayant son siège dans la cité ; l'écriture était l'une des expressions de cette *policía*... Accepter une définition étroite de l'objet de l'anthropologie, à savoir celle qui privilégie la primitivité, reviendrait à éliminer précisément ces sociétés complexes qui firent l'admiration des Européens du XVIe siècle ; et des textes remarquables, comme celui de Sahagún, ne pourraient en aucun cas refléter des traditions orales au sens où l'entendait l'ethnologie classique. Si c'est le critère de l'altérité non occidentale que l'on retient, il est bien évident qu'aucune ethnologie n'est possible en Amérique hispanique à partir du XVIe siècle, car même les enclaves primitives se sont profondément modifiées sous l'effet de la colonisation. Quant au critère de l'écriture, il n'est pas non plus, à la réflexion, pertinent pour justifier le point de vue « ethnologique » sur les sociétés indigènes. Rappelons que les peuples andins, contrairement aux mésoaméricains, ne possédaient pas de tradition savante de l'écrit. Cependant, dès les premières années de la Conquête, l'écriture s'imposa à eux comme une nécessité. C'est ainsi que, malgré le faible impact concret de l'alphabétisation, les communautés indigènes ont très rapidement appris à se servir des textes juridiques espagnols dans leur lutte pour la revendication des terres, des titres et des privilèges. Les archives d'Espagne et d'Amérique latine regorgent de tels documents, les fameuses « écritures », qui prouvent bien que les Indiens utilisaient ou inventaient de toutes pièces des traditions écrites, sans lesquelles ils n'auraient jamais pu s'opposer à l'appareil colonial.

Il n'y a donc de primitif qu'une certaine ethnologie. Et des faits se dérobent, de plus en plus nombreux, aux tentatives d'explication de ceux qui voudraient en conserver l'objet, la méthode ou les deux à la fois, dans leur pureté originelle. Au contraire, bien des voies nouvelles peuvent s'ouvrir à qui sait adapter ses outils aux situations, aux phénomènes nouveaux (voir, à propos de la révolution iranienne par exemple, Bromberger, 1980).

A refuser de prendre en compte une certaine diversité, des terrains comme des problématiques, ne risque-t-on pas de conduire l'ethnologie dans une impasse ? Le risque majeur est en effet que celui-ci, dans un souci exagéré de purisme et de rigueur, s'auto-interdise plus encore que par le passé, faute de primitif sur mesure, l'accès à de nombreux thèmes et surtout à des aires culturelles entières. Faut-il s'inquiéter de la richesse que procure le foisonnement, même si c'est au prix d'un surcroît d'incertitude et de difficulté ? Non, si subsiste l'essentiel, à savoir le projet scientifique qui constitue l'ethnologie en une science de la société, et l'ensemble d'interrogations spécifiques qui fonde son originalité et la distingue, par exemple, de l'histoire ou de la sociologie. Dans ces conditions, la richesse croissante des matériaux et la multiplication des approches ne peuvent que favoriser la recherche des schémas explicatifs de portée générale, dont la nécessité subsiste. La richesse n'est pas un mal en soi, on ne nous contredira pas sur ce point. Mais elle doit être contrôlée, surveillée au moyen de bilans réguliers. Or c'est peut-être de tels bilans — de travaux comparatifs, de synthèses nouvelles des connaissances accumulées, de grands outils documentaires et analytiques — que l'ethnologie française manque le plus. Le dernier en date (Poirier, 1968, 1972, 1978) était inégal et se révèle aujourd'hui dépassé et insuffisant sur de nombreux points. L'entreprise vaudrait d'être renouvelée sur d'autres bases, ou une voire plusieurs autres du même genre tentées. Peut-être y découvrira-t-on que l'ethnologie française n'est pas toujours ce que l'on dit, et même — qui sait ? — qu'elle est aussi ce que l'on ne dit pas...

CARMEN BERNAND et JEAN-PIERRE DIGARD.

NOTES

1. Voir RODINSON (1980) et, sur le juste retour des préjugés, LEWIS (1984).

2. Y compris, non d'ailleurs sans quelque démagogie, à des universitaires orientaux formés et exerçant en Occident (SAÏD, 1980).

3. Voir, par exemple, le travail d'Anne Chapman dont l'informatrice principale, Lola Kiepja, née avant la colonisation commencée en 1880, était la dernière Selk'nam.

4. Comme le démontre fort bien Nancy FARRISS (1984, 390) pour les Maya « what sets Latin America apart and lends so much comparative value to its history is the chronological separation between the two influences [westernization and modernization]. In other words, the West encountered America before becoming modern itself ».

5. Communication personnelle de Jean-Pierre Berthe.

6. Malgré les efforts des diffusionnistes de l'école d'Elliot Smith pour démontrer les origines égyptiennes des pyramides mésoaméricaines. Un recueil plus récent (RILEY *et al.*, 1971) fait le point sur les différents contacts entre l'Ancien et le Nouveau Monde antérieurs à la « découverte » de l'Amérique.

7. On peut se demander du reste pourquoi l'ouvrage capital de Georges Devereux sur l'ethnopsychiatrie des Mohave, paru pourtant en 1961, n'a jamais inspiré les américanistes français et latino-américains. Si, chez ces derniers, des raisons idéologiques expliquent en partie leur indifférence à l'egard des sociétés nord-américaines, on peut s'étonner de la rareté, en France, des recherches sur cette vaste aire culturelle, malgré les travaux de Claude Lévi-Strauss.

8. La situation est très différente aux États-Unis et en Grande-Bretagne, où les travaux de Barth sont très connus, réédités (BARTH, 1981a, 1981b) et font l'objet de débats sans fin, dont témoignent de très nombreux articles et commentaires dans les revues spécialisées de langue anglaise.

9. Sur les raisons et les conséquences, pour l'orientalisme, de cet ostracisme, voir DIGARD, 1978, 500-501.

10. Nonobstant les questions qu'ils soulèvent (BROMBERGER & DIGARD, 1980) ; mais c'est là un autre problème.

BIBLIOGRAPHIE

AGUIRRE BELTRÁN, G.

1963 *Medicina y magia. El proceso de aculturación en la estructura colonial.* México, Instituto Nacional Indigenista.

ARGUEDAS, J. M.

1968 *Las Comunidades de España y del Perú.* Lima, Universidad Mayor de San Marcos.

BARTH, F.

1961 *Nomads of South Persia. The Basseri Tribe of the Khamseh Confederacy.* Oslo, Universitetsforlaget.

1981a *Process and Form in Social Life. Selected Essays of Fredrik Barth,* I. London, Routledge & Kegan Paul.

1981b *Features of Person and Society in Swat, Collected Essays on Pathans. Selected Essays of Fredrik Barth,* II. London, Routledge & Kegan Paul.

BASTIDE, R., ed.

1969 *Journal de la Société des Américanistes*, 58, nº spéc. : *Les Amériques noires.*

BERNAND, C. & DIGARD, J.-P.

1985 « Rapport de conjoncture 1984 du Comité national de la Recherche scientifique : ethnologie », *Bulletin de l'Association française des Anthropologues*, 21-22, 69-75.

BLANCHARD, R.

1908-1910 « Les Tableaux de métissage au Mexique », *Journal de la Société des Américanistes*, 5, 59-66 ; 7, 37-60.

BONTE, P.

1979 « Segmentarité et pouvoir chez les éleveurs nomades sahariens. Éléments d'une problématique », *in* Équipe Écologie et Anthropologie des Sociétés Pastorales, ed., *Pastoral Production and Society / Production pastorale et société.* Cambridge, Cambridge University Press — Paris, Éd. de la Maison des Sciences de l'Homme, 171-199.

1986 « Introductrion », *in* S. BERNUS, P. BONTE, L. BROCK, eds., *Le Fils et le neveu. Jeux et enjeux de la parenté touarègue.* Cambridge, Cambridge University Press — Paris, Éd. de la Maison des Sciences de l'Homme, 1-34.

BOUCHEMAN, A. DE

1937 *Une Petite cité caravanière : Suḫne.* Damas, Institut français de Damas.

BROMBERGER, C.

1980 « Islam et révolution en Iran : quelques pistes pour une lecture », *Revue de l'Occident musulman et de la Méditerranée*, 29, 109-129.

BROMBERGER, C. & DIGARD, J.-P.

1980 « L'Ethnoarchéologie. Le point de vue d'ethnologues », *in* M.-T. BARRELET, ed., *L'Archéologie de l'Iraq. Perspectives et limites de l'interprétation anthropologique des documents.* Paris, Éd. du CNRS, 41-52.

CHAPMAN, A.
1982 *Drama and Power in a Hunting Society. The Selk'nam of Tierra del Fuego*. Cambridge, Cambridge University Press.

CHARLES, H.
1942 *Tribus moutonnières du Moyen Euphrate*. Damas, Institut français de Damas.

DAWSON, W.
1932 « Le Caractère spécial de la musique nègre en Amérique », *Journal de la Société des Américanistes*, 24, 273-286.

DEVEREUX, G.
1961 *Mohave Ethnopsychiatry. The Psychic Disturbances of an Indian Tribe*. Washington, Smithsonian Institution.

DIGARD, J.-P.
1976 « L'Ethnologie française au Moyen-Orient », *La Recherche*, 68, 584-588.
1978 « Perspectives anthropologiques sur l'islam », *Revue française de Sociologie*, 91 (4), 497-523.

Encyclopédie de l'islam. Nouvelle édition
1965 Leiden, E.J. Brill — Paris, G.-P. Maisonneuve & Larose, 4 vol. parus.

FARRIS, N.
1984 *Maya Society under Colonial Rule. The Collective Enterprise of Survival*. Princeton, Princeton University Press.

FOSTER, G.
1960 *Culture and Conquest : America's Spanish Heritage*. Washington, Wenner Gren Foundation for Anthropological Research.

KROEBER, A.
1948 *Anthropology*. New York, Harcourt, Brace & Co (IST ed. 1923.)

LEWIS, B.
1984 *Comment l'Islam a découvert l'Europe*. Paris, La Découverte.

MALINOWSKI, B.
1922 *Argonauts of the Western Pacific*. London, Routledge.

MARCELIN, É.
1947 « Les Grands dieux du vaudou haïtien », *Journal de la Société des Américanistes*, 36, 51-135.

MÉTRAUX, A.
1953 « Croyances et pratiques magiques dans la vallée de Marbial, Haïti », *Journal de la Société des Américanistes*, 42, 135-198.

MONTAGNE, R.
1947 *La Civilisation du désert. Nomades d'Orient et d'Afrique*. Paris, Hachette.

MURRA, J. V.
1975 *Formaciones económicas y políticas del mundo andino*. Lima, Instituto de Estudios Peruanos.

MUSIL, A.
1928 *Manners and Customs of the Rwala Bedouins*. New York, American Geographical Society.

NORDENSKIÖLD, E.
1929 *Études d'ethnographie comparée*. Paris, Éd, Genet, 7 vol.

PARSONS, E. C.
1928 « Spirit Cult in Hayti », *Journal de la Société des Américanistes*, 20, 157-179.

POIRIER, J., ed.
1968 *Ethnologie générale*. Paris, Gallimard (« Encyclopédie de la Pléiade »).
1972 *Ethnologie régionale, I : Afrique-Océanie*. Paris, Gallimard (« Encyclopédie de la Pléiade »).
1978 *Ethnologie régionale, II : Asie-Amérique-Mascareignes*. Paris, Gallimard (« Encyclopédie de la Pléiade »).

RILEY, C. et al.
1971 *Man across the Sea. Problems of pre-Columbian Contacts*. Austin, University of Texas Press.

RODINSON, M.
1980 *La Fascination de l'Islam. Les étapes du regard occidental sur le monde musulman. Les études arabes et islamiques en Europe*. Paris, Maspero.

SAHAGÚN, F. B. DE
1979 *Historia general de las cosas de Nueva España (1570-1582)*. México. Éd. Porrúa.

SAÏD, E.
1980 *L'Orientalisme, L'Orient créé par l'Occident*. Paris, Le Seuil.

SALIM, M.
1962 *Marsh Dwellers of the Euphrate's Delta*. London, The Athlone Press.

STEWARD, J., ed.
1948 *Handbook of South American Indians*. Washington, Smithsonian Institution.

WEULERSSE, J.
1947 *Paysans de Syrie et du Proche-Orient*. Paris, Hachette.

L'ANTHROPOLOGIE DE LA MALADIE

Marc Augé

Si je préfère parler d'« anthropologie de la maladie » plutôt que d'« anthropologie médicale » (expression américaine la plus usuelle) c'est pour deux ordres de raison.

En premier lieu je pense qu'il n'y a qu'une anthropologie qui se donne des objets empiriques distincts (la maladie, la religion, la parenté, etc.) sans se diviser pour autant en sous-disciplines. Il n'est pas sûr que l'ensemble de ces « objets empiriques distincts », de ces objets d'observation, ne constitue pas dans le regard de l'anthropologue, au terme de son effort de construction, un objet unique d'analyse. Quelle est alors la nature de cette unicité ? C'est toute la question, et l'anthropologie de la maladie peut nous aider à y répondre.

En second lieu le terme « medical anthropology », dans l'usage qu'en font les chercheurs américains, a surtout un intérêt en quelque sorte administratif et stratégique : il s'agit de rassembler sous une même étiquette (pour faire masse, ce qui peut avoir de l'intérêt quand on veut obtenir des crédits) des recherches aux finalités intellectuels différentes qui n'ont en commun que leur objet empirique d'occasion, à condition de définir celui-ci de façon assez lâche : l'épidémiologie, l'étude des soins délivrés en institution (« health care delivery systems »), les recherches sur les problèmes de santé et l'ethnomédecine sont ainsi présentées comme les quatre grandes parties de l'anthropologie médicale elle-même conçue comme une subdivision spécifique de l'anthropologie en général (Genest, 1978 ; Colson & Salby, 1974 ; Fabrega, 1971).

Au lieu de penser à bâtir une discipline ou une sous-discipline nouvelle, il me paraît important de voir sur quels points l'étude anthropologique de la maladie peut affiner ou renouveler la problématique anthropologique. Elle le peut, à mon sens, pour deux raisons essentielles : il n'y a pas de société où la maladie n'ait une dimension sociale et, de ce point de vue, la maladie, qui est aussi la plus intime et la plus individuelle des réalités, nous fournit un exemple concret de liaison intellectuelle entre perception individuelle et symbolique sociale ; quant à la perception de la maladie et de sa guérison elle ne peut se satisfaire ni d'un recours arbitraire à l'imagination ni d'une simple cohérence intellectuelle ou d'un effet de représentation : elle est ancrée dans la réalité du corps souffrant. Il y a donc lieu d'espérer que l'étude des systèmes d'interprétation de la maladie puisse éclairer le débat toujours réouvert depuis Lévy-Bruhl sur la rationalité des croyances dites primitives et sur l'interprétation qui peut être donnée de celle-ci : « intellectualiste » et « littérale » ou « symboliste », ou encore radicalement « relativiste » (Skorupski, 1976).

Si l'anthropologie dite médicale n'a pas jusqu'à présent, à mon sens, aidé à la réalisation de ce programme c'est vraisemblablement à cause de sa relative faiblesse théorique, imputable à ce que j'appellerais volontiers l'illusion disciplinaire : si nouvelle discipline il y a (en l'occurrence « anthropologie médicale ») les vieux débats peuvent repartir à zéro et Lévy-Bruhl retrouver une nouvelle jeunesse. Grossièrement résumée, la situation est à peu près la suivante : d'un côté (et plus précisément en Angleterre) les théoriciens en philosophie des sciences sociales s'interrogent par exemple sur la manière de comprendre les « religious world-views » d'une culture donnée, ceux qui s'inspirent de Wittgenstein allant jusqu'à douter de la possibilité de toute traduction d'un « language game » ou d'une « form of life « dans l'autre. De l'autre côté (majoritairement aux États-Unis) les spécialistes de l'anthropologie médicale, plus ou moins inspirés par l'idéologie du « grand partage », la « we/they division « dont Jack Goody constatait encore en 1977 la prégnance, privilégient les schémas diffusionnistes et les typologies tranchées. Ils évacuent du même coup tout problème proprement théorique.

George M. Foster (1976) me paraît un exemple particulièrement net à cet égard. On peut dire que pour lui toute dimension sociale est étiologique et toute étiologie magique ; c'est le sens de la distinction qu'il établit entre « personalistic medical systems » (*i.e.* ceux où la maladie est attribuée à l'intervention délibérée d'un agent humain ou non humain) et les « naturalistic medical systems » (ceux où la maladie serait attribuée à l'action de forces ou d'éléments naturels). Alors que les systèmes du second type caractérisaient la tradition nosologique de la Chine, de l'Inde, de la Grèce et de Rome, ceux du premier type seraient particulièrement attestés en Afrique. Murdock (1980) organisera pour sa part de façon plus minutieuse et documentée mais selon les mêmes principes sa présentation des théories de la maladie en distinguant cinq types de causalité « naturelle » et treize types de causalité « surnaturelle ». Aucun d'eux ne prête attention au fait que dans les systèmes africains, où la cause du mal est souvent en effet identifiée à l'action d'un agent extérieur, la maladie elle-même est présentée comme une rupture d'équilibre (entre instances psychiques, entre humeurs du corps ou qualités comme le chaud et le froid) exactement comme dans les systèmes jugés par eux « naturalistic ». Meilleur connaisseur des faits amérindiens, Foster (1953) ne s'était déjà pourtant intéressé, il est vrai, qu'à l'influence qu'aurait exercée sur eux la diffusion par l'Espagne du modèle indo-européen relayé par les Arabes. Michael H. Logan (1977) s'empresse de la même façon de recourir au schéma diffusionniste pour refuser aux civilisations indiennes l'originalité et la propriété de leur recours à la médecine des humeurs et à la théorie du chaud et du froid, malgré la démonstration faite par Redfield dès 1941 de l'antériorité du système d'opposition chaud/froid à la venue des conquérants espagnols.

Toutes ces approximations ou simplifications me paraissent relever d'une conception dualiste ethnocentrée selon laquelle il y aurait dans les systèmes indigènes étudiés par l'ethnologie un secteur virtuellement empirico-rationnel et un secteur irréductiblement magique. Turner (1968) lui-même suggérait que les Ndembu utilisaient certains médicaments parce qu'ils étaient « objectivement efficaces » (ne pensaient-ils pas guérir lorsqu'ils utilisaient les autres ?) et tout un débat portant sur les proportions respectives du rationnel et de l'irrationnel dans les médecines primitives n'a cessé de renaître en anthropologie depuis l'article consacré à ce sujet par Ackerknecht en 1946. Ce débat introduit en fait (de façon parfois voilée) une discussion à plusieurs volets. On peut privilégier le point de vue de la vérité et considérer que certains systèmes sont inférieurs à d'autres en ce qu'ils ne maîtrisent traditionnellement qu'une part infime du savoir thérapeutique. On peut encore, dans une perspective combinant l'intellectualisme et un certain relativisme, estimer que le passage à la magie ou à la religion correspond à un élargissement du contexte causal, comme dans la science moderne la théorie fournit un contexte causal plus large que celui du sens commun (Horton, 1967). On peut enfin douter que la coupure nature/surnature soit une donnée explicite des systèmes nosologiques étudiés par l'anthropologue et estimer que celui-ci la projette sur une réalité qu'il traduit mal et dont il ignore le caractère unitaire. La question se pose donc de savoir si l'on privilégie du même coup une conception résolument relativiste du sens. J'essaierai d'entrer dans cette discussion en évoquant complémentairement la question de l'homogénéité des systèmes de sens et de savoir, la question de la rationalité et celle de l'efficacité.

Commençons par les rapports entre sens et savoir. Toutes les sociétés ont eu besoin de sens, et Claude Lévi-Strauss (1950) a rappelé justement dans son « Introduction à l'œuvre de Marcel Mauss » que, dès que sont apparus conscience et langage, il a fallu que l'univers signifiât. Cette nécessité immédiate du sens est évidemment incompatible avec la constitution lente et progressive du savoir ; mais c'est la même raison humaine qui est à l'œuvre dans l'observation de la nature, l'élaboration des techniques, l'interprétation des aléas du corps individuel ou l'organisation des rapports sociaux. Il n'est donc pas contradictoire que des acquisitions « primitives » dont la rationalité et l'efficacité sont reconnues par les spécialistes de la culture scientifique occidentale (notamment dans le domaine de la domestication de la nature) s'insèrent dans un ensemble de représentations dont ces mêmes spécialistes peuvent contester la vérité même s'ils lui reconnaissent une cohérence formelle. Cette coupure (entre l'empirico-rationnel et le symbolique pur) naît de l'observation scientifique occidentale ; mais elle n'est pas le fait des cultures païennes ; celles-ci ne distinguent pas un domaine qui serait accessible au savoir et un domaine qui ne serait accessible qu'à la foi. On peut dire au contraire simultanément à leur propos que les acquis de l'expérience s'insèrent dans la logique symbolique et que la logique symbolique ne contredit jamais l'expérience et même se fonde partiellement sur elle. Or ce double caractère n'est jamais si apparent qu'à propos des problèmes que toutes les sociétés ont à résoudre et à conceptualiser, indépendamment de leurs acquis scientifiques : le rapport de soi à soi (qui inclut le rapport au corps), le rapport aux autres (qui l'inclut aussi) et, plus largement, le rapport à l'ordre social et au pouvoir. Ces trois rapports indissociables et complémentaires sont irréductibles à toute définition exclusivement scientifique. C'est sans doute la raison pour laquelle ils peuvent se formuler en termes homologues dans des sociétés très différentes.

Si l'on en revient à l'ensemble des représentations nosologiques à l'œuvre, par exemple, dans une société lignagère africaine on se rend aisément compte d'une part que les raisonnements généraux en termes de « vision du monde » simplifient à l'excès une réalité complexe, d'autre part que la nature diverse des types d'expérience à l'origine des différents paradigmes constitutifs de la nosologie et des différents énoncés qui en procèdent oblige à nuancer sensiblement l'analyse de leur homogénéité tout en permettant de mieux les comprendre en termes de rationalité et d'efficacité.

Nicole Sindzingre (1983) a bien montré comment en milieu senufo la logique du diagnostic et celle de la thérapie, sans être jamais contradictoires, ne s'impliquaient pas nécessairement ; cette dualité s'exprime, au niveau institutionnel, dans le fait que certains spécialistes du diagnostic ne soignent pas, ou que certains thérapeutes ne s'occupent pas de diagnostic, et que le recours à certains thérapeutes spécialisés présuppose un diagnostic qui peut être le fait du malade lui-même ou de son entourage. J'ai essayé pour ma part de distinguer deux procédures thérapeutiques types chez les populations guin ou mina du Sud-Togo, l'une qui, passant par la divination *(fa)*, aboutit à l'identification d'un *vodũ* considéré comme le responsable de la maladie puis à un traitement par les plantes relevant de ce *vodũ*, l'autre qui, passant par l'analyse du symptôme, aboutit à un traitement par les plantes puis à des sacrifices au *vodũ* dont ces plantes relèvent. Le principe de cohérence est alors dans la mise en rapport systématique du panthéon et de la pharmacopée, qui laisse elle-même percevoir des recouvrements et un certain « jeu » dans les options intellectuelles possibles. Ce modèle de cohérence virtuelle se distingue du type idéal d'une cohérence fermée pour lequel le symptôme renvoie à un désordre social dont l'élimination rétablit la santé individuelle. Il est également possible de mettre en évidence (j'essaie de le faire chez certains guérisseurs ivoiriens du sud de la Côte-d'Ivoire) les séries paradigmatiques que constituent le classement des maladies (chez tous les guérisseurs existent des nomenclatures descriptives), l'inventaire des plantes (le milieu végétal ambiant est toujours très bien connu), la liste des remèdes qui les associent sous diverses formes et enfin la description des perturbations sociales dangereuses (état de tension, malédiction, agression en sorcellerie, attaques des ancêtres, etc.). Ces séries sont bien évidemment mises en rapport dans les processus de diagnostic et de thérapie. Mais il faut remarquer que ce rapport ne définit pas un ensemble de correspondances mécaniques terme à terme ; si la liste des plantes et des préparations est précise et les prescriptions claires a priori (à tel mal tel remède), certaines préparations sont dites d'intérêt général et indiquées pour toute une série de maux ; si la liste des symptômes semble le produit d'observations récurrentes précises, il reste que plusieurs symptômes sont présentés comme ayant a priori plusieurs causes possibles et que d'autres sont difficiles à reconnaître ; enfin certains états psychologiques (l'état de tension et le sentiment de la rancune, par exemple) ou certains comportements (la transgression d'interdits) sont censés créer un état de vulnérabilité à toutes sortes d'influences et d'agressions. Comme en outre aucune explication n'est a priori exclusive d'une autre, on voit qu'à l'homogénéité très relative de chaque série et, a fortiori, de l'ensemble qu'elles constituent correspondent des possibilités d'interprétations multiples, nullement mécanistes et dépendant des circonstances, des rapports de force et de l'identité sociale des partenaires en présence.

Non complètement homogène, l'ensemble des représentations de la maladie et de la thérapie n'est pas non plus autonome, non seulement du fait de ses prolongements sociaux, que je viens de mentionner, mais également du fait de sa dimension expérimentale et des théories du corps et de la personne auxquelles il s'intègre lui-même. Les travaux de Françoise Héritier (1978) ont montré que les représentations de la stérilité, par exemple, mettaient en jeu un système d'oppositions binaires (chaud et froid, sec et humide, masculin et féminin, etc.) qui prend tout son sens lorsqu'on le voit à l'œuvre à différents niveaux d'interprétation de la réalité (le corps humain mais aussi bien le corps de la terre, la météorologie, la règle sociale et l'ordre politique). Ainsi l'interprétation de la maladie perd en spécificité ce qu'elle gagne en cohérence. Et cette cohérence n'est pas si purement formelle qu'elle ne repose en partie sur une représentation précise du corps, comme nous le montrent les travaux consacrés aux Dogons (Calame-Griaule, 1965) ou aux Ewe (Pazzi, 1976), et du psychisme, comme l'illustrent notamment les travaux consacrés aux peuples akan (Debrunner, 1959 ; Augé, 1975).

Quant à ces représentations elles-mêmes, aux théories concernant la nature et la transmission des fluides qui font la matière et la force du corps et du psychisme, il faut remarquer d'une part qu'elles témoignent toujours d'un sens certain de l'observation, d'autre part que leur armature biologique fournit les éléments d'un langage à vocation universelle : c'est le corps qui permet d'expérimenter les vertus contraires du sec et de l'humide, du chaud et du froid, d'apprécier la couleur et la consistance différentes du sang et de la lymphe, du sperme et du lait, les transformations subies au cours du transit intestinal par les aliments ingérés, d'opposer le sang des hommes à celui des femmes, etc.

Universalité des éléments, singularité culturelle de leur association : ainsi se mettent en place des nosologies qui s'évoquent les unes les autres et qui ont chacune leur cohérence logique particulière. Ackerknecht avait raison d'inviter ses collègues à ne pas confondre pour autant logique, rationalité et efficacité. Cohérentes et logiques, ces nosologies le sont assurément, au point, du fait de leurs articulations souples, de pouvoir tout expliquer ; mais, si elles sont en quelque mesure fondées en nature, s'il n'est donc pas exclu que quelques initiative individuelle leur incorpore un jour ou l'autre un nouvel élément d'observation, elles ne laissent guère de place à l'expérimentation : elles sont le moyen, non l'objet de l'interprétation. Et si elles sont éventuellement accueillantes aux nouveaux remèdes (notamment à ceux des Blancs) c'est sur le mode cumulatif, à la façon dont les panthéons païens sont toujours prêts à s'agrandir.

Il reste néanmoins que si l'on prend en considération les recherches les plus récentes en neurobiologie et en endocrinologie (Bibeau, 1983) on comprend pourquoi, tant dans l'explication de certaines maladies et de la mort que dans l'action curative, les conceptions traditionnelles, dans leur langage propre, ont pu formuler des vérités ou obtenir des résultats. On doit admettre du même coup que des thérapeutes puissent avoir le sentiment que leurs techniques sont vérifiées par l'expérience, même si ce sentiment est renforcé par le fait qu'ils ne tiennent généralement pas compte de leurs échecs.

La nosologie — en tout cas telle qu'elle se présente dans les systèmes lignagers africains — est donc simultanément une rhétorique et une sémantique, une syntaxe et une pratique. Il n'est pas possible d'y distinguer un niveau qui serait celui de la langue d'un niveau qui serait celui des discours utilisant ou actualisant cette langue (Terray, 1978). Tout au plus peut-on la réduire, en déconstruisant ses énoncés, à la matérialité des éléments qui la constituent, la matérialité même du corps. Celle-ci garantit en quelque sorte la possibilité de mettre sans arbitraire en perspective les systèmes nosologiques les plus divers dans le monde. De ce point de vue les analogies sont plus frappantes que les différences. Mais en même temps, dans chaque culture particulière, cette matérialité est déjà prise dans l'ordre symbolique du social qui donne à chaque corps sa place et son statut. L'anthropologie de la maladie éclaire ainsi d'un jour particulier les deux thèmes de la réflexion anthropologique qui font peut-être tout son objet : la prétention de toute pratique culturelle à se fonder en nature (qui définit l'idéologie) et le langage universel de toute pratique singulière, à partir duquel peut aussi bien se formuler le rapport individu/société que s'esquisser la comparaison entre sociétés.

MARC AUGÉ.

BIBLIOGRAPHIE

ACKERKNECHT, Erwin H.

1946 « Natural Diseases and Rational Treatment in Primitive Medicine », *Bulletin of the History of Medicine*, XIX, 467-497 ; repris dans ID., *Medicine and Ethnology*. Baltimore, Johns Hopkins Press, 1971, 135-161.

AUGÉ, Marc

1975 *Théorie des pouvoirs et idéologie. Étude de cas en Côte-d'Ivoire*. Paris, Hermann.

BIBEAU, Gilles

1983 « L'Activation des mécanismes endogènes d'autoguérison dans les traitements rituels des Angbandi », *Culture*, III, 1, 33-49.

CALAME-GRIAULE, Geneviève

1965 *Ethnologie et langage. La parole chez les Dogon*. Paris, Gallimard.

COLSON, A. C. & SALBY K.E.

1974 « Medical Anthropology », *Annual Review of Anthropology*, III, 245-262.

DEBRUNNER, Hans W.

1959 *Witchcraft in Ghana*. Accra, Presbyterian Book.

FABREGA, Horacio, Jr.

1971 « Medical Anthropology », *Biennial Review of Anthropology*, 167-229.

FOSTER, George M.

1953 « Relationships between Spanish and Spanish-American Folk Medicine », *Journal of American Folklore*, LXVI, 261, 201-217.

1976 « Disease Etiologies in Non Western Medical Systems », *American Anthropologist*, LXXVIII, 4, 773-782.

GENEST, Serge

1978 « Introduction à l'ethnomédecine : essai de synthèse », *Anthropologie et Sociétés*, II, 3, 5-28.

GOODY, Jack

1977 *The Domestication of the Savage Mind*. Cambridge, Cambridge University Press. (Trad. franç. : *La Raison graphique*, Paris, Éditions de Minuit, 1979.)

HÉRITIER, Françoise

1978 « Fécondité et stérilité : la traduction de ces notions dans le champ idéologique au stade préscientifique », *in* E. SULLEROT, ed., *Le Fait féminin*. Paris, Fayard, 289-306.

HORTON, Robin

1967 « African Traditional Thought and Western Science », *Africa*, XXXVII, 50-71, 155-187.

LÉVI-STRAUSS, Claude

1950 « Introduction à l'œuvre de Marcel Mauss », *in* M. MAUSS, *Sociologie et anthropologie*. Paris, P.U.F., IX.

LOGAN, Michael H.

1977 « Anthropological Research on the Hot-Cold Theory of Disease : Some Anthropological Suggestions », *Medical Anthropology*, I, 4, 87-112.

MURDOCK, George F.

1980 *Theories of Illness : A World Survey*. Pittsburgh, University of Pittsburgh Press.

PAZZI, Roberto

1976 *L'Homme ewe, aja, gen, fon et son univers. Notes sur l'aire culturelle aja*. Lomé (doc. multigr.).

REDFIELD, Robert

1941 *The Folk Culture of Yucatan*. Chicago, University of Chicago Press.

SINDZINGRE, Nicole

1983 « L'Interprétation de l'infortune : un itinéraire senufo (Côte-d'Ivoire) », *Sciences sociales et Santé*, I, 3, 4, 7-36.

SKORUPSKI, John

1976 *Symbol and Theory, a Philosophical Study of Theories of Religion in Social Anthropology*. Cambridge, Cambridge University Press.

TERRAY, Emmanuel

1978 « L'Idéologique et la contradiction », *L'Homme*, XVIII (3-4), 123-138.

TURNER, Victor W.

1968 *The Drums of Affliction*. Oxford, Clarendon Press. (Trad. franç. : *Les Tambours d'affliction*. Paris, Gallimard, 1972, « Bibliothèque des Sciences humaines »).

Anthropologie et psychanalyse

Le bon usage d'un modèle mathématique

La sociobiologie sous le feu de la biologie

LE DISCOURS DE LA PSYCHANALYSE ET LA PARENTÉ

Charles-Henry Pradelles de Latour

Le titre de cet article rappelle un vieux débat entre B. Malinowski et E. Jones, débat qui vient d'être rouvert aux États-Unis par M. E. Spiro. Aussi précisons tout de suite que nous désirons non pas renouer avec la problématique freudienne, mais montrer que le déplacement du discours de la psychanalyse opéré par Lacan permet d'aborder les systèmes de parenté sous un autre angle que celui qui a prévalu jusqu'à présent. Toutefois, pour rester fidèle à la tradition inaugurée par nos prédécesseurs, nous nous en tiendrons au seul cas des Trobriandais, insulaires matrilinéaires de Mélanésie.

On se souvient de l'argument de Malinowski. Les jeunes Trobriandais, qui appartiennent au sous-clan de leur mère, ont pour père légal leur oncle maternel et disent n'avoir aucun lien de sang avec leur géniteur. Aussi, à l'adolescence, le garçon entre-t-il en conflit non pas avec son père qui est surtout pour lui une « nurse », mais avec le frère de sa mère. Autrement dit, la structure familiale n'est pas la même dans toutes les sociétés, et le complexe d'Œdipe induit en Occident par la filiation patrilinéaire n'est pas universel (Malinowski, 1969).

E. Jones rétorque qu'en refusant au père le statut de géniteur, les Trobriandais dénient et détournent la haine qu'ils nourrissent à son endroit, mais qu'ils ne réussissent pas pour autant à supprimer le père. Ils ne font que déplacer la rivalité sur l'oncle maternel et reporter la convoitise dont la mère est l'objet sur une sœur (Jones, 1925). M. E. Spiro, pour sa part, affirme non sans arguments que les jeunes Trobriandais sont en fait plus attirés par leur mère qui les a nourris au sein que par leur sœur, et qu'ils secrètent une hostilité inconsciente envers leur père, principal partenaire sexuel de leur mère (Spiro, 1982). Jones et Spiro sauvent l'Œdipe, mais n'appliquent-ils pas trop rapidement un modèle occidental à un système de parenté dont Lévi-Strauss a souligné qu'il était fondé sur l'alliance ? (Lévi-Strauss, 1958, 51.) Telle est la thèse que nous allons soutenir. Nous exposerons tout d'abord la théorie œdipienne de Lacan puis, fort de ses hypothèses, nous analyserons le système de parenté des Trobriandais.

La psychanalyse ne privilégie pas, à la façon de l'anthropologie, un jeu de classes (différences de sexe, d'âge et de groupe de filiation) qui ordonnent et déterminent les relations d'Ego à ses aînés, ses collatéraux et ses alliés ; il prend pour point de départ la relation mère-enfant. Si un nourrisson n'est pas désiré par une mère réelle ou adoptive, il ne peut vivre. L'enfant est d'abord l'objet d'un désir maternel, mais il ne saurait être l'objet unique et total de ce désir à moins d'être entièrement aliéné dans une relation duelle exclusive, source de folie. Avant de désirer l'enfant, une mère a désiré un homme qui n'est pas obligatoirement le père légal. La fonction paternelle se trouve ainsi scindée entre un père géniteur, objet du désir de la mère, et un père social essentiellement représenté par le nom de lignée ou de clan. Père réel et père social sont séparés non seulement dans la réalité, mais aussi symboliquement pour la simple raison que le nom n'est pas la chose. Bien que dans le langage courant le nom soit uni à l'objet qu'il représente, ces deux aspects du mot ne relèvent pas du même ordre : l'un est un signifiant, support de sens, l'autre un signifié renvoyant à une chose ou une idée. L'un, détaché de la réalité, survit à la disparition de l'objet, l'autre non. On ne sait plus très bien qui était Socrate, mais on en parle encore. La relation primordiale mère-enfant est donc traversée (croisée) d'emblée par le désir de quelque chose d'autre représenté et pérennisé par un signifiant majeur qualifié Nom-Du-Père. Ce nom, qui fait obstacle entre la mère et l'enfant, instaure tout d'abord une loi. En intervenant en tiers il promulgue, dans le langage, l'interdit de l'inceste que l'on pourrait résumer en ces termes : « Toi, enfant, tu n'es pas tout pour ta mère car elle désire autre chose que toi. » Le Nom-Du-Père n'est pas seulement privateur, mais est aussi créateur de sens, ayant ainsi valeur de métaphore. Pour reprendre l'exemple des dictionnaires, l'expression hugolienne : « Sa gerbe n'était ni avare ni haineuse » est métaphorique car, en se substituant à Booz endormi, elle laisse transparaître un nouveau sens : malgré son âge avancé Booz peut encore être père. La métaphore, qui implique la substitution d'un signifiant S' à un signifiant S et la libération d'un nouveau signifié s, peut s'écrire :

$$\frac{S'}{S} \cdot \frac{S}{s} = \frac{\text{sa gerbe n'était ni avare ni haineuse}}{\text{Booz endormi}} \cdot \frac{\text{Booz endormi}}{\text{fonction paternelle (vie possible)}}$$

La substitution du Nom-Du-Père à la relation désirante mère-enfant engendre aussi un signifié paternel auquel l'enfant peut adhérer pour tenter d'atteindre, à son tour, l'autre chose que sa mère désire.

$$\frac{S'}{S} \cdot \frac{S}{s} = \frac{\text{Nom-Du-Père}}{\text{désir de la mère}} \cdot \frac{\text{désir de la mère}}{\text{signifié paternel (autre chose désirée)}}$$

De même que le signifiant est coupé de la chose signifiée, il a aussi pour fonction de se substituer à d'autres signifiants et de fonder un jeu de significations qui sont à la base des identifications personnelles (Pontalis, 1958). Le Nom-Du-Père, privateur et donateur, rend compte des ambiguïtés de la fonction paternelle, symbolisées dans l'imaginaire enfantin par les figures contrastées du père fouettard et du Père Noël, et dans l'imaginaire religieux par le dieu séparateur, celui qui juge, et le dieu créateur ou sauveur, celui qui donne. L'ambivalence de la fonction paternelle et celle du sacré sont intimement liées.

La structure œdipienne revue par Lacan ne relève pas des faits ou du comportement, mais d'un ordre de langage qui tient l'inceste pour impossible — puisque l'au-delà désiré par la mère est inatteignable — et le père pour symboliquement mort — puisque le nom qui le représente n'est pas la chose. Cette structure témoigne ainsi d'une autre manière que l'anthropologie sociale de l'asymétrie des sexes. La métaphore paternelle prédomine non parce que l'homme serait supérieur à la femme, mais parce qu'il intervient à son insu en tant que symbole tiers, fondateur de la loi et des idéaux. Aussi, peu importe théoriquement que le père réel soit présent ou absent ; l'Œdipe peut se réaliser symboliquement même si le père est mort. Peu importe que le père ne soit pas à la hauteur de la métaphore qu'il suscite ; un père humilié n'est pas moins père qu'un père à la virilité triomphante.

Mais alors, que devient Ego dans cette structure ? Au départ le nourrisson s'ébauche comme « a-sujet », assujetti qu'il est à sa mère, son corps étant vécu comme morcelé. Puis il apprend à lire la satisfaction de ses besoins dans les gestes répétés dont il est le soin ; il se réfléchit et s'anticipe ainsi dans l'image de sa mère, ne voyant dans ce reflet en miroir qu'un semblable, un moi-autre, support d'unité. Cette capture imaginaire lui permet de se saisir comme totalité (il n'est plus morcelé), mais elle le subordonne du même coup à un autre. Ego ne saurait donc être une entité autonome, il accède à l'identité en étant aliéné (Lacan, 1966, 93 *sq.*). Dans la relation mère-enfant, relation spéculaire par excellence, le moi et l'autre sont mal différenciés. Toutefois cette réflexivité imaginaire est nécessaire à l'enfant pour amorcer l'assomption de sa subjectivité. En accédant à l'identité l'enfant devient désir du désir de sa mère, mais il ne peut désirer l'autre chose que sa mère désire qu'en passant par la chicane de la métaphore paternelle qui lui interdit d'être cette chose tout en lui permettant de l'appréhender par le biais du langage. Le moi imaginaire se double alors d'un « je », sujet, qui tente d'atteindre l'au-delà du désir de la mère en s'appuyant sur des représentations symboliques. Lacan a illustré le jeu croisé du désir maternel et la division de la personne en un « moi » et un « je » sujet sur un graphe connu sous le nom de schéma L (Lacan, 1978, 284).

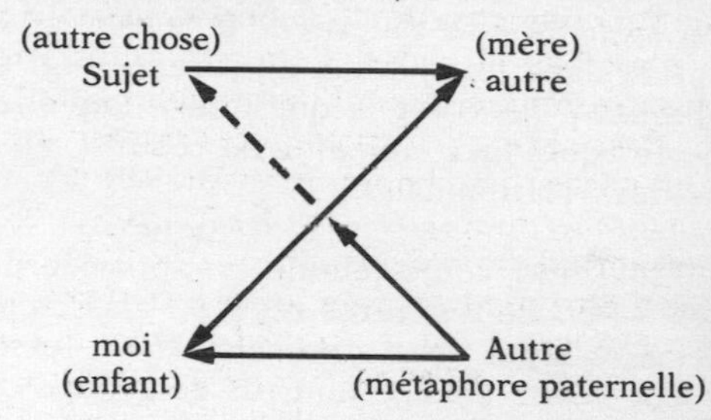

La relation spéculaire mère-enfant est placée sur l'axe oblique moi-autre et le désir d'autre chose de la mère en haut à gauche. C'est là que l'enfant s'élabore comme sujet à partir de la métaphore paternelle située en bas à droite. Ainsi, je est un Autre, constitué qu'il est non par le reflet des images en miroir mais par l'ordre des signifiants. Le sujet n'est donc pas ici le sujet de la pensée des philosophes (perception-conscience extérieure au langage), mais un élément interne à la signification, qui surgit toujours comme autre chose que le moi. Le sujet n'est pas le moi ; l'un est un effet du signifiant en quête d'objets inaccessibles, l'autre un *self*, un soi grossi des idéaux reçus. Le sujet, soumis à l'Autre (batterie des signifiants), est agi, le moi apparemment maître de soi est agent. Quoique distincts, ils n'existent pas l'un sans l'autre. Si le sujet s'efface, le moi devient prisonnier de l'angoisse ou bien victime de la persécution. Dans le premier cas l'au-delà visé n'est plus médiatisé par le langage, dans le second le Nom-Du-Père n'exerce plus que sa fonction privative ; le miracle de la métaphore n'est plus opérant.

Il est bien évident que dans cette épure le sujet, éternellement agi, est difficilement appréhendable car il est sous-jacent au discours. C'est pourquoi Lacan fait passer l'Autre-sujet (axe de l'inconscient) sous l'axe moi-autre qui se manifeste ouvertement dans la vie quotidienne.

Cette structure œdipienne, identique à quelques différences près pour les garçons et les filles, est ce par quoi un sujet accède au langage, au monde de la famille et à la société en général. C'est à ce titre qu'elle nous intéresse. Que devient la métaphore paternelle et la relation spéculaire à la mère dans un système de parenté régi par les lois de l'alliance ? Telle est la question à laquelle nous allons apporter quelques éléments de réponse en reprenant le cas des Trobriandais.

Aux îles Trobriand, toute femme est appariée dès son adolescence à l'un de ses frères réels ou classificatoires, qui sera le père légal de ses enfants. Ainsi, lorsqu'une femme se marie, elle change non pas de groupe de filiation mais de village. Elle part habiter chez son mari avec lequel elle partage une vie commune et intime. Le couple mari-femme constitue avec ses enfants une unité de résidence et de production. Cette séparation entre groupe de filiation et maisonnée entraîne pour le frère l'obligation de remettre chaque année au mari de sa sœur la moitié de sa récolte d'ignames pour nourrir ses enfants selon la légalité. Ce don de nourriture correspond à la part qui revient à une femme en tant qu'elle est au même titre que son frère propriétaire du sol clanique. Quant au mari, qui n'acquiert par le mariage aucun droit sur son épouse, il offre au frère de celle-ci des pierres polies ou de beaux coquillages pour le remercier des services sexuels dont il bénéficie. Selon les termes imagés des Trobriandais, le mari doit de temps en temps « payer l'écarlate » (Malinowski, 1963, 254). Toute femme est ainsi divisée : la maternité et le devoir la portent vers son frère, père social de ses enfants, la sexualité et l'inclination vers son époux. Elle est pour le premier la « bonne femme » qui engendre et nourrit, pour le second la « grande femme », belle et désirable (*ibid.*, 401). La circulation continue des biens matrimoniaux entre beaux-frères est à cet égard particulièrement significative. Le frère offre des ignames, symbole de fécondité et d'abondance, au mari de sa sœur, et celui-ci lui donne en retour des objets précieux et beaux qui évoquent l'attrait de la sexualité. Autrement dit, *aux îles Trobriand ce ne sont pas les femmes qui circulent d'un groupe à un autre, ce sont les signes représentant les fonctions de mère et d'épouse qui les lient à deux hommes différents.*

La relation mère-enfant est donc d'emblée médiatisée par un échange de biens qui ont valeur de métaphore et qui sont par là même porteurs de sens et d'interdits. Le frère donne des ignames symbolisant la fécondité au mari de sa sœur, qui est tenu à l'écart de cette fonction, et celui-ci offre des coquillages rappelant la sexualité à son beau-frère qui ne doit évoquer cette dernière avec sa sœur ni par un geste ni par une parole. La substitution d'un signe à une fonction est donc créatrice de sens pour le donateur et d'interdits (le signe n'étant pas la chose qu'il représente) pour le donataire. Les significations sont parallèles et les prohibitions croisées. Les métaphores véhiculées par l'échange de biens matrimoniaux définissent ainsi les statuts des alliés, qui sont à l'origine du dédoublement de la fonction paternelle.

Le frère, qui représente le groupe des consanguins de la femme, n'est pas à proprement parler le géniteur symbolique. Ce rôle revient à ses ancêtres qui accordent l'esprit *waiwaia* à ses sœurs et à ses nièces (Weiner, 1983, 56). L'oncle maternel n'est donc qu'un médiateur qui renvoie ses neveux à une instance tierce bénéfique et garante des lois du clan. N'étant pas donateur, il apparaît surtout comme privateur : il est celui à qui l'on doit respect et biens. Le fils de sœur qui lui succède ne peut entrer en possession de son héritage qu'après l'avoir largement dédommagé (Fathauer, 1962, 252 *sq.*). Quant au père, s'il n'est pas reconnu en tant que père biologique, il est néanmoins supposé, grâce à des rapports sexuels répétés avec la mère, modeler à sa ressemblance ses enfants *intra utero*. Il les materne ensuite et les nourrit avec affection afin que le sevrage ne soit pas trop douloureux. Il les élève avec tendresse et les favorise au détriment de ses neveux. Un fils hérite ainsi parfois des biens et du savoir de son père. En contrepartie, les enfants aident leur père dans ses travaux et subviennent à ses besoins dans ses vieux jours ; ils coupent du bois afin qu'il ait en permanence du feu auprès de son lit et l'aident à se déplacer. En somme, le père trobriandais est un père-mère, un père en miroir dans lequel l'enfant peut se refléter et trouver son unité. Père et fils sont de ce fait mal différenciés ; tout se passe comme s'ils étaient incorporés l'un à l'autre. Aussi l'amour que manifeste leur intimité dissimule-t-il un envers d'hostilité redoutable (moi, je ne suis pas toi) que Spiro a bien repéré (Spiro, 1982, 50 *sq.*). Le fils craint d'être mangé par son père, comme l'atteste le mythe de Tudava (*cf. infra*, p. 101) ; et réciproquement, quand un père meurt, son fils est suspecté de l'avoir tué (dévoré) par sorcellerie. Pour prouver son innocence, celui-ci doit manger en public des morceaux de chair putréfiée du cadavre paternel (Malinowski, 1930, 121). La nécrophagie, ordinairement réprouvée, sert d'ordalie : le moi se sépare de l'autre car celui-ci, qui était bon, devient irrémédiablement mauvais (pourri). Bref, il existe aux Trobriand non pas un mais deux pères qui se partagent les deux fonctions paternelles, privation et don. L'un davantage père symbolique, instance tierce, est hors sorcellerie, l'autre, père imaginaire, entre dans une relation cannibalique.

Les métaphores relatives à la fécondité et à la sexualité renvoient à l'origine des magies de jardins et de beauté que pratiquent respectivement consanguins et alliés. Les magiciens des jardins, qui ont reçu normalement leur pouvoir de leur oncle maternel, récitent, au cours des rites ponctuant les différentes étapes de la culture des ignames, des incantations dont le refrain le plus fréquent est :

> Le ventre de mon jardin se lève,
> le ventre de mon jardin se lève comme s'il allait enfanter
> (Malinowski, 1974, 93, 95, 98, 106).

La terre est ainsi comparée à une femme enceinte. Comme il est par ailleurs interdit aux cultivateurs d'avoir des rapports sexuels quand ils travaillent dans leurs champs (Malinowski, 1930, 200), la fécondité des terres fait écho à celle des sœurs qui sont mères et sexuellement prohibées.

Les magiciennes de la beauté sont des tantes maternelles, c'est-à-dire des alliées qui exercent leur art sur leurs neveux et nièces. Ceux-ci doivent tout d'abord se baigner dans la mer, se frotter avec des fibres végétales enchantées par leur tante qui ensuite leur lisse le corps avec un coquillage de nacre et de l'huile de noix de coco afin qu'ils deviennent beaux et désirables (*ibid.*, 254 *sq.*). Cette magie se prolonge parfois en magie d'amour ; il suffit que le désirant jette à la mer les fibres avec lesquelles il s'est lavé, en disant : « Charme, suscite les rêves et exerce une influence sur l'œil d'une telle. » Les Trobriandais expliquent : « De même que les feuilles seront ballottées par les vagues, qu'elles s'élèveront et s'abaisseront selon le mouvement de la mer, les entrailles de la jeune fille vont tressaillir et palpiter » (*ibid.*, 263). Cette magie de beauté se rapporte directement à la sexualité et exclut la nourriture associée à la fécondité : « Lorsque nous avons une aventure avec une femme, nous l'emmenons dans la jungle et emportons des noix de bétel et du tabac mais pas d'aliments, sinon nous aurions honte » (*ibid.*, 242).

Les couples de termes désignant les sœurs et les ignames d'une part, les épouses (alliées) et les coquillages d'autre part métaphorisent les prestations matrimoniales et les deux principales magies collectives. Dans celles-là, les ignames et les coquillages représentent les femmes ; dans celles-ci, les femmes sont évoquées pour favoriser la culture des ignames et l'efficacité magique des coquillages. D'un jeu de métaphores à l'autre les termes permutent, les significations restant parallèles et les prohibitions croisées. C'est dire aussi qu'aux îles Trobriand les sujets (au sens lacanien du terme) sont divisés entre deux au-delà, la terre féconde et la mer sexuée, qui ne sauraient se rejoindre ou être trop séparés.

C'est ce que montrent les deux mythes « œdipiens » de

cette société lorsqu'on les lit à la lumière de ce jeu d'oppositions. Voici le premier.

> Une femme avait deux enfants, une fille et un garçon. Un jour celui-ci fit bouillir des feuilles aromatiques dans de l'huile de noix de coco pour la magie d'amour, suspendit le vase contenant le liquide magique à une latte du plafond juste au-dessus de la porte et partit se baigner. Quand sa sœur revint des champs, elle heurta de sa tête le vase contenant la potion magique. La force de la magie la frappa, pénétra dans son corps et boulevera son esprit. Elle demanda à sa mère : « Que devient mon frère ? Où est-il allé ? » La mère répondit : « Oh ! mes enfants, ils sont devenus fous ; ton frère est au bord de la mer. » La jeune fille se précipita dehors, enleva sa jupe de fibre, se jeta toute nue dans l'eau et nagea pour le rejoindre. Il sortit de l'eau, courut vers une extrémité de la plage, puis vers l'autre. Ne pouvant fuir, il replongea dans l'eau. Sa sœur ne le lâcha pas et finit par le rattraper dans la mer où ils s'accouplèrent. Ils s'allongèrent ensuite sur la plage où ils s'unirent de nouveau. Ils remontèrent une pente, entrèrent dans une grotte où ils s'unirent encore et s'endormirent. Ils restèrent là sans manger ni boire jusqu'à ce que mort s'ensuive.
>
> Un homme d'un autre village vit en rêve les deux amants. Il prit sa pirogue et entra dans la grotte où ils se trouvaient. Une fleur de menthe avait poussé sur leur poitrine. Il se rendit au village voir leur mère qu'il trouva en train de se tresser une jupe. « Sais-tu, lui dit-il, ce qui est arrivé sur la mer ? » — « Mes enfants s'y sont rendus et la honte s'est emparée d'eux. » Il lui demanda de réciter les incantations de la magie d'amour, les apprit, puis il retourna dans la grotte cueillir une branche de menthe pour pratiquer cette magie dans son village.
>
> Les Trobriandais rappellent en conclusion que seuls les jeunes du village bordant cette crique peuvent se baigner là où les amants se sont accouplés, mais que les poissons pêchés à cet endroit sont tabous pour eux. Par contre les vieux qui n'ont pas le droit de se baigner dans cette crique, peuvent en manger le poisson (*ibid.*, 382).

Le frère et la sœur épris d'amour ont des rapports sexuels répétés à l'intersection de la terre et de la mer. L'interdit exogamique est transgressé à la frontière géographique qui matérialise la séparation idéologique entre les consanguins et les alliés. La « bonne femme » et la « grande femme » sont conjointes. De plus le récit, dont le but est de relater l'origine de la plante indispensable à la pratique de la magie d'amour, postule au départ l'existence du philtre sans lequel les amants ne se seraient pas retrouvés. L'avant et l'après sont indissociés. Le mythe est ainsi construit sur un paradoxe bien connu : l'œuf ou la poule ? L'inceste, facteur de confusion spatiale et temporelle, conduit inexorablement à la mort. Pour sortir de cette impasse, le conteur est obligé, en conclusion, de revenir à l'ordre social qui sépare la terre de la mer, la nutrition des ablutions. Les jeunes peuvent se baigner sur le lieu du drame afin d'embellir, mais ils ne peuvent manger le poisson ; pour les vieux, c'est le contraire.

Le second mythe n'est pas moins dramatique.

> Tudava est un héros civilisateur né d'une vierge qui avait été transpercée par l'eau tombant d'une stalactite. Tout se passait normalement jusqu'au jour où un ogre, appelé Dokonikan, apparut dans le pays. Se nourrissant de chair humaine, il dévorait une communauté après l'autre. Lorsqu'il arriva dans le village de Laba'i où vivait Tudava, la famille maternelle de celui-ci décida de fuir, mais sa mère qui venait de se blesser au pied était incapable de se déplacer. Elle fut abandonnée par ses frères qui la laissèrent avec son jeune fils dans une grotte située près de la plage, et qui partirent en canot vers le sud-ouest. Tudava fut élevé par sa mère qui lui apprit d'abord à choisir le bois avec lequel se fabriquent les fortes lances et l'initia à la magie *kwoyagapani* qui permet de priver un homme de sa raison. Le héros envoûta Dokonikan, le tua et lui coupa la tête. Puis il prépara avec l'aide de sa mère un gâteau de taro dans lequel ils dissimulèrent la tête de l'ogre qu'ils firent cuire avec le gâteau. Tudava prit ce plat macabre et partit à la recherche du frère de sa mère. L'ayant trouvé, il lui offrit le gâteau dans lequel l'oncle découvrit la tête de Dokonikan. Saisi d'horreur et pris de remords, l'oncle offrit à son neveu toutes sortes de cadeaux en expiation de la faute qu'il avait commise en les abandonnant, lui et sa mère. Le neveu refusa tout et ne fut apaisé qu'après avoir reçu en mariage la fille de l'oncle. Il introduisit ensuite dans l'île l'agriculture et plusieurs autres coutumes (Malinowski, 1969, 98 *sq.*).

La sœur vit avec son frère et non avec son mari. Le père-nurse est remplacé par la figure d'un ogre qui arrive par les terres, effrayant l'oncle qui s'enfuit par la mer. L'ordre traditionnel n'étant pas respecté, tout marche à l'envers. Heureusement, grâce à sa mère et à ses ancêtres qui résident dans les grottes, Tudava bénéficie d'une magie puissante qui l'aide à affronter et à tuer l'ogre dont il apporte la tête à manger à son oncle. Lorsque l'ordre de l'alliance est inexistant, les beaux-frères s'entre-dévorent, l'anthropologie et la sorcellerie dominent. L'oncle, principal garant de la morale, se sent alors coupable. Pour se racheter il est prêt à offrir tout ce qu'il possède, allant ainsi à l'encontre de l'usage qui veut qu'un oncle ne donne rien à son neveu. Le héros, qui ne manque pas de logique, n'est satisfait qu'après avoir reçu sa fille en mariage. Tudava épouse certes sa cousine croisée matrilatérale — alors que les Trobriandais se marient généralement avec une cousine croisée patrilatérale — mais, ce faisant, il rétablit les liens d'alliance qui ouvrent la voie à la civilisation.

L'inceste qui conjoint deux au-delà et l'anthropophagie qui les inverse représentent des menaces redoutables qu'on ne peut conjurer qu'en réitérant les échanges de biens matrimoniaux dont les métaphores, porteuses d'interdit et de sens, instaurent l'ordre et mobilisent sans cesse l'intérêt des insulaires. A. Weiner indique que les femmes elles-mêmes ne se tiennent pas à l'écart de ce grand jeu : si, lors des cérémonies funéraires, les frères et les alliés du défunt s'offrent des ignames et des coquillages, les sœurs et les belles-sœurs du mort échangent entre elles un grand nombre de balles de feuilles de bananier tressées, signe de prospérité, et des jupes en fibre de raphia décorées, symbole de sexualité (Weiner, 1983, 94). Ces dons et contre-dons ostentatoires d'objets culturels attestent que la mort ne saurait mettre un terme aux activités sociales dominantes. Afin de surmonter cette rupture, le rythme des échanges s'intensifie. Enfin, la passion échangiste des Trobriandais atteint son apogée dans les transactions *kula* qui font circuler entre les habitants de plusieurs archipels de longs colliers de spondyle rouge et des brassards blancs. On dit que les premiers sont mâles et les seconds femelles, et qu'ils se marient quand ils se rencontrent (Malinowski, 1963, 418). Ainsi, lorsque les Trobriandais se risquent avec leurs canots dans de dangereuses traversées en pleine mer vers l'île Dobu afin de solliciter de leurs partenaires *kula* des colliers rouges, ils apportent, à l'instar des frères, de la nourriture. Mais six mois plus tard, lorsque les rôles sont inversés, les hommes venus de Dobu pour obtenir des Trobriandais des brassards blancs, n'offrent pas de la nourriture à leurs amis. « Les maris n'ont pas à donner d'ignames à leurs beaux-frères. S'ils le faisaient, disent les marins, ce serait jeter de l'eau à la rivière ». Et Malinowski d'ajouter : « Le fait de donner au retour d'une traversée un article prestigieux à son épouse qui le remet à son frère ou à tout autre membre de son clan, est caractéristique des rapports matrimoniaux » (*ibid.*, 436). Les transactions *kula* se présentent donc comme une grande mise en scène symbolique des relations d'alliance, l'enjeu portant essentiellement sur la « grande femme ». Les magies utilisées lors des expéditions sont semblables à la magie de beauté et à la sorcellerie féminine axée elle aussi sur la mer (Pradelles de Latour, 1984, 132), et les propriétaires temporaires exhibent leurs bijoux, les comparent, en racontent l'histoire et évoquent le souvenir des plus célèbres, comme en d'autres circonstances on parlerait des femmes : « Ah ! combien d'hommes sont morts pour lui (pour elle) ! » (*ibid.*, 421).

En somme, si chez les Occidentaux la relation mère-enfant est médiatisée par la métaphore paternelle qui interdit un au-delà de la mère, spécifique à chaque individu, et y donne accès symboliquement, chez les Trobriandais la relation mère-enfant est structurée par le jeu de deux métaphores dont les effets parallèles et croisés ouvrent l'univers social sur deux au-delà : la fécondité et la terre d'une part, la sexualité et la mer d'autre part. Dans le premier système de parenté le père est à la fois privateur et donateur, dans le second les fonctions paternelles sont dissociées. Il s'ensuit que la cellule familiale occidentale, centrée sur les seuls liens affectifs unissant deux conjoints, est extrêmement fragile, et que les relations parentales sont fondées principalement sur le don. En effet, les biens circulent, chez nous, toujours dans le même sens, des parents vers les enfants, et ce à toutes les étapes d'un cycle de vie : naissance (baptême), adolescence (confirmation), mariage et mort. Les relations intrafamiliales sont ainsi en grande partie coupées de l'ordre économique dominant fondé sur les échanges. Le passage de l'enfance à l'âge adulte implique une réadaptation marquée par la crise et les errances de l'adolescence. Par contre, le système de parenté trobriandais, constitué par un échange préétabli de biens matrimoniaux qui sous-tend les principales transactions économiques et culturelles des insulaires, est étroitement articulé à l'ordre social. L'enfant, inscrit dans cet ordre dès son plus jeune âge, entre dans la société en participant progressivement aux échanges qui relient à différents niveaux les groupes de filiation aux maisonnées. L'échange instaurateur d'altérité prend ici le pas sur le don, facteur de réflexivité. Donner, c'est toujours donner une part de soi afin de faire de l'autre un semblable ou un obligé. On sait que le don n'est pas sans rapport étymologique avec le poison (Mauss, 1966, 255). Enfin les métaphores paternelles induisent, par-delà les relations économiques auxquelles elles sont associées, des systèmes de représentation différents ; l'un est unitaire, l'autre binaire. L'idéologie religieuse occidentale repose sur des oppositions dont les termes entrent en dialectique afin de renforcer une idée dominante : la création *ex nihilo* ou continue, la révélation totale ou partielle, le salut offert ou mérité, etc., alors que les mythes et les rites de nombreuses sociétés traditionnelles sont sous-tendus par des oppositions radicales. S'il est prématuré de donner une explication définitive à ces faits, on peut déjà entrevoir qu'il n'est pas impossible qu'un mode de pensée unitaire soit déterminé par une figure paternelle unique (Dieu le Père, séparateur et réconciliateur), tandis qu'un système de représentations binaire est sous-tendu par deux figures paternelles séparées ayant chacune leur spécificité. Cette hypothèse, vérifiée chez les Trobriandais, devra être confirmée par une étude comparative plus large. On découvrira certainement que l'agencement des métaphores varie sensiblement selon les régimes matrimoniaux et qu'il détermine, dans chaque cas, des systèmes de croyances et de comportements originaux.

Le discours de la psychanalyse n'offre donc pas de modèles tout faits qu'il suffirait d'appliquer ; il permet au contraire de poser des questions, de suggérer des hypothèses et de mettre en rapport, au sein d'un système de parenté, des données de langage, des modes de pensée et des relations économiques. Chemin faisant, nous avons montré que le système de parenté trobriandais s'appuyait sur une double filiation, alors que pour une certaine anthropologie, qui associe filiation et appartenance au groupe de consanguins, ce système est unilinéaire. Le discours de la psychanalyse, parce qu'il se situe en deçà des classes et des classifications, peut contribuer à résoudre le problème difficile de la double filiation qui a préoccupé plus particulièrement M. Fortes et E. R. Leach. Il s'agit, selon nous, non pas d'opposer une filiation définie juridiquement à une filiation complémentaire relevant de l'*amity* (Fortes, 1963, 251), ou des relations d'incorporation conçues en termes de substance à des relations d'alliance connotées par des influences mystiques (Leach, 1968, 44), mais de repenser les ressemblances corporelles attestées, les croyances en la sorcellerie, les attitudes d'intimité, de plaisanterie et d'évitement à partir de la relation spéculaire à la mère, la médiation symbolique du ou des père(s) et les au-delà inaccessibles. La double filiation, tributaire de l'alliance entre deux groupes, implique un dédoublement de la métaphore paternelle dont il sera intéressant d'étudier les différentes combinaisons. Il y a là un champ de recherche certes partiel — il ne saurait embrasser tous les problèmes relatifs à la parenté — mais néanmoins riche et peut-être prometteur.

CHARLES-HENRY PRADELLES DE LATOUR.

BIBLIOGRAPHIE

FATHAUER, G. H.

1962 « Trobriands », *in* D. M. SCHNEIDER & G. GOUCH, eds., *Matrilineal Kinship*. Berkeley and Los Angeles, University of California, 234-269.

FORTES, M.

1963 *Kinship and Social Order. The Legacy of Lewis Henry Morgan*. London, Routledge & Kegan Paul.

JONES, E.

1925 « Mother Right and Sexual Ignorance of Savages », *International Journal of Psychoanalysis*, VI (2).

LACAN, J.

1958 *Séminaire* V. *Les Formations de l'inconscient*, ronéo.

1966 *Écrits*. Paris, Le Seuil.

1978 *Le Moi dans la théorie de Freud et dans la technique de la psychanalyse*. Paris, Le Seuil.

LEACH, E. R.

1968 *Critique de l'anthropologie*. Paris, P.U.F.

LÉVI-STRAUSS, C.

1958 *Anthropologie structurale*. Paris, Plon.

MALINOWSKI, B.

1930 *La Vie sexuelle des sauvages du Nord-Ouest de la Mélanésie*. Paris, Payot.

1963 *Les Argonautes du Pacifique occidental*. Paris, Gallimard.

1969 *La Sexualité et sa répression*. Paris, Payot.

1974 *Jardins de corail*. Paris, Maspero.

MAUSS, M.

1966 *Sociologie et anthropologie*. Paris, P.U.F.

PONTALIS, J.-B.

1958 Compte rendu de : *Les Formations de l'inconscient, Bulletin de Psychologie de l'Université de Paris*, n° spécial, 1-22.

PRADELLES DE LATOUR, C.-H.

1984 « La Parenté trobriandaise reconsidérée », *Littoral*, 11-12, 115-136.

SPIRO, M. E.

1982 *Œdipus in the Trobriand*. Chicago, The University of Chicago Press.

WEINER, A.

1983 *La Richesse des femmes, ou Comment l'esprit vient aux hommes*. Paris, Le Seuil.

UNE INTERPRÉTATION MORPHOGÉNÉTIQUE DE L'INITIATION CHAMANIQUE*

Michel Perrin

La vie ne doit pas être considérée comme une maladie parce qu'on en souffre [...] [Mais elle] ressemble un peu à la maladie : elle aussi procède par crises et par dépressions.

Italo Svevo, *La Conscience de Zeno.*

Il n'est pas déraisonnable de s'aider de modèles mathématiques ou physiques pour tenter de comprendre des élaborations de la « pensée mythique » ou certaines pratiques symboliques. Si, en effet, la pensée mythique recherche logique et cohérence, n'a-t-elle pas aussi implicitement posé et résolu à sa manière des problèmes auxquels la pensée scientifique, soumise à d'autres exigences, a mis des siècles à trouver des solutions ? Les pratiques indigènes n'obéissent-elles pas inconsciemment à des modèles traduisant les contraintes du réel ? Ces hypo-

* Je remercie vivement Bernard Teissier, mathématicien au CNRS, qui a stimulé ce travail et a bien voulu en critiquer les premières versions, ainsi qu'Alfred Adler, ethnologue, pour ses remarques attentives.

thèses sont en accord avec la conception selon laquelle l'esprit humain, partout le même, imposerait des formes ou des structures s'accordant avec la « réalité naturelle ». Développée en anthropologie par C. Lévi-Strauss, cette conception a été d'ailleurs exprimée depuis longtemps par des scientifiques ou par des artistes. A. Einstein déclarait ainsi, de façon saisissante :

« Le miracle, la seule chose étonnante, c'est qu'il y a une science, qu'il y a une convergence entre la nature et l'esprit humain telle qu'une structure mathématique librement inventée puisse atteindre la structure même du monde » (Einstein, cité *in Prigogine & Stenger*, 1979, 88).

Tandis que P. Klee, sur un ton plus mystique, écrivait :

« C'est la nature elle-même qui crée par l'intermédiaire de l'artiste ; la même puissance mystérieuse qui a modelé les formes magiques des animaux préhistoriques et la féerie de la faune sous-marine se manifeste dans l'esprit de l'artiste et préside à la formation de ses créatures » (Paul Klee, cité *in Penser les mathématiques*, 1982, 223).

Il suffit, remarquons-le, de remplacer dans la déclaration d'Einstein « structure mathématique librement inventée » par « structure symbolique inconsciemment produite » pour rencontrer les préoccupations des anthropologues...

Nous montrerons ici comment un formalisme mathématique introduit par R. Thom pour cerner les notions de stabilité structurelle et de morphogénèse aide à mieux comprendre l'initiation des chamanes guajiro et l'évolution de leur position thérapeutique. Une image de la géométrie nous apportera « une vue globale d'un phénomène que la fragmentation inhérente à la conceptualisation verbale permet mal d'appréhender » (1982, 266). Nous resterons ainsi dans une optique familière aux « structuralistes » dont Thom, justement, définit ainsi l'approche :

« Le structuralisme est une entreprise modeste, puisque son seul but est d'améliorer la description formelle de la morphologie empirique en mettant en évidence ses régularités, ses symétries cachées, en exhibant son caractère global par la description d'un processus formel qui l'engendre axiomatiquement » (Thom, 1972, 142-143).

*

Voici, brièvement résumées, les données ethnologiques. En langue guajiro, un même nom — *wanülüü* — désigne à la fois la catégorie des maladies soignées par les chamanes, les êtres surnaturels les plus maléfiques susceptibles de les provoquer, et enfin les esprits auxiliaires des chamanes qui s'occupent à les guérir. Quand le contexte l'obligera à lever toute ambiguïté, un Guajiro qualifiera les êtres surnaturels maléfiques de « *wanülüü* féroces » et appellera « bon *wanülüü* » l'esprit du chamane. Lors d'une cure, par exemple, un chamane parlera ainsi de sa malade :

Mayeinsü ma'in, mujusü ma'in tüü wanülüükat sünain.
Wanülüüsitsü türa,
müshi chii wanülüükai anashi tamüin, chii tasheeyukai

« Elle va très mal, sa maladie *wanülüü* est très grave.
Mon esprit auxiliaire, mon bon *wanülüü* m'a dit :
elle est victime d'un *wanülüü* (féroce). »

Cette homonymie reflète bien sûr les fondements de la théorie chamanique — être malade, donner la maladie et la soigner sont pour les Guajiro les différents aspects d'une même relation au « monde *pülasü* », au monde surnaturel (Perrin, 1980) —, mais elle traduit aussi une conception particulière de l'accession à la fonction chamanique. En effet, ce qui distingue petit à petit un individu et en fera plus tard un chamane, c'est l'accumulation sur lui de signes indirectement liés au monde *pülasü*. Parmi ceux-ci, précisément, les maladies répétées de type *wanülüü* jouent un rôle prééminent. Puis, à l'occasion d'une nouvelle maladie — généralement un évanouissement, une « petite mort » —, sa vocation est annoncée par le chamane consulté d'urgence. Celui-ci le soumet alors à la « preuve par le tabac » : il doit pouvoir sans troubles en absorber le jus. S'il y réussit, il se produit un renversement. Des signes lus jusque-là comme des symptômes dus à de mauvais *wanülüü* sont interprétés comme des symboles chamaniques. C'est l'« initiation », discrète et brève, au terme de laquelle l'esprit pathogène est considéré comme un « bon *wanülüü* », un esprit auxiliaire (Perrin, 1986).

L'accès à la « chamanerie[1] » est ainsi dépeint comme un processus continu suivi d'une rupture, d'une inversion. Mais par leurs mots et leurs dires les Guajiro montrent que les choses ne sont pas aussi simples. Parfois la formation du chamane n'est exprimée qu'en termes de continuité — la « fin d'un long mûrissement », le « grossissement achevé de quelque chose dans le ventre » — sans que soient évoqués la « brusque ouverture », l'« éclatement », la « fente » caractérisant la crise initiatique (Perrin, 1980, 1986). Sont également nommées des positions intermédiaires entre le « vrai chamane » et le « pas-chamane-du-tout », catégories déroutantes car en apparente contradiction avec la description précédente. Comment est-il possible de concilier ces données ? Existerait-il plusieurs modalités du passage de l'état de Guajiro ordinaire à celui de chamane ?

La « théorie des catastrophes », visant à décrire des phénomènes discontinus à l'aide de modèles mathématiques continus, permet, on va le voir, de se représenter le phénomène, c'est-à-dire de situer de manière très satisfaisante, sur une courbe ou sur une surface particulières, la plupart des catégories chamaniques guajiro et de figurer leur évolution.

Introduisons, en simplifiant à l'extrême, les fondements de cette théorie et les conditions de son application.

— Soit S un système (physique, biologique, linguistique, anthropologique...) dont l'état interne X est décrit par N variables « internes », inaccessibles à l'expérience ou trop nombreuses pour qu'il puisse être étudié selon les théories classiques. Supposons également qu'il est soumis à un nombre restreint de « paramètres externes » p_1, p_2..., appelés aussi variables de « contrôle » ou de « commande », agissant comme des stimuli et auxquels on limitera l'étude. Connaître S, c'est en fait prévoir et décrire ses réponses aux stimuli.

— La théorie des catastrophes suppose l'existence d'un potentiel F (X, p_1, p_2...) régissant à lui seul le système. Cela implique qu'à toute valeur prise par les paramètres externes, le système S répond de telle façon que son état X se place sur un « minimum local de potentiel », qui correspond à un équilibre. Cela, soulignons-le, n'implique pas une connaissance précise du potentiel. Il peut rester caché, tout comme les variables internes. L'important est de postuler son existence[2].

— Il arrive aussi - c'est une observation fondamentale - que pour une valeur donnée des paramètres, un ensemble d'états du système présente des minima locaux de potentiel, et que, de plus, lorsque les paramètres varient, ces minima locaux puissent non seulement varier continûment, mais aussi se transformer en maxima locaux, ou disparaître complètement (voir fig. 3, p. 114). Le système peut donc être amené par une toute petite variation des paramètres à sauter d'un état devenu instable à un état stable persistant. C'est cette brusque discontinuité d'état consécutive à une petite variation des paramètres que l'on appelle « catastrophe ». L'ensemble des valeurs des paramètres pour lesquelles une catastrophe peut se produire est appelé l'« ensemble de catastrophe » (ou, parfois, le « lieu des points catastrophiques »).

— La théorie repose sur deux postulats fondamentaux :

- les catastrophes effectivement observées sont localement des catastrophes de potentiel dépendant des paramètres de façon stable. Cela signifie ici qu'une petite perturbation du système donne un système essentiellement équivalent ;
- les catastrophes observées le plus souvent viennent de familles de potentiels dépendant au plus de quatre paramètres externes. Pour le moment, ce postulat est justifié surtout par des raisons métaphysiques : il s'agit de décrire des phénomènes naturels, et la nature se déploie

dans un espace-temps à quatre dimensions... Thom a dressé la liste de ces catastrophes de familles stables dépendant au plus de quatre paramètres : ce sont les « catastrophes élémentaires », qui sont au nombre de sept (pli, fronce, queue d'aronde, etc.). Il a donné les familles de potentiels correspondantes et décrit leurs ensembles de catastrophe. C'est le résultat fondamental de la théorie des catastrophes.

Les représentations les plus simples de l'état du système en fonction des variables externes — et les seules que nous utiliserons ici — sont respectivement le « pli » (cas d'une seule variable externe) et la « fronce » (deux variables externes), dont les images sont maintenant devenues classiques :

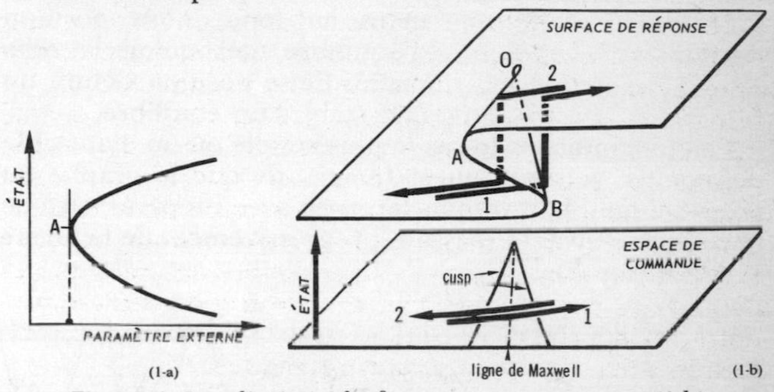

Figure 1. Le pli (1-a) ; la fronce et son « cusp » (1-b)

L'ensemble de catastrophe associé au pli est un point unique. Ce « point catastrophique » est la projection du point A sur l'axe des paramètres (fig. 1-a). Pour la fronce l'ensemble de catastrophe est appelé « cusp ». C'est une figure en forme de corne (de cuspide), qui est la projection de la courbe de pli **AOB** sur le plan des variables externes, dit aussi « espace de commande ». Lorsque la courbe décrivant l'évolution des paramètres externes franchit l'une ou l'autre des branches du cusp, il y a discontinuité de l'état (fig. 1-b).

L'exemple suivant permet de « visualiser » ces notions d'état d'équilibre et de potentiel, et de montrer les relations qu'elles entretiennent avec la représentation de Thom.

Considérons l'image d'un « puits de potentiel », empruntée à la théorie physique de l'énergie, selon laquelle un système physique est en équilibre stable si son énergie pour l'état considéré est minimale (ici le potentiel est appelé énergie). Imaginons que le point représentant un état est une boule pesante située au fond d'un puits. Si l'on tente de lui faire remonter les pentes du puits, elle reviendra spontanément au fond, à sa position d'équilibre, dès qu'on la relâchera. Cette position définit un état stable, un équilibre.

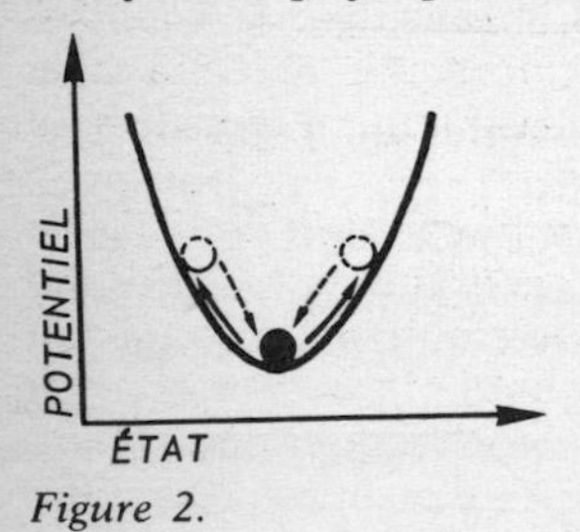

Figure 2.

Voici maintenant le cas le plus simple où un état stable doit sauter vers un autre. Imaginons que le graphe du potentiel qu'il faut minimiser varie avec un paramètre de la manière suivante (passant progressivement de la forme 1 à la forme 7) :

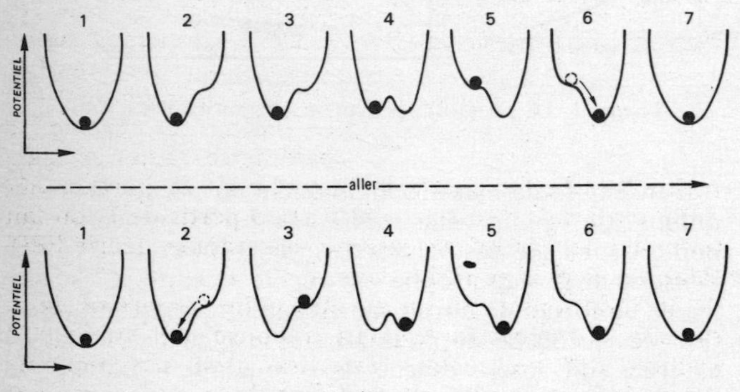

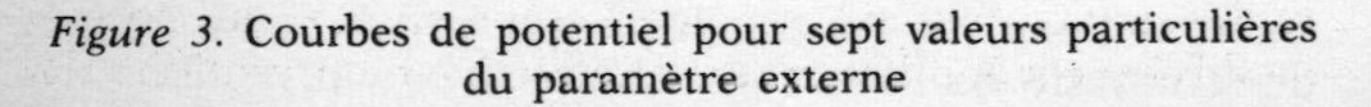

Figure 3. Courbes de potentiel pour sept valeurs particulières du paramètre externe

Lorsque les courbes de potentiel, représentant ici l'énergie, évoluent des formes 1 à 5, la boule reste dans son trou, qui est un minimum local de potentiel. Puis elle glisse soudainement dans un autre trou lorsque ce minimum disparaît, la tangente au sommet dépassant l'horizontale : c'est le cas numéro 6. L'équilibre est remplacé par un autre. Que se passe-t-il ensuite lorsqu'on fait varier le paramètre externe dans le sens inverse ? Le système changera d'état seulement lorsqu'il arrivera à la forme 2, la boule se précipitant brusquement dans le seul puits restant.

On peut maintenant représenter l'évolution de l'état de ce système en fonction de la variable externe par un double pli, ou "courbe en S", sur lequel on a indiqué la position des différents états numérotés de 1 à 7 sur la figure 3. La partie située entre les deux points catastrophiques C et D correspond à des équilibres très instables d'existence extrêmement fugace, figurés par les maxima séparant deux minima dans les courbes 3, 4 et 5 de la figure 3 (ou de la fig. 4). Quand le paramètre externe augmente régulièrement, le système décrit la portion AC, saute en E puis se dirige vers F ; si, à partir de F, on fait diminuer le paramètre externe, le système décrit FED, saute en B puis se dirige vers A.

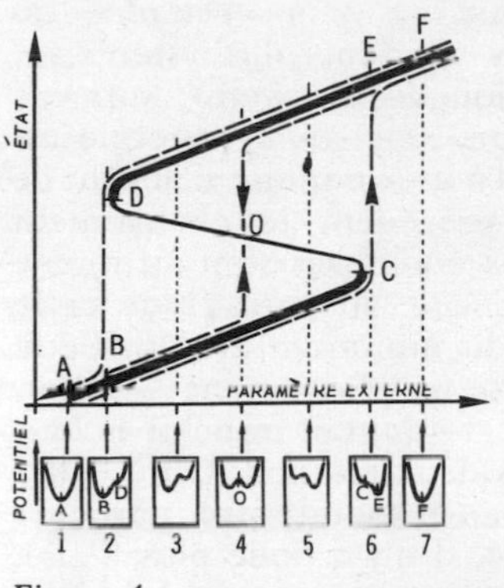

Figure 4.

— Introduisons enfin un dernier point important de la théorie des catastrophes. La réponse du système à l'action des paramètres externes n'est pas toujours déterminée sans ambiguïté. Il faut donc introduire une règle supplémentaire, appelée « convention », qui permet de dire quels équilibres seront effectivement réalisés. Il y a deux conventions principales, correspondant à des situations observées dans la nature. L'une est la « règle du retard ». Elle veut que le système reste à un état d'équilibre — caractérisé par un minimum local de potentiel — jusqu'au moment ultime où celui-ci disparaît. Les types de catastrophes correspondants sont dits « catastrophes de bifurcation ». C'était le cas dans l'exemple précédent. Selon une telle convention, l'évolution de l'état peut être décrite par les parcours indiqués sur la figure 1-b si la surface de réponse est une fronce, et par les parcours ABCEF et FEDBA sur la figure 4 s'il s'agit d'un double pli. Dans les deux cas — le second se réduisant, notons-le, à une coupe du premier — l'état du système dépend de son état antérieur : il y a « retard », ou « mémoire » ; les physiciens parlent d'« hystérésis ». L'autre règle, dite « convention de Maxwell », suppose que le système prenne toujours l'état dont l'énergie est minimale. Cet état correspond à un « minimum absolu de potentiel ». Dans l'exemple précédent le changement d'état apparaît quand les deux équilibres sont au même niveau (fig. 3, courbe 4), puisque, au passage de cette position, il y a « inversion » du minimum absolu. Cette convention suppose qu'il existe un phénomène — intervention externe, fluctuations... — qui fait franchir la barrière énergétique séparant les deux minima. Cette catastrophe, dite « de conflit » correspond aux parcours FEOBA indiqué sur la figure 4. Il n'y a donc plus d'effet de retard. Dans le cas de la fronce, l'ensemble des bifurcations est une demi-courbe située entre les branches du cusp, appelée « ligne de Maxwell » (fig. 1-b). Pour le pli, il est réduit à un point (point O de la figure 4). De fait, tout processus réel est soumis à une certaine « inertie » et la morphologie observable correspond alors à une convention intermédiaire entre les deux précédentes. Nous supposerons qu'il en est ainsi pour le système chamanique.

Le mathématicien Zeeman a beaucoup utilisé les résultats de la théorie des catastrophes pour expliquer des phénomènes naturels ou sociaux. Pour y parvenir, il a toujours appliqué un principe de simplicité qui consiste à constater des bifurcations — ou discontinuités — dans le système étudié, à choisir dans la liste des catastrophes donnée par Thom la plus simple possible et à montrer que l'évolution du système — dont il a supposé ou tenté de démontrer qu'il répondait aux critères énoncés précédemment — est bien décrite à l'aide de la courbe ou de la surface fournie par la théorie. C'est la méthode que nous avons suivie ici[3].

*

Que sait-on du système chamanique qui nous permette de lui appliquer un modèle catastrophique ? Reprenons point par point le développement précédent.

— Même si l'on restreint le problème à celui de l'initiation et de la diversité des positions thérapeutiques des chamanes, on sait qu'il met en jeu un grand nombre de paramètres difficiles à définir. On peut cependant admettre qu'il existe, à un moment donné, un consensus sur « l'état chamanique » d'une personne : chamane, très bon chamane, malade voué à la chamanerie, etc. Cet état présente donc une forte stabilité, le consensus social étant la « force » tendant à ramener le système à un état stable. Cela veut dire, par exemple, que si un Guajiro prend l'initiative d'appeler chamane quelqu'un en qui la majorité ne voit qu'un « malade ordinaire » ou de traiter un « authentique chamane » de malade, le consensus social s'opposera à sa proposition. On se donne donc le droit de postuler l'existence d'une famille de potentiels régissant ce système chamanique (on pourrait appeler ce potentiel « ancrage »).

— On suppose que cet état chamanique dépend d'une variable externe que nous appellerons « poids chamanique ». Ce « poids » mesure l'accumulation progressive d'indices qui amènera un jour un individu à la chamanerie (Perrin, 1980, 1986). On peut considérer qu'il varie continûment ; même s'il s'agit en réalité d'une progression irrégulière, par petits écarts, à l'occasion de chaque nouvel événement elle est perçue clairement par les Guajiro comme un processus continu : nous avons déjà parlé de mûrissement...

— Enfin on connaît phénoménologiquement l'existence d'une discontinuité, c'est-à-dire de deux familles d'états apparemment « contraires » : chamane/malade, bon *wanülüü*/mauvais *wanülüü*.

— On peut alors admettre que le système satisfait aux conditions d'application de la théorie des catastrophes, et qu'on peut en représenter l'état par un « double pli ». En ordonnée est porté l'état chamanique, en abscisse le poids chamanique. Chaque point de la courbe représente un état d'équilibre, et pour chaque valeur du poids correspondent une, deux ou trois valeurs de l'état chamanique, la troisième, située entre A et I, restant « hypothétique » (équilibre instable) :

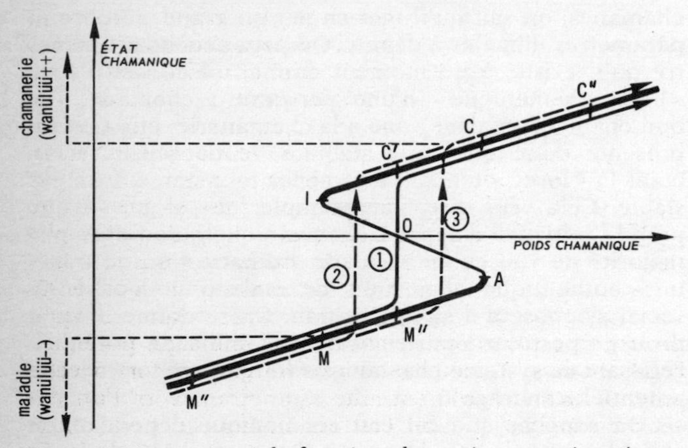

Figure 5. L'accession à la fonction chamanique représentée sur un double pli : les parcours « induits » par l'initiateur

A quoi correspondent les points particuliers marqués sur cette courbe, ainsi que la partie AI de « rebroussement » ? Au delà de C, du côté de C'', on est franchement dans la chamanerie et il y a, pour chaque valeur du poids chamanique, un état stable, unique. Plus ce poids augmente, plus le chamane est fort. En deçà de M, du côté de M'', on est sans équivoque du côté de la maladie. Entre les deux, c'est la zone de passage de la maladie à la chamanerie ou, pour le dire autrement, la zone d'ambiguïté malade/chamane. C'est une région paradoxale dans laquelle il y a, pour chaque valeur du poids chamanique, plusieurs états d'équilibre possibles, stables ou instables.

Examinons d'abord la manière la plus commune d'accéder à la fonction chamanique. C'est celle où intervient un « chamane-initiateur ». La situation type est conforme à la convention de Maxwell. En effet, le point O, représentant convenablement la cérémonie chamanique classique, est situé à mi-distance entre chamanerie et maladie, et il indique un poids chamanique moyen, reconnu par la majorité des chamanes initiateurs comme celui d'un individu prêt à devenir chamane. Reprenant l'image du puits de potentiel (fig. 3 et 4), on suppose — même si cela est formellement discutable — que l'initiateur a le pouvoir de placer par « induction » son client dans cette position instable O. C'est ce qu'il fait lorsqu'il déclare une personne en position de chamane potentiel.

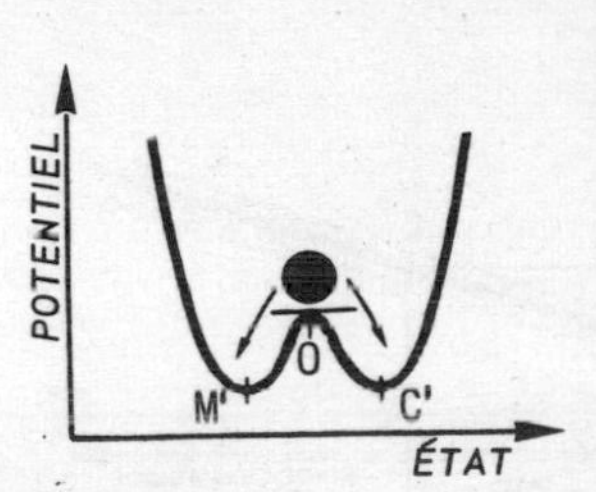

Figure 6.

Tout décalage à droite ou à gauche par rapport à cette position très instable entraîne l'impétrant vers l'un des deux puits dont il subit l'attraction (fig. 6). Cela représente l'épreuve du tabac, qui ramènera le malade au point M' si elle est négative, ou au point C' si elle est positive[4] (parcours 1, fig. 5).

On peut admettre aussi qu'en tout point compris entre M et A puisse être tentée l'épreuve du tabac qui, éventuellement, provoquera un passage brusque de la maladie à la chamanerie. Cette possibilité exprime l'« inertie » du système, c'est-à-dire sa faculté de s'adapter aux contraintes sociales. Si la société, représentée par l'initiateur, a besoin de plus de chamanes, on le deviendra avec un moindre poids chamanique, d'où un déplacement du point catastrophique vers les **M** (parcours 2, fig. 5). Au contraire, en relevant le seuil chamanique moyen, il faudra attendre plus longtemps pour être soumis à l'épreuve. L'initiateur empêchera ainsi un excès de praticiens, ou bien retardera l'arrivée d'un concurrent dangereux (parcours 3, fig. 5). Notre schéma permet donc de représenter simplement toutes ces situations.

Mais d'autres parcours sont pour l'ethnologue plus intéressants encore, car ils aident à situer et à comprendre mieux certaines catégories indigènes. Ce sont les parcours dits « naturels », obéissant à la règle du retard, et notés 1 et 2 sur la figure 7 :

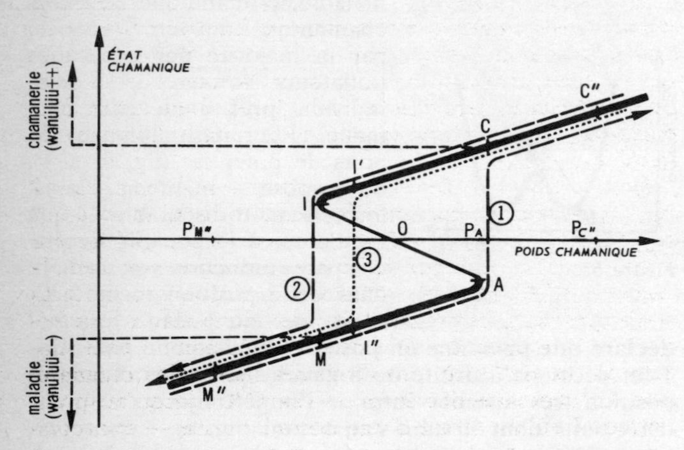

Figure 7. L'accession à la fonction chamanique représentée sur un double pli : les parcours naturels et l'« arrachage »

Considérons le premier de ces parcours. Lorsque, partant de la valeur $P_{M''}$, le poids chamanique d'un individu augmente progressivement de sorte que son état passe de M'' à I'', puis s'approche de A sans qu'aucun chamane n'ait pris l'initiative de le soumettre à l'épreuve chamanique, cet individu devrait devenir spontanément chamane, passant brusquement de l'état A à l'état C (parcours 1, fig. 7). Il peut en être effectivement ainsi : bon nombre de chamanes guajiro n'ont jamais été initiés, mais possèdent cependant, de l'avis de tous, des esprits auxiliaires, de « bons *wanülüü* ». Leur parcours est correctement représenté par le trajet M''ACC'' : lorsqu'ils ont atteint le poids chamanique critique P_A, l'opinion publique les a spontanément considérés comme de « vrais chamanes ». Leur poids chamanique pourra d'ailleurs augmenter encore, comme celui des chamanes régulièrement initiés (portion CC'' de la courbe, et au-delà). En outre, le point catastrophique A concorde lui-même avec une catégorie chamanique, *alüi*, désignant les individus sans esprits auxiliaires, mais considérés comme d'« excellents rêveurs », des « presque chamanes ». En d'autres termes, l'*alüi* possède les plus grandes qualités thérapeutiques qui puissent être attribuées à un non-chamane. Au-delà, on tombe dans la chamanerie... Voilà donc deux faits ethnographiques remarquablement traduits par le modèle.

Mais il y a plus. Examinons maintenant le parcours 2 (fig. 7) caractérisé par une diminution régulière du poids chamanique depuis la valeur $P_{C''}$ et par le franchissement du point catastrophique I. Ce cas se présente-t-il dans la réalité ? Effectivement, affirment les Guajiro, certains chamanes perdent progressivement leur pouvoir : de fréquentes syncopes, des maladies à répétition on tout simplement la vieillesse font diminuer leur poids chamanique. Le chamane décrit la courbe C''C', jusqu'au point critique I où, au terme d'une nouvelle crise — évanouissement ou autre — personne ne le considérera plus comme chamane. « Son esprit a disparu », dira-t-on, « il a été volé par un autre », ou bien « il est victime de l'*ira'irai* », une espèce d'esprit qui, envahissant progressivement l'intéressé, use en quelque sorte son poids chamanique jusqu'au moment où, l'*ira'irai* possédant tout le chamane, celui-ci n'est plus qu'un malade ordinaire. C'est le « franchissement » du point catastrophique I, le brusque passage de I à M.

Ce retour à la position de « malade ordinaire » (branche M''M) ou de « thérapeute sans esprit auxiliaire » (branche MA) peut être également induit par l'intervention d'un autre chamane qui, en une sorte d'initiation inversée, extrait l'esprit attaqué par l'*ira'irai*. Si en I', par exemple, le chamane est victime d'une grave crise (syncope, transe, etc.), un autre chamane appelé d'urgence le soumettra à une « contre-épreuve » du tabac l'amenant à l'état I''. Du fait de cette interaction, il passera brusquement de l'état de mauvais chamane à celui de malade doté de faibles pouvoirs thérapeutiques (état I'' ; parcours 3, fig. 7). On lui a « arraché sa chamanerie ». Du point de vue de la théorie des catastrophes, on a supposé que s'applique ici une convention intermédiaire entre la règle du regard et la règle de Maxwell (voir *supra*, p. 116).

On voit donc, au terme de cette analyse, que l'on peut situer lcs principales catégories guajiro relatives à la formation chamanique sur une courbe en double pli : *anawaa apüla* (ou *outseewaa*) « avoir un penchant pour la chamanerie » ; *jakütuwaa* (ou *keerainwaa* « être mûr ») ; *alüiwaa*, « avoir presque les qualités d'un chamane sans l'être pour autant » ; *awa'laa* (ou *alataa*) « s'ouvrir » ; *ira'iraiwaa*, « être victime de l'*ira'irai* » ; *outajaa jeket* « être chamane récent » et, à chaque extrêmité, au-delà des points C et M, deux plages correspondant à la « chamanerie vraie » *(outajaa shiimüin)* et à la « maladie sans ambiguïté » *(ayuiwaa nee)*.

La courbe en double pli (fig. 8) donne du phénomène une image satisfaisante, révélant à la fois les positions relatives des catégories indigènes et leurs évolutions possibles dans cette zone paradoxale où s'exercent deux « attractions rivales » effectivement attestées par l'ethnographie : une ambiguïté prolongée entre le fait d'avoir un « penchant pour la chamanerie » *(outseewa)* et une prédisposition à la maladie *(ayuiwaa)*.

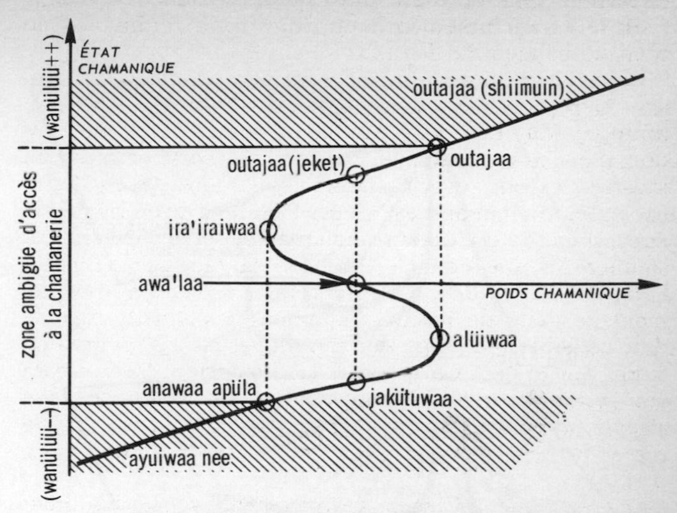

Figure 8. Positions relatives et évolutions de différentes catégories chamaniques guajiro

Mais on peut raffiner le modèle pour tenir compte d'une autre manière d'accéder au chamanisme. Peu commune, mais cependant attestée, elle se fait sans passage par la maladie, mais seulement par le « bon rêve », le pouvoir de prédiction, bref tout ce qui témoigne, hormis la maladie, de relations privilégiées avec le monde *pülasü*, le monde surnaturel. Exprimons cela en décomposant le poids chamanique en « poids morbide » et en « poids *pülasü* ». Pour représenter le phénomène d'accession à la chamanerie, dépendant maintenant de deux paramètres externes, on doit alors faire appel à la fronce. Car elle rend compte non seulement de tout ce qui a été dit précédemment — puisque la courbe en double pli, rappelons-le, est une section de la fronce — mais aussi de la donnée supplémentaire. De plus, elle permet de mieux visualiser tous les parcours possibles d'un individu depuis un état « normal » (ou neutre) jusqu'à la simple maladie ou la vraie chamanerie :

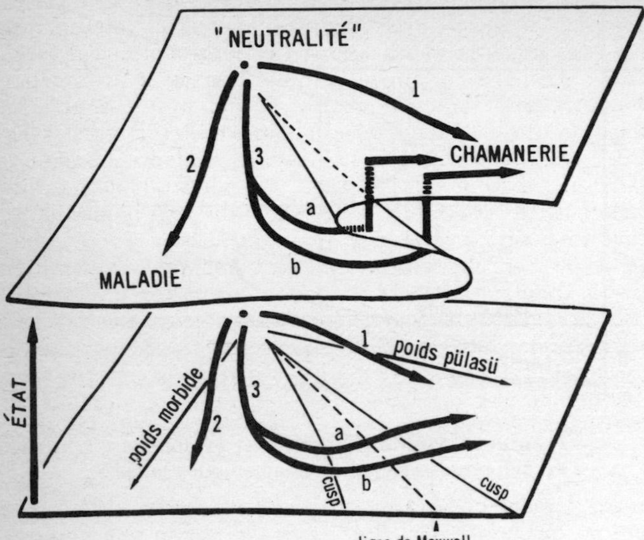

Figure 9. Les divers modes d'évolution vers la chamanerie

En bas, l'espace de commande et le lieu des points catastrophiques (cusp ou ligne de Maxwell, selon la convention).
En haut, la surface de « réponse » et trois parcours typiques :
- parcours 1 : l'individu parvient à la chamanerie sans qu'il y ait événement catastrophique (cas rare)[5] ;
- parcours 2 : l'individu est toujours malade, sans qu'il ait le moindre penchant pour le chamanisme ;
- parcours 3 : les voix d'accès classiques au chamanisme (avec ou sans initiateur, par traversée de la zone paradoxale maladie/chamanerie. 3a : avec intervention d'un chamane initiateur (cas le plus courant) ; 3b « spontanément ».

Que nous apprend une telle approche ? Fallait-il prendre autant de précautions pour éviter les leurres d'un formalisme trop simplificateur et proposer une solution aussi modeste à un problème somme toute limité ?

Ce modèle — ou cette image — de l'accès à la fonction chamanique intègre plus de données que les descriptions et les analyses précédentes, et il rend intelligibles des faits apparemment confus ou contradictoires. C'est déjà un critère certain de validité. On avait jusqu'alors tendance soit à opposer ce qui en apparence dénote la discontinuité — chamane/non-chamane, avec esprit/sans esprit, *wanülüü* féroce/bon *wanülüü*, malade/chamane... —, soit à ordonner les faits en une série qui donne l'illusion de la continuité : malade sans esprit auxiliaire mais doté de pouvoirs thérapeutiques, bon rêveur, chamane *ira'irai,* chamane initié, bon chamane non initié, grand chamane, etc. Dans cette alternative on croyait voir une entorse à la règle supposée : pour devenir chamane on doit être initié. Or, le processus est plus subtil qu'on ne l'avait imaginé. Ce qui apparaissait comme une entorse est en fait une modalité parmi d'autres que l'image mathématique révèle avec beaucoup de clarté. Ou bien on voulait y reconnaître une conséquence de l'activité intellectuelle qui consiste d'une part à construire des catégories en opposant radicalement des termes et de l'autre à penser la progressivité des perceptions ou des pratiques, à insinuer le continu entre des termes initialement séparés. Or, cette interprétation, acceptable lorsqu'il s'agit de la pensée mythique, l'est beaucoup moins pour un processus dynamique et « naturel » comme celui analysé ici. De fait, la conception guajiro, si elle répond à notre interprétation morphogénétique, concilie à la fois le continu et le discontinu, la diachronie et la synchronie. Les réponses du système dépendent non seulement des valeurs présentes des paramètres, mais aussi de leur histoire...

Cette interprétation révèle-t-elle des propriétés jusque-là cachées du chamanisme ? Il serait prématuré de le dire. S'attachant à l'étude des processus d'engendrement, introduisant le temps tout en préservant la notion de structure, la théorie mathématique de Thom crée un effet salutaire de décentrage et modifie les habitudes de pensée. Non seulement des images neuves permettent de décrire formellement et de mieux « voir » le phénomène observé, mais le nouvel angle d'attaque stimule la réflexion. Si d'autres études de ce type confirmaient celle-ci, cela conduirait à admettre une certaine convergence entre le modèle et une réalité qui nous échappe encore, et donc à comprendre différemment certains aspects du chamanisme. Tout comme C. Lévi-Strauss présume que les structures mythiques reflètent les structures du cerveau, ne pourrait-on pas supposer que certaines pratiques chamaniques sont des réponses à une double coercition ? Car l'homme est soumis d'une part aux structures de son esprit, de l'autre aux processus biologiques les plus ordinaires : la maladie, le vieillissement, la mort, auxquels le chamanisme est profondément lié. N'y a-t-il pas là l'espoir de donner à ce modèle une valeur heuristique ? Rencontrerait-il une réalité plus générale dont le phénomène observé serait une expression particulière ? L'affirmer sans plus de preuves serait un simple acte de foi.... Les mathématiciens nous incitent d'ailleurs à beaucoup de modestie :

> « Une forme est créée pour donner une expression à un sujet [...] Puis le sujet est oublié. La forme seule absorbe l'attention. Le jeu d'une symbolique lui est appliqué et la modèle et la transmue. On croit, on feint d'admettre, qu'aux mouvements, aux attitudes de la forme le réel ne cesse d'obéir et de s'adapter. Et ainsi jusqu'à ce qu'un nouvel initiateur, retournant aux enseignements de la nature directement sentie, rejette la forme ancienne, en moule une neuve sur le corps à vêtir. Et celle-ci à son tour fera un jour prochain oublier le recours à la souveraineté du réel » (Denjoy, 1964, 101).

MICHEL PERRIN.

NOTES

1. Nous nous sommes permis de former ce néologisme pour traduire des expressions guajiro recouvrant soit le sens de « fonction chamanique », soit celui d'« altération propre au chamane ». Il a le mérite de souligner une analogie avec la « maladie » définie dans Le Robert comme une « altération organique ou fonctionnelle ». De même, nous emploierons le mot « chamaniser » comme traduction littérale du mot guajiro *outajaa*.

Cet usage permet de distinguer ces sens spécifiques du sens ici trop général attribué par les anthropologues au mot « chamanisme ».

2. L'exemple le plus intuitif de la notion de potentiel provient de la mécanique. Soit un point matériel se déplaçant dans un champ de forces. Si le travail effectué par un déplacement quelconque de ce point ne dépend que des positions de départ et d'arrivée, on dit que le champ dérive d'un potentiel (c'est le cas du champ de gravitation, définissant la pesanteur). Ce travail est appelé variation de potentiel ou énergie potentielle. Un système évolue de façon à rendre minimum son potentiel : une boule pesante va toujours jusqu'au point le plus bas d'un relief. Nous en donnerons plus loin l'exemple le plus simple. Les autres applications de la notion de potentiel sont plus abstraites (potentiel électrique, potentiel chimique, théorie mathématique du potentiel, etc.).

Peut-on donner un sens à cette notion en dehors des sciences mathématiques ou expérimentales ? Supposons une population inadaptée à son nouveau milieu. Ne pourrait-on pas dire que cette inadaptation au milieu agit comme un potentiel, dans la mesure où cette population tendra, par évolution adaptative, à minimiser ce potentiel ? N'en serait-il pas de même pour certains systèmes sociaux soumis à des « frictions » ? Dans le cas du chamanisme, on pourrait admettre que le potentiel est la souffrance — ou l'ensemble des infortunes — que l'homme subit de la part de la nature (et de ses semblables). Le système chamanique prétend agir sur ce potentiel : il cherche à le minimiser. Dans le cas particulier de l'accession à la fonction chamanique, on peut imaginer, comme on le fera plus loin, l'existence d'un potentiel plus localisé...

3. Pour une présentation plus détaillée de la théorie des catastrophes accessible aux non-mathématiciens, voir Ekeland (1977 et 1984, 99-130) ; Stewart (1982) ; Thom (1981, 1983).

4. Il faudra s'interroger sur le statut de ce « test ». Est-ce le chamane qui décide, ou est-ce la réaction qu'il constate sur le malade ? En d'autres termes, le fait d'être chamane est-il « objectif » ? Cette réflexion sera développée dans un autre travail.

5. L'accès au chamanisme sans la maladie est-il du même ordre que l'accès normal ? Le schéma suggère que non, et peut susciter une réflexion sur la différence entre pouvoir chamanique (comme réaction à un « échec biologique », à une maladie ou un « mal-être ») et pouvoir politique. Le fait de devenir chamane sans passer par la maladie renvoie-t-il à un simple appétit de pouvoir ?

DENJOY, A.

1964 *Hommes, formes et le nombre.* Paris, Librairie Scientifique A. Blanchard.

EKELAND, I.

1977 « La Théorie des catastrophes », *La Recherche*, 81, 745-754.

1984 *Le Calcul, l'imprévu. Les figures du temps de Kepler à Thom.* Paris, Le Seuil.

PERRIN, M.

1976 *Le Chemin des Indiens morts.* Paris, Payot (« Bibliothèque Scientifique »).

1979 « Théories et pratiques médicales guajiro », *Actes du XLIIe Congrès international des Américanistes*, VI. Paris, Société des Américanistes, 387-405.

1980 « Comment on devient chamane », *Recherches et Documents du Centre Thomas More*, 28, 1-8. La Tourette.

1986 « Shamanist Symptoms and Symbols. The Body of the Guajiro Shaman » (à paraître).

PETITOT-COCORDA, J.

1977 « Identité et catastrophes (topologie de la différence) », in *L'Identité. Séminaire interdisciplinaire dirigé par Claude Lévi-Strauss, professeur au Collège de France, 1974-1975.* Paris, Grasset, 109-156.

PRIGOGINE, I & STENGERS, I.

1979 *La Nouvelle alliance. Métamorphose de la science.* Paris, Gallimard (« Bibliothèque des Sciences humaines »).

STEWART, I.

1982 *Oh ! Catastrophe.* Paris, Belin (« Les Chroniques de Rose Polymath »).

THOM, R.

1972 *Stabilité structurelle et morphogénèse. Essai d'une théorie générale des modèles.* Reading, Mass., W.A. Benjamin (« Mathematical Physics Monograph Series »).

1981 *Modèles mathématiques de la morphogénèse.* Paris, C. Bourgois.

1982 « Mathématique et théorisation scientifique », *in Penser les mathématiques*. Paris, Le Seuil (« Points », S 29).

1983 *Paraboles et catastrophes*. Paris, Flammarion (« Dialogues »).

THOM, R., LEJEUNE, C. & DUPORT, J.-P.

1978 *Morphogénèse et imaginaire*. Paris, Lettres Modernes (« Circé », 8-9 : « Méthodologie de l'Imaginaire »).

ZEEMAN, E.C.

1977 *Catastrophe Theory. Selected Papers 1972-1977*. Reading, Mass., Addison-Wesley.

BIOLOGIE MOLÉCULAIRE ET ANTHROPHOLOGIE

Michel Morange

Le titre pourra choquer. Quel peut être le lien entre la biologie moléculaire, science qui étudie la structure et le fonctionnement des gènes, et l'antrophologie qui étudie les sociétés humaines ? Supposer l'existence d'un tel lien, n'est-ce pas déjà donner à penser que les sciences humaines pourraient se réduire aux sciences biologiques ? Tel est d'ailleurs l'objectif plus ou moins avoué des sociobiologistes pour qui les attitudes sociales sont largement guidées par les gènes. Ces derniers, à travers les comportements qu'ils induiraient, assureraient simplement leur propagation au sein de la population humaine (Dawkins, 1976). Or le paradoxe, qui passe souvent inaperçu aux yeux des profanes, est que les sociobiologistes s'appuient sur une conception archaïque de la génétique, qui n'est plus celle des biologistes moléculaires. Les gènes sont restés pour eux des entités abstraites, comme ils l'étaient pour les biologistes avant que les progrès de la biologie moléculaire n'en aient fait comprendre la structure et le fonctionnement.

Nous voudrions montrer ce que deviennent les théories des sociobiologistes au regard des biologistes moléculaires. Mais, plus généralement, nous essaierons de voir ce que les extraordinaires progrès enregistrés en biologie peuvent apporter à notre connaissance de la spécificité humaine. En outre, la biologie moléculaire donne des outils permettant de suivre les mouvements de population humaine. Ces nouvelles connaissances risquent-elles de modifier notre vision des grandes migrations qui ont affecté l'humanité depuis ses origines ? Quelle information surgira de la comparaison entre l'histoire génétique et l'histoire culturelle des sociétés ?

I. LA SPÉCIFICITÉ DE L'HOMME AU REGARD DE LA BIOLOGIE MOLÉCULAIRE

Les fondateurs de la biologie moderne, tel J. Monod, ont souligné l'extraordinaire conservation, au cours de l'évolution, de la « machinerie chimique » du vivant (Monod, 1970). Pourquoi les hérauts de cette discipline ont-ils eu une vision aussi unitaire du monde vivant ? C'est que la biologie moléculaire s'est développée, entre 1940 et 1965, grâce à l'étude d'un unique organisme, la bactérie, seul être suffisamment simple biochimiquement, et à réplication suffisamment rapide. De plus, les phénomènes qu'étudie la biologie moléculaire — la structure des gènes, la manière dont ils déterminent, grâce au code génétique, la structure des protéines — sont fondamentaux et donc communs à tous les êtres vivants.

Lorsque les biologistes moléculaires ont abandonné les bactéries pour se tourner vers l'étude des organismes supérieurs, ils ne pensaient pas que leur conception du vivant serait radicalement modifiée, mais espéraient que grâce à l'existence de mécanismes régulateurs, déjà mis en évidence chez les bactéries, ils pourraient assez simplement comprendre les caractéristiques de ces organismes. En 1975, King et Wilson tentent d'évaluer la distance génétique séparant l'homme du chimpanzé. A cette fin, les auteurs comparent la structure des protéines du sérum et de quelques enzymes, et arrivent à la conclusion qu'il existe moins de 1 p. 100 de différence entre les gènes de l'homme et ceux du chimpanzé, distance bien plus faible que celle qui existe entre deux populations isolées de mouche drosophile, pourtant physiquement impossibles à distinguer.

De tels résultats, de même que les difficultés rencontrées par les biologistes moléculaires pour expliquer le développement des organismes supérieurs, conduisirent à une révision de leurs conceptions. Il est en effet paradoxal de trouver que l'homme et le chimpanzé sont génétiquement très semblables, bien que morphologiquement ils se distinguent par de si nombreux traits ! Deux solutions sont alors possibles : d'abord, supposer que la comparaison entre les deux espèces a été mal conduite parce qu'on a regardé les mauvais marqueurs, les mauvais gènes, ceux codant pour les protéines du sérum qui n'avaient aucune raison d'être modifiés en passant du chimpanzé à l'homme. Les gènes dont il faudrait étudier les modifications seraient ceux codant pour les protéines du cerveau. En effet, Hahn (1984) a montré que parmi les 100 000 gènes actifs dans un organisme comme l'homme, 90 p. 100 coderaient pour des protéines du cerveau. Plus encore, ces gènes se distingueraient des autres par des séquences particulières, des sortes d'étiquettes moléculaires indiquant que leur expression doit se faire dans le cerveau (Sutcliffe *et al.*, 1984). Ces résultats modifient déjà les conceptions originelles des biologistes moléculaires : la bactérie et l'homme n'ont plus en commun que très peu de gènes. L'homme se distinguerait par une famille de gènes dont la fonction exacte reste inconnue. L'homme génétique serait donc encore à décrypter. Parmi ces 90 000 gènes qui coderaient pour des protéines cérébrales, on peut envisager de multiples variations par rapport au chimpanzé, qui donneraient au cerveau humain ses nouvelles possibilités.

Ensuite, même si le nombre de gènes modifiés au cours de l'évolution, lors de l'apparition de l'espèce humaine, se révélait finalement limité, ceux-ci pourraient être non des gènes quelconques, mais des gènes régulateurs contrôlant le fonctionnement de beaucoup d'autres. L'existence de ces gènes, dont les modifications expliqueraient les grands embranchements de l'évolution, avait été postulée par Goldschmidt dès 1940. Ses idées furent cependant critiquées par les néo-darwiniens pour lesquels l'évolution était due à l'accumulation de multiples modifications de faible amplitude. Depuis quelques années, on assiste dans la communauté scientifique à une remise en cause de certains postulats du néo-darwinisme (Gould, 1982). L'existence de tels gènes, dont les modifications joueraient un rôle essentiel dans l'évolution, n'est plus rejetée a priori. D'ailleurs, les difficultés que la biologie moléculaire a rencontrées ont montré que les concepts forgés lors de l'étude de la cellule bactérienne étaient insuffisants pour comprendre le développement des organismes supérieurs : il existe des mécanismes de régulation qui sont propres à ces derniers. La caractérisation récente des gènes qui, chez la mouche drosophile, contrôlent la segmentation de cet organisme et leur conservation au cours de l'évolution, semble apporter à ces hypothèses une confirmation éclatante (Struhl, 1984).

Peut-on aller plus loin ? Quel serait le rôle de ces gènes régulateurs ? Il est probable qu'ils contrôlent le développement des organismes vivants au cours de l'embryogenèse. Depuis Haeckel, on admet que certaines grandes variations évolutives pourraient être dues à des modifications du rythme de développement embryonnaire. L'homme lui-même ne serait-il pas un singe au rythme de développement ralenti ? (Gould, 1977). Si ces conceptions sont naïves, elles contiennent cependant une part de vérité : de légères modifications au cours du développement embryonnaire peuvent avoir des conséquences très importantes sur la morphologie. Les gènes régulateurs pourraient aussi être des gènes de communication, permettant aux cellules d'échanger des signaux au cours de ce développement. Comme les échanges intercellulaires sont particulièrement développés entre cellules nerveuses, « il paraît légitime de proposer que l'évolution de l'encéphale chez les ancêtres de l'homme a porté différentiellement sur des gènes de communication embryonnaire » (Changeux, 1983, 349).

La biologie moléculaire de l'homme reste donc à faire. Mais — et il s'agit là d'un changement conceptuel radical — elle aura son champ d'études propre : il existe des gènes fondamentaux pour le développement du cerveau, dont nous devons chercher à connaître le fonctionnement. Est-ce à dire que la spécificité humaine se trouvera inscrite dans ces gènes ? Que ceux-ci déterminent toutes les caractéristiques, nouvelles par rapport aux autres espèces, du cerveau humain ? Non, car, nouveau paradoxe, « l'évolution du système nerveux s'accompagne d'une augmentation de la frange d'irreproductibilité entre individus génétiquement identiques » (*ibid.*, 284). Cette irreproductibilité — faut-il dire cette liberté ? — vient de ce que l'organisation précise du cerveau ne dépend pas directement des gènes, mais est largement conditionnée par son fonctionnement même : le cerveau devient « fonctionnel en fonctionnant ». Sa structure finale, le schéma précis des connexions entre cellules nerveuses dépendent du fonctionnement cérébral lui-même qui stabilise certaines voies nerveuses au détriment d'autres. Cette stabilisation sélective laisse au cerveau de bien plus grandes possibilités d'adaptation qu'un câblage nerveux précis. Les gènes offrent des possibilités, ils ne déterminent pas le fonctionnement du cerveau. Cette théorie de stabilisation sélective « rend compte du paradoxe [...] de la non-linéarité, remarquée au cours de l'évolution, entre la complexité du génome et celle de l'organisation cérébrale » (*ibid.*, 329-330).

Les extraordinaires capacités du cerveau humain sont donc rendues possibles par les modifications de certains gènes régulateurs essentiels, modifications qu'il nous reste à découvrir, mais ces capacités ne sont pas expliquées par eux. Cette remarque pourrait d'ailleurs être généralisée à tous les gènes qui interviennent dans la construction des organismes complexes. Le fonctionnement des premiers permet, mais ne détermine pas, le développement des seconds. Une modification de ces gènes altère bien le développement, ce qui montre leur nécessité pour un développement normal, mais n'implique pas qu'ils déterminent le processus de développement et rendent celui-ci prédictible à partir de leur structure (Goux, 1985). Nous reviendrons sur ce point lorsque nous critiquerons les conceptions réductionnistes des sociobiologistes.

II. L'HISTOIRE DE L'HUMANITÉ VUE AU NIVEAU DES GÈNES

Nous avons rappelé ce que la biologie moléculaire nous dit et, plus encore, nous dira de la spécificité humaine. Considérons maintenant un autre apport fondamental de cette discipline. Ses concepts, mais plus encore la méthodologie qu'elle a permis de développer, nous donnent des outils pour suivre l'histoire génétique de l'humanité. Que nous apportera cette nouvelle moisson d'informations ?

Quels sont ces nouveaux outils qu'offrent la biologie moléculaire et le génie génétique ? On sait déjà, depuis le début du XXe siècle, que l'on peut distinguer les populations humaines selon des critères bien plus biologiques, biochimiques, immunologiques que seulement morphologiques (taille, couleur de la peau).

L'analyse des groupes sanguins, puis des groupes tissulaires (dont la complexité autorise une étude très précise) a permis de dresser d'énormes atlas où sont recensées les caractéristiques biologiques des différentes populations humaines (Mourant *et al.*, 1954). Cependant ces études déjà anciennes ont été renouvelées grâce à deux avancées technologiques : d'une part, le développement de programmes d'analyse multifactorielle prenant en compte simultanément les différents paramètres biologiques qui caractérisent une population, programmes qui mettent en évidence des mouvements migratoires que l'analyse séparée de ces paramètres laissait invisibles. D'autre part et surtout, les techniques du génie génétique permettent maintenant de regarder directement les gènes. Or, au niveau de l'ADN, le polymorphisme, la variété sont bien plus grands qu'à celui des protéines. Il est même possible d'étudier un ADN sans savoir pour quelle protéine il code. Les techniques mises en œuvre sont très simples : par exemple on dispose d'enzymes dites de restriction qui coupent l'ADN en des endroits bien précis. Or ces sites sont absents chez certains individus par suite d'une mutation. Le seul examen de la présence ou de l'absence de ces sites permet de reconstituer aisément un arbre généalogique. De telles techniques sont déjà largement utilisées pour le diagnostic prénatal (Robert, 1985) : lorsqu'une maladie est liée à la présence, chez l'un des parents, d'un gène anormal, il est très facile de savoir si l'embryon a hérité de ce gène et si l'individu à naître sera ultérieurement atteint par la maladie. Mais, au-delà de ces applications médicales, il est possible, grâce à ces techniques, de caractériser très précisément le contenu génétique d'un individu et donc les liens génétiques que cet individu possède avec les autres membres de la population.

Examinons, en allant du plus simple au plus complexe, quelles peuvent être les applications à l'anthropologie de ces nouvelles techniques. Nous donnerons à chaque fois un exemple pour illustrer notre propos. L'étude génétique des isolats humains n'est pas nouvelle (Benoist, 1966). Dans ces isolats, caractérisés par l'existence de seulement quelques individus fondateurs et par une sorte consanguinité, peuvent être observées des maladies génétiques particulières dites récessives. Celles-ci n'apparaissent en effet chez un individu que si le gène responsable est présent à la fois sur les deux exemplaires d'un même chromosome : si l'un des membres fondateurs porte un exemplaire de ce gène anormal et si la consanguinité est grande, la probalité qu'un individu de cet isolat hérite à la fois de deux gènes anormaux de ses parents est loin d'être négligeable. Tel est le cas chez les Amish, rendus célèbres par le film *Witness* : ces anabaptistes originaires du canton de Berne, émigrèrent aux États-Unis au XVIIIe et au XIXe siècle, et continuent à vivre au sein de quelques communautés isolées en refusant tout progrès technique (automobile, téléphone...) (Cross, 1976). On a observé chez eux de multiples cas de maladies héréditaires récessives. De tels isolats sont évidemment très intéressants pour l'étude de ces maladies. D'un point de vue anthropologique, on peut aussi les utiliser pour voir dans quelle mesure les tabous moraux ou religeux limitant les « échanges » avec les populations environnantes ont été respectés.

Passons à une échelle supérieure. Que peut nous apprendre la biologie sur les peuples qui revendiquent une origine raciale unique ? Les nouvelles techniques permettent de savoir quelle communauté de gènes est partagée par un groupe humain et si ce groupe est génétiquement distinct des peuples qui l'entourent. Prenons le cas particulier du peuple juif : les études menées à l'université de Tel-Aviv ont montré que, génétiquement, les juifs d'Europe centrale étaient plus proches des juifs irakiens que de n'importe quelle autre population, même de populations géographiquement bien plus proches (Meyers, 1985). Par contre les juifs du Yémen, de même que les Falachas, juifs d'Éthiopie dont l'actualité récente a rappelé l'existence, ont le même « pool » de gènes que les populations qui les entourent. Ces études montrent à la fois combien les communautés juives d'Europe centrale ou d'Irak ont pu vivre repliées sur elles-mêmes, mais aussi que, dans un passé que seule l'histoire peut préciser, certaines populations ont pu être converties à la religion hébraïque et devenir aussi juives que les populations juives originaires d'Israël. Insistons bien en effet sur ce point : la revendication par les Falachas de leur identité juive n'en est pas amoindrie. Leurs traditions et leurs cultures sont suffisamment proches de celles des juifs d'Europe centrale pour qu'une assimilation avec eux soit malgré quelques difficultés passagères plus aisée qu'avec les populations chrétiennes amhara qui les entourent.

Peut-on aller encore plus loin et savoir si les grands mouvements culturels ou linguistiques dont nous supposons ou connaissons l'existence au cours des temps historiques ou préhistoriques ont été accompagnés d'un flux de gènes, et donc de déplacements de populations ? Le premier exemple que nous prendrons est celui apporté par l'étude d'une maladie héréditaire largement répandue en Afrique : l'anémie falciforme. Celle-ci est due à une modification de structure de l'hémoglobine, qui entraîne une déformation du globule rouge et des problèmes d'oxygénation des tissus. Mais cette anomalie du globule rouge le rend, paradoxalement, moins sensible à l'infection par le parasite responsable de la malaria, ce qui explique que cette mutation se soit maintenue dans les populations africaines. Les nouvelles techniques dont nous disposons, l'analyse très précise du gène codant pour l'hémoglobine et des gènes qui l'entourent, permettent de répondre à plusieurs questions : la modification responsable de cette anomalie est-elle due à une ou plusieurs mutations ? Où étaient situés le ou les foyers originels de cette maladie ? Peut-on relier la répartition géographique passée et présente de la maladie à ce qui est connu des migrations de population au sein du continent africain ? Les résultats expérimentaux (Pagnier *et al.*, 1984) montrent la présence de plusieurs foyers de la maladie, l'un au Sénégal, l'autre en République centrafricaine, le troisième commun au Bénin et à l'Algérie. Cette dernière observation suggère que les gènes mutés — et leurs porteurs — auraient pu migrer de l'Afrique de l'Ouest à l'Afrique du Nord par les routes de caravanes transsahariennes. Il est généralement admis que, jusqu'à la fin de l'Empire romain, les populations noires n'occupaient que la partie occidentale du continent africain. Ensuite, on assista à une migration de populations de langue bantou à partir de régions correspondant à l'actuel Nigeria, ce qui explique l'homogénéité linguistique de l'Afrique centrale et orientale. Les premiers résultats sur la répartition de l'anémie falciforme avaient suggéré une même origine pour le déficit affectant les populations occidentales de l'Afrique et pour les populations de langue bantou, résultats peu conciliables avec les mouvements de population décrits précédemment. Les dernières études que nous avons rapportées, plus précises, montrent l'origine génétique de l'anémie affectant les populations du Sénégal ou du Bénin, et de l'anémie observée en République centraficaine (population de langue bantou), et sont donc beaucoup plus satisfaisantes. Elles sont susceptibles d'être étendues aux populations noires d'Amérique et des Caraïbes en vue de préciser leurs origines géographiques.

Il est possible d'étudier des marqueurs génétiques indépendamment de toute maladie héréditaire. Une analyse conjointe de multiples marqueurs permettrait de reconstituer les mouvements migratoires intervenus à la surface du globe. Une étude critique des méthodes statistiques utilisées pour l'interprétation des résultats fournis par ces analyses multifactorielles serait sans doute nécessaire. Une telle critique n'est pas l'objet de cet article. Admettons provisoirement que leurs auteurs aient réussi à éliminer les biais ou déformations inhérents à ces méthodes. Au vu de la seule répartition actuelle des gènes, ils affirment que le lieu d'origine des différentes migrations humaines fut presque toujours l'Asie et que l'on peut en outre distinguer en Europe l'arrivée de plusieurs « vagues génétiques », dont l'une au moins coïnciderait avec celle de populations parlant des langues indoeuropéennes (Piazza *et al.*, 1981). Les auteurs pensent que les mouvements de gènes déduits de leurs études correspondent toujours à des phénomènes culturels déjà connus.

Ainsi la première extension de l'agriculture et de l'élevage à partir de son origine proche-orientale correspondrait à l'une des vagues de migration génétique et donc à des mouvements de population. Des mouvements analogues à partir de foyers différents expliqueraient l'extension de l'agriculture en Afrique noire ou en Amérique du Sud. Quel que soit le crédit que l'on peut d'ores et déjà accorder à ces études, il est certain qu'elles sont appelées à se développer, notre connaissance des marqueurs génétiques humains progressant à grands pas.

Par la nature même de la méthode utilisée, ceux qui la pratiquent sont tentés de faire correspondre les grandes modifications culturelles connues — linguistiques ou de mode de vie — aux mouvements de populations et de gènes qu'ils parviennent à mettre en évidence. Ces mouvements génétiques ont été, jusqu'à présent, déduits de la répartition actuelle des gènes. Il est envisageable d'étudier directement le patrimoine génétique des populations anciennes si celles-ci ont eu recours à des techniques permettant la conservation, au moins partielle, des corps. On a analysé les caractéristiques biologiques des momies égyptiennes ou chinoises, déterminé les maladies qui affectaient les individus momifiés et donc les populations dont ils faisaient partie. On peut aussi étudier les groupes sanguins ou les groupes tissulaires caractéristiques de ces momies. Récemment a même été isolé et caractérisé un fragment d'ADN provenant d'une momie égyptienne (Pääbo, 1985).

Quelles perspectives ouvrent ces nouvelles méthodes d'étude des populations humaines disparues ? On pourra par exemple vérifier, directement au niveau génétique, si les mariages frères-sœurs étaient aussi fréquents parmi les pharaons égyptiens que les documents écrits le laissent penser, ou étudier l'origine génétique des populations qui ont édifié la civilisation égyptienne. Ces recherches de génétique historique ont devant elles un bel avenir. Elles tendent toutes à montrer que certains phénomènes linguistiques ou culturels passés se sont accompagnés de migrations de gènes. Mais il serait dangereux de supposer que ces mouvements culturels sont dus à des mouvements de populations et d'imaginer alors que la simple assimilation culturelle ne peut jamais expliquer les grands changements qui affectent la culture, la langue ou le mode de vie. A l'extrême, une telle attitude conduirait à penser qu'habitudes culturelles et patrimoine génétique sont indissolublement liés, que la culture est dépendante du patrimoine génétique des individus qui la possèdent.

Nous avions déjà abordé ce problème à la fin de notre première partie. Dans quelle mesure le comportement humain, le mode de vie, les habitudes linguistiques sont-ils liés aux gènes ? Que sont et que font ceux-ci ? Faut-il croire avec les sociobiologistes qu'ils déterminent certains comportements sociaux comme l'altruisme ou l'homosexualité ?

Revenons au point de vue du biologiste moléculaire. Pour lui, un gène est la portion d'ADN qui permet la fabrication d'une protéine. Un gène n'est que cela. Nous avons vu qu'il existe probablement certains gènes régulateurs essentiels dans l'embryogenèse, en particulier pour le développement du cerveau. Or le cerveau représente bien la structure matérielle qui permet le comportement évolué de l'homme, le langage, les rapports sociaux, la capacité d'abstraction ; mais ces gènes régulateurs ne construisent pas le cerveau. Ils rendent possible son développement, ils ne déterminent pas sa construction. Nous avons déjà vu que plus le cerveau évolue, plus ses capacités fonctionnelles deviennent importantes, moins sa construction obéit à un déterminisme génétique rigoureux. Le cerveau est en grande partie une structure autoconstruite, et les circuits de neurones sont autostabilisés par leur propre fonctionnement.

Comme situer, dans le cadre d'un modèle si indéterministe de construction du cerveau, les théories selon lesquelles certains comportements seraient déterminés par les gènes ou par des complexes de gènes ? En fait, les sociobiologistes opèrent un glissement indu « entre l'idée que les comportements sont influencés par le génotype et l'idée qu'ils sont déterminés par les gènes » (Le Pape & Lassalle, 1980, 3). Il serait aisé de multiplier les exemples pour éclaircir ce dernier point ; nous n'en prendrons ici qu'un seul ; la myopie est due à une malformation largement héréditaire de l'œil. Dans des sociétés primitives, où l'on ne savait pas corriger cette anomalie, il est probable que le comportement des individus atteints de myopie devait être très différent de celui des individus normaux. Cela ne signifie pas que les gènes dont les modifications sont à l'origine de la myopie (peut-être sont-ce les gènes nécessaires à la formation de l'œil) étaient responsables des différences de comportement entre myopes et non-myopes. D'ailleurs, « même si l'on observe des différences de comportement (héréditairement transmises), cela n'autorise en rien à parler du déterminisme génétique du trait mesuré. En tout état de cause, il ne pourrait s'agir que du déterminisme des différences » (*ibid.*, 4). Sans doute les comportements et les performances linguistiques sont-ils liés aux gènes. Mais ce lien peut être très indirect, à tel point qu'il est impossible de prévoir les modifications du comportement qui découleraient d'une modification génétique (Vaysse & Medioni, 1982).

L'attitude des sociobiologistes relève d'une conception étroite du réductionnisme, selon laquelle on peut toujours expliquer les événements survenant à un certain niveau de complexité par ce qui se passe à un niveau de complexité moindre. En fait, si tous nos comportements dépendent des gènes que nous portons, ceux-ci ne déterminent nullement ceux-là (Lewontin, Rose & Kamin, 1985). Jamais on ne pourra expliquer l'invention de l'agriculture au niveau des gènes. Et pourtant, si le patrimoine génétique de l'homme n'était pas différent de celui des singes, jamais l'agriculture et l'élevage n'auraient été adoptés par les populations humaines. Étudier les gènes humains, c'est donc étudier non pas les chaînes qui lient nos comportements, mais les outils qui nous ont permis d'être ce que nous sommes.

MICHEL MORANGE.

BIBLIOGRAPHIE

BENOIST, J.

1966 « Du Social au biologique : étude de quelque interactions », *L'Homme*, VI (1), 5-26.

CHANGEUX, J.-P.

1983 *L'Homme neuronal*. Fayard (« Le Temps des Sciences »).

CROSS, H.E.

1976 « Population Studies and the Old Order Amish », *Nature*, 262, 17-20.

DAWKINS, R.

1976 *The Selfish Gene*. Oxford, Oxford University Press.

GOLDSCHMIDT, R.

1940 *The Material Basis of Evolution*. New Haven, Yale University Press. (Réed., 1982.)

GOULD, S.J.

1977 *Ontogeny and Phylogeny*. Cambridge, Mass., The Belknap Press of Harvard University Press.

1982 « Darwinism and the Expansion of Evolutionary Theory », *Science*, 216, 380-387.

GOUX, J.-M.

1985 « Génétique et sociologie », *in* Patrick TORT, s. dir., *Misère de la sociobiologie*. Paris, P.U.F., 31-35.

HAHN, W.E.

1984 « Molecular Genetics and the Brain : Developmental and Evolutionary Perspectives », *50e Table ronde Roussel Uclaf* : 40-41. Paris.

KING, M.C. & WILSON, A.C.

1975 « Évolution at Two Levels in Humans and Chimpanzees », *Science*, 188, 107-116.

LE PAPE, G. & LASSALLE, J.-M.

1980 *Analyse génétique du comportement et théorie sociobiologique*. Tours, Université de Tours.

LEWONTIN, R.C., ROSE, S. & KAMIN, L.J.

1985 *Nous ne sommes pas programmés*. Paris, La Découverte.

MEYERS, N.

1985 « Genetic Links for Scattered Jews », *Nature*, 314, 208.

MONOD, J.

1970 *Le Hasard et la nécessité*. Paris, Le Seuil.

MOURANT, A.E., KOPEC, A.D. & DOMANIEWSKA-SOBCZAK, K.

1954 *The Distribution of the Human Blood Groups and other Polymorphisms*. London, Oxford University Press.

PÄÄBO, S.

1985 « Molecular Cloning of Ancient Egytian Mummy DNA », *Nature*, 314, 644-645.

PAGNIER, J., MEARS, J.C., DUNDA-BELKHODJA, O. *et al.*

1984 « Evidence for the Multicentric Origin of the Sickle Cell Hemoglobin Gene in Africa », *Proceedings of the National Academy of Science*, 81, 1771-1773.

PIAZZA, A., MENOZZI, P., CAVALLI-SFORZA, L.L.

1981 « Synthetic Gene Frequency Maps of Man and Selective Effects of Climate », *Proceedings of the National Academy of Science*, 78, 2638-2642.

ROBERT, G.

1985 « Le Diagnostic prénatal », *La Recherche*, 166, 694-704.

STRUHL, G.

1984 « A Universal Genetic Key to Body Plan », *Nature*, 310, 10-11.

SUTCLIFFE, J.C., MILNER, R.J., GOTTESFELD, J.M. *et al.*

1984 « Identifier Sequences Are Transcribed specifically in Brain », *Nature*, 308, 237-241.

VAYSSE, G. & MEDIONI, J.

1982 *L'emprise des gènes*. Toulouse, Privat.

Dilution ou déploiement ; négation ou extension

Exemples

L'OBJET DE L'ANTHROPOLOGIE SOCIALE

Alain Testart

L'opinion est largement répandue, semble-t-il, selon laquelle l'anthropologie sociale serait définie par sa méthode. Opinion qui a pour corrélat l'étrange embarras dans lequel se trouve celui qui la professe lorsque le néophyte ou toute personne étrangère à la discipline lui demande : mais quel est donc l'objet de l'anthropologie sociale ?

Je crains qu'à maintenir cette opinion, le néophyte ou l'ignorant, aussi peu scientifiques qu'ils soient, mais armés de leur bon sens, ne nous prennent pas au sérieux. La méthode, en tant que moyen, ne peut être que subordonnée à une finalité : l'étude d'un objet scientifique. L'objet justifie la méthode. C'est donc par lui qu'il faut commencer lorsque nous nous demandons : comment définir l'anthropologie sociale ? C'est-à-dire : en quoi diffère-t-elle des autres sciences sociales ? Quelle est sa spécificité ?

Les limites d'une discipline ne se définissent ni à coups d'axiomes ni à coups de réformes de structure. Elles ne peuvent être qu'évaluées, et cette évaluation se fait sur la base d'une tradition historique. L'objet principal de l'anthropologie sociale, telle qu'elle s'est constituée au siècle dernier, et plus couramment nommée ethnologie à cette époque, est l'étude des sociétés primitives diversement définies en fonction de l'absence d'État ou de l'absence d'écriture. Le choix entre l'un ou l'autre de ces deux critères conduit à des variations de conception non négligeables, mais elles sont sans portée pour notre propos. Un tel objet impliquait une méthode : en l'absence d'écriture, la seule méthode envisageable était celle de l'observation directe, participante ou non. Cette méthode supposait que les sociétés étudiées étaient vivantes. Enfin, l'anthropologie adressait à ses objets un certain nombre d'interrogations théoriques, ou problématiques. La réunion de ces trois éléments — un objet, une méthode, un ensemble d'interrogations spécifiques —, en définissant l'originalité de l'anthropologie au sein des sciences sociales, la constituait en discipline autonome. Par-delà sa spécificité, elle était porteuse d'un projet scientifique plus large, celui d'une science générale de la société, projet très nettement présent chez les évolutionnistes du XIXe siècle, puis chez Durkheim, Radcliffe-Brown et Lévi-Strauss.

C'est en fonction de ces quatre données qu'il faut apprécier la crise que traverse actuellement la discipline. Les raisons de cette crise sont connues : la destruction des sociétés primitives due à la colonisation et à l'introduction des rapports commerciaux, monétaires et capitalistes dans ces sociétés, sinon l'extermination pure et simple de peuples entiers. Ce sont les conséquences qui nous intéressent ici.

La principale est que l'adéquation entre l'objet et la méthode ne peut être maintenue. Même si elle l'est encore localement, dans certains cas et pour certaines régions, elle ne peut l'être à long terme — et c'est ce dernier aspect qui doit retenir notre attention, si toutefois il est permis de faire un peu de prospective scientifique. C'est aussi d'épistémologie dont il est question, car cette adéquation ne peut être envisagée comme la condition générale de possibilité d'une définition de l'anthropologie dès lors qu'elle ne se réalise que dans certains cas. De ce constat, il résulte que deux voies (encore une fois je parle de long terme) sont ouvertes : soit on conserve l'objet et on abandonne la méthode ; soit on conserve la méthode et on abandonne l'objet.

La première est toujours théoriquement possible. Même si les sociétés traditionnellement étudiées par l'anthropologie sont mortes, elles n'en existent pas moins comme objets scientifiques, sinon l'histoire n'existerait pas en tant que discipline. Il s'agit certes d'une évidence, mais à taire les évidences on risque parfois de les oublier. L'engagement dans cette voie suppose un changement de méthode, il implique une reconversion sans aucun doute difficile mais aussi créatrice, puisqu'il s'agit d'inventer de nouveaux moyens d'investigation à partir de données qui se présentent différemment.

C'est la seconde voie qui, comme on sait, est suivie majoritairement. On assiste à un redéploiement des anthropologues sur le territoire de la métropole, à l'essor d'une anthropologie urbaine et industrielle de la France et, par ailleurs, à une dispersion — qui prend prétexte d'interdisciplinarité — des anthropologues sur d'autres disciplines au nombre desquelles il suffira de citer l'histoire, la médecine, les sciences naturelles..., ce qui a pour corrélat immédiat la prolifération de sous-disciplines dont l'intitulé se donne sous la forme d'« ethnomédecine », d'« ethnoscience », etc. Ces nouveaux objets d'étude sont, comme tout autre objet, légitimes en eux-mêmes, et personne ne songe à le contester. Le problème est tout autre. Je le vois en deux volets.

D'une part, je voudrais être sûr que l'engouement pour l'étude de ces nouveaux objets et les louanges qu'on leur adresse de tous côtés ne procèdent pas d'une incapacité à affronter la crise que traverse actuellement la discipline. Car s'il est vrai qu'il devient difficile de maintenir l'objet traditionnel de l'anthropologie comme objet d'étude, n'est-ce pas une solution de facilité que d'en susciter de nouveaux ? Ou bien s'agit-il d'une fuite ? A trop entendre parler d'interdisciplinarité, on en vient à se demander si les marges de l'anthropologie ne seraient pas devenues plus importantes dans le débat scientifique, plus solides et plus assurées dans leurs fondements que le cœur même de la discipline. Qu'est-ce à dire sinon que l'anthropologie fait problème ? Elle devient certes, de par la fonction critique qu'elle peut assumer, un lieu d'où les questions viennent aux autres disciplines. Mais un lieu évanescent, et de moins en moins définissable.

D'autre part, si la tendance qui pousse vers ces nouveaux objets, déjà très forte, venait à s'accentuer, elle conduirait immanquablement à l'abandon de l'objet traditionnel de l'anthropologie. Cette évolution serait catastrophique parce qu'ainsi disparaîtraient tout d'abord les interrogations et problématiques qui lui sont liées, ensuite le projet même d'une science générale de la société, projet qui, on ne le soulignera jamais assez, ne peut avoir de sens que s'il prend en compte les sociétés les plus étrangères aux nôtres : ces sociétés « autres », ou encore ces sociétés « sauvages » qui ont toujours consitué, comme en un autre domaine la folie, un scandale pour les nôtres.

Dans ces conditions, je m'étonne que la direction du CNRS mette en place une politique d'incitation à la recherche qui privilégie l'anthropologie de la France et l'interdisciplinarité[1]. Il me semble au contraire qu'en bonne prospective scientifique elle devrait plutôt favoriser une orientation anthropologique déjà chancelante, mais qui s'est révélée si riche dans le passé et demeure si prometteuse pour l'avenir en raison de ses enjeux théoriques. C'est donc pour cette orientation, pour une certaine anthropologie classique — définie par son objet — que je plaide.

ALAIN TESTART.

NOTE

1. Deux exemples suffiront à illustrer cette politique. Le *Schéma directeur du CNRS (Sciences de l'Homme et de la Société)* indique (p. 18), pour 1983-1985, comme « développement particulièrement souhaitable » dans la section « Anthropologie, ethnologie, préhistoire » : l'anthropologie sociale de la France. En 1983, le seul poste « affiché » (poste sur profil à l'entrée du CNRS) dans la section était relatif à l'anthropologie de la maladie.

EN ÊTRE OU NE PAS EN ÊTRE

L'ANTHROPOLOGIE SOCIALE ET LES SOCIÉTÉS COMPLEXES

Gérard Lenclud

> *What constitutes an anthropological study is not where or among what sort of people it is done but what is being studied and how it is being studied.*
>
> E.E. EVANS-PRITCHARD*.

Le développement récent d'une ethnologie attachée à l'étude de ces sociétés que, par tradition académique, l'on persiste à nommer complexes consacre-t-il une rupture d'avec le projet anthropologique et compromet-il, de ce fait, l'unité souhaitable de la discipline ? Il est difficile d'éluder la question lorsqu'on constate, notamment, que ce développement s'est assez largement effectué hors de la tutelle de la communauté scientifique et sans intervention décisive de ses « appareils de discernement[1] ». Or, pour y répondre, c'est-à-dire tenter de s'interroger sur la légitimité de l'entreprise, il faut revenir sur ce qui constitue véritablement, à nos yeux, la vocation de l'anthro-

* Foreword to J.A. PITT-RIVERS, *The People of the Sierra*, London, Weidenfeld & Nicolson, 1954 : x.

pologie et délimite sa place dans l'espace épistémologique, par-delà la répartition officielle et toujours provisoire des chaires et des attributions de savoir.

*

L'anthropologie ne se laisse définir ni par ses méthodes ni par ses objets si l'on entend par là des domaines de la réalité dont l'étude lui reviendrait en propre.

Il n'est guère besoin de discuter le premier point. Chacun sait, en effet, que le champ des sciences humaines ne s'ordonne pas en fonction des procédures mises en œuvre pour constituer des documentations. Outre que le terme « méthode », corps d'opérations techniques codifiables, se révèle à la réflexion singulièrement inapproprié pour désigner le travail de terrain et tout ce qui s'y déroule, le privilège conféré par l'ethnologie à l'observation directe est logiquement subordonné aux éléments constitutifs de son projet scientifique. L'outil ne fait pas le métier, même s'il en exprime quelque chose d'essentiel quoique généralement indicible.

Il convient peut-être d'insister un peu plus longuement sur les raisons qui font que l'originalité du savoir anthropologique ne tient pas davantage à la nature de ses objets tels qu'ils sont du moins empiriquement (géographiquement ?) inventoriables. L'ethnologie serait-ce le Zambèse mais pas la Corrèze ? L'anthropologie serait-elle la science des sociétés primitives comme l'ichtyologie est celle des poissons[2] ?

Le problème est que la diversité des sociétés humaines ne peut se réduire, autrement qu'à des fins purement heuristiques, en types ou classes — sauf à n'utiliser que des indices de ressemblance et de dissemblance atomisés et puisés dans l'expérience immédiate (et encore...) — et que l'unité de l'immense domaine sur lequel l'ethnologie fut historiquement conviée à régner, ou plutôt à se cantonner, est à proprement parler insaisissable. Ce domaine ne saurait constituer une classe d'objets, au sens typologique, que si les attributs partagés par la totalité des sociétés qui en font partie et ses limites précises étaient spécifiables. Or nul ne peut ignorer la véritable nature des essais de partage opérés à ce jour entre ces sociétés-là qui, seules d'après certains, relèveraient de la démarche ethnologique, et les autres qui échapperaient à son projet : elle est génétique (d'instrumentation conceptuelle) et jamais générique (de discrimination du réel). Ceci va, ou devrait aller, sans dire concernant des oppositions du type sociétés froides/sociétés chaudes ou bien holisme/individualisme tant leurs auteurs ont pris soin de l'indiquer. Leur fonction est du même genre — idéal-typique si l'on veut mais nullement classificatoire — que celle des contrastes théoriques énoncés par Durkheim (entre solidarité organique et solidarité mécanique ou entre intégration et anomie), Tönnies (entre communauté et société) ou Weber (entre tradition et rationalité).

Mais pour être, en apparence, plus ancrées dans la réalité du monde, les distinctions souvent considérées comme fondatrices entre sociétés à État et sociétés sans État, à écriture ou sans écriture, n'ont pas davantage de pouvoir typologique. Ni l'État ni l'écriture ne sont des attributs, tels que l'on pourrait dire de chaque société, sans exception, qu'elle est « à État » ou non, dotée ou dépourvue d'écriture. Dans le cas contraire, la réflexion contemporaine aurait manqué l'occasion de réaliser une économie considérable de papier imprimé. De plus, chacun conviendra aisément, à propos des ensembles formés par les sociétés étatiques ou lignagères, par les cultures à tradition orale ou écrite — à supposer même que de tels ensembles soient délimitables — que ces attributs renvoient en réalité aux formations sociales historiques qui les incarnent. Autrement dit, les critères servant à constituer ces ensembles ont été sélectionnés à partir des caractéristiques de ces ensembles déjà repérés comme typiques. Affirmer dans ces conditions que les sociétés sans État ou sans écriture sont, de ce fait même, l'objet de l'ethnologie équivaut à transformer a posteriori les implications d'un choix fait à l'avance en principe de construction.

Et si l'on s'aventure à composer un tableau regroupant en deux colonnes, sous une entrée « sociétés simples » (ou primitives, traditionnelles...) et sous une autre « sociétés complexes » (ou modernes, développées...), les critères de différenciation les plus couramment utilisés référant à des ordres de phénomènes aussi divers que le régime démographique, la répartition dans l'espace, les techniques de production, la division du travail, la structure sociale, l'organisation politique, les traits de culture et le symbolisme, on s'apercevra sans peine qu'ils ne s'impliquent pas plus logiquement les uns les autres qu'ils ne sont effectivement corrélés lorsqu'on considère des sociétés réelles comme l'on dit le socialisme réel[3]. Seules émergent des « plaques » de cohérence — ce qui n'est assurément pas négligeable — mais ne formant pas entre elles toutes système. Quant aux tentatives, renouant périodiquement avec le dessein — qu'on ne peut jamais tout à fait exorciser — de l'évolutionnisme, d'esquisser quelques grandes lignes du mouvement des sociétés, en fonction par exemple de la complexité de l'organisation ou de l'échelle des phénomènes sociaux, elles butent sur l'impossibilité d'évaluer objectivement l'une et l'autre, donc de mettre en évidence des seuils et des transformations de nature, d'assigner une place assurée, ici ou là, avant ou après, aux sociétés historiques.

Sachant que la typologie n'a, au fond, que faire de l'expérience, il est sage, nous semble-t-il, d'abandonner à jamais l'espoir d'opérer dans les faits, sinon dans les conceptualisations, ce qu'un anthropologue a appelé le « Grand Partage » des sociétés et des cultures. Chacun ressent bien finalement que, s'agissant d'ensembles historiques et non d'abstractions, il convient de substituer à la perspective en terme de « ou bien... ou bien... » une approche plus normande sous la forme « plus ou moins ». Bref, si l'objet de l'anthropologie se confondait avec les objets classiques de l'ethnologue, sa délimitation serait d'usage strictement interne — une affaire de famille, en somme — puisque force est de constater, à la suite des inventaires courageusement réalisés du terme « primitif », que la seule propriété commune à toutes les sociétés « primitives » est d'avoir été étudiées par des ethnologues.

On nous objectera sans doute que point n'était besoin d'enfoncer des portes aussi ouvertes et que les sociétés qui sont l'objet de l'anthropologie — dans la même acception toujours du terme « objet » — ne se laissent nullement circonscrire par des attributs intrinsèques mais par leur seul éloignement d'avoir la nôtre, par leur altérité[4]. Cependant, si le privilège accordé par l'ethnologie aux sociétés autres était plus que de méthode[5] et si, pour tout dire, la première était liée aux secondes, et aux secondes seules, par une complicité touchant à la substance la plus intime de son projet intellectuel, il faudrait en tirer une conclusion qui ne serait pas aisément admise par ceux-là mêmes qui soutiennent un tel point de vue. Cette conclusion découle du statut épistémologique de la distance telle qu'elle est envisageable à partir de la subjectivité du sujet observateur : c'est que l'altérité, donnée par définition relative, ne saurait mieux que la primitivité supposée délimiter des objets concrets d'étude. Comme le rappelle C. Lévi-Strauss (1960, XXIX) : « Toute société différente de la nôtre est objet, tout groupe de notre propre société autre que celui dont nous relevons est objet, tout usage de ce groupe même, auquel nous n'adhérons pas, est objet. » Il est alors mal venu de s'inquiéter de la disparition progressive des objets ethnologiques, sauf à considérer qu'il ne sera bientôt plus, nulle part, pour un Je quelconque d'Autre véritable. Mais l'anthropologie ne serait pas, dans ce cas, seule en péril.

Ou bien, peut-être, faudrait-il comprendre qu'il n'est de « bonne » altérité qu'ethnique et que l'objet de l'anthropologie serait les seules sociétés ethniquement autres. On admettra qu'il s'agit là d'une singulière réduction de la notion d'altérité ; et les déterminations concrètes de l'altérité ethnique sont, au demeurant, loin d'être claires. Ce n'est pas un hasard, semble-t-il, s'il est fait plus couramment usage, en ethnologie, du terme « ethnie » pour discriminer à l'intérieur du monde des autres que pour distinguer entre ces autres et nous. L'on se prend à douter que la différence dont il est suggéré qu'elle reste opératoire pour délimiter les objets de l'anthropologie — entre les sociétés qu'elle étudie classiquement et la société occidentale où est né le projet anthropologique — recouvre le même contenu et soit de la même portée que la différence séparant deux ethnies.

A vouloir tenir des sociétés réelles pour des objets scientifiques et le hasard historique pour une nécessité épistémologique, il est à craindre que la seule réponse possible à la question : quelles sociétés sont l'objet de l'anthropologie ? soit celle-ci : les sociétés qu'elle a pour coutume d'étudier.

*

L'anthropologie se caractérise en réalité par la conjonction d'une tradition problématique dont la tonalité — on use à dessein d'un terme vague — lui est propre et d'une ambition limite qui en régit les orientations générales.

Une tradition problématique, d'abord. Il est assez connu que l'anthropologie ne présente pas de doctrine unifiée ni même de théories restreintes (ou régionales) unanimement reçues. Ce n'est donc pas du côté de ce qu'elle aurait découvert qu'il faut espérer rencontrer un consensus professionnel fondateur de l'identité anthropologique, mais du côté de ce qu'elle cherche et surtout en quels termes elle le cherche. Or, au-delà de la pluralité des références théoriques et des oppositions d'école, de la diversité des spécialisations et des terrains, il semble que les anthropologues aient en commun une certaine manière de constituer leurs objets de savoir. Certes, les interrogations des uns et des autres ne sont pas faites de la même matière conceptuelle, certes encore les principes d'intelligibilité de la réalité sociale qu'ils proposent ne se recouvrent que partiellement ; c'est pourquoi le terme de tonalité paraît préférable à celui de contenu. Nul ne peut contester néanmoins que les ethnologues partagent une tradition problématique. Tous, à leur manière et dans leur langage, recherchent — à travers les institutions d'une société et les fonctions qu'elle leur assigne, à travers les règles qu'elle prescrit et les comportements qui y paraissent aller de soi, à travers les idées, les valeurs et les représentations du monde qui la rassemblent jusque dans ses conflits internes — de quelle singularité elle est porteuse par rapport à toutes les autres sociétés et donc en même temps par rapport à ce qui était pensable qu'elle soit et qu'elle n'est pas. Cette tradition problématique de la diversité des sociétés qu'ils sont seuls, semble-t-il, à questionner si délibérément, si obstinément, les réunit en communauté.

Mais cette tradition problématique est, de par son contenu même, inséparable d'un projet de savoir qui possède tous les attributs d'une ambition limite. Ambition limite dans la mesure où chacun sait bien, au fond, qu'il s'agit d'une ambition sinon absolument illusoire, du moins hors de portée mais où chacun ressent aussi qu'à l'abandonner tout à fait le travail anthropologique perdrait sa signification profonde. Ce projet fut énoncé de bien des manières et sans qu'il soit besoin de prendre l'anthropologie pour une science sur le modèle des sciences de la nature : formuler les « propriétés générales de la vie sociale », rendre compte de la « variabilité des cultures humaines », mettre en évidence les « logiques sociales et symboliques », découvrir les « conditions de reproduction et de transformation des sociétés historiques ». Bref, constituer non plus une mais la science sociale.

C'est par rapport à cette tradition problématique (de la diversité des sociétés) et à ce projet de savoir ultime (portant sur l'unité du genre humain dans ses déterminations sociales), qui caractérisent à notre sens l'anthropologie[6], que doit être posée la question de la légitimité des recherches ethnologiques sur les sociétés dites complexes.

Or, à cette condition expresse que l'expérience observée soit soumise aux mêmes problématiques, on voit mal pourquoi s'interroger sur les mécanismes de l'alliance dans les sociétés proche-orientales serait de l'anthropologie tandis que n'en serait pas l'étude du mariage dans une société balkanique ou pyrénéenne ; on ne voit pas non plus ce qui sépare la recherche du codage symbolique de l'alimentation aux États-Unis de celle de l'ordonnancement culturel des nourritures dans une communauté polynésienne ; on ne voit pas davantage pourquoi l'analyse d'institutions telles que l'État moderne, le marché ou l'école et des systèmes d'idées qu'elles objectivent échapperait par nature au projet anthropologique.

Outre la différence inéluctable dans le mode de constitution de la documentation et l'infléchissement normal des topiques spécialisées[7], on peut se demander si la convention inhérente à ce point de vue ne repose pas sur le sentiment radicalement contraire à l'ethos anthropologique que la société occidentale moderne serait unique dans son genre en ce qu'elle serait moins arbitraire que les autres. Ses assises fonctionnelles seraient comme nécessaires et lui manquerait cet ordre culturel, parmi d'autres possibles, que partout ailleurs les anthropologues s'ingénient à débusquer dans le fouillis des gestes quotidiens.

Ou alors serait-ce la conviction que cette société lui est si proche, si familière qu'il lui faudrait abandonner tout espoir, à lui anthropologue, de la constituer en objet de savoir ? Le problème hante, on le sait, le sociologue. Il reste que c'est omettre la fonction seconde que peut assumer, précisément, la tradition problématique de l'anthropologie et plus généralement encore les connaissances acquises sur les sociétés lointaines. Une fonction de « ré-enchantement » de notre propre société, dans la mesure où ce que nous a enseigné l'ethnologie classique autorise raisonnablement à mettre en doute qu'au sein de notre univers de civilisation les hommes se marient au hasard de leurs sentiments, produisent sans autre logique qu'utilitaire, ne mangent que pour satisfaire leurs besoins biologiques, s'organisent et échangent sur le registre unique de l'instrumentalité et auraient le singulier privilège de voir, seuls, le monde tel qu'il serait. Des anthropologues se sont d'ores et déjà joints à d'autres pour écrire sur cette illusion des choses assez sensées.

L'ethnologie des sociétés dites complexes s'inscrirait-elle alors d'une manière ou d'une autre contre l'ambition limite d'élaborer une anthropologie générale ? L'absurdité de la question suggère qu'il faut la tourner autrement. Viendrait-elle seulement trop tôt ? Il convient de s'arrêter un instant sur ce décret aux accents évolutionnistes — un évolutionnisme méthodologique — commandant que l'accès aux « faits de fonctionnement général » passe nécessairement (éternellement ?) par l'étude des sociétés les plus simples (mais leur simplicité ne les définit pas de manière univoque) ou les plus autres (mais l'altérité n'est pas une propriété interne des systèmes sociaux).

C'est Durkheim qui a formulé avec le plus de netteté cette logique de procédure lorsque, après avoir précisé dans l'Indroduction aux *Formes élémentaires de la vie religieuse* que la religion primitive était déjà toute la religion, il indiqua que seules des raisons de méthode ordonnaient qu'elle soit étudiée avant toutes les autres, consacrant de la sorte le glissement manifeste d'une théorie transformiste du social caractérisant ses œuvres précédentes vers un évolutionnisme méthodologique. Elle ne serait, en effet, pas encore étouffée sous la « luxuriante végétation » recouvrant le « principal » (autrement dit l'essence fonctionnelle du religieux) dans les sociétés complexes. On ne saurait évidemment reprocher à Durkheim de n'avoir point su prévoir, en ce qui concerne la religion catholique par exemple, les orientations postconciliaires en matière de catéchèse et de rituel : l'imagination sacerdotale, qu'évoque, entre autres facteurs de complication, le sociologue français, ne paraît pas s'être exercée dans le sens du luxe de l'accessoire. Mais plus sérieusement et pour revenir à une question posée plus haut, l'on perçoit mal, en vérité, à quelle aune mesurer le raffinement du dogme, la richesse du rite, bref la multiplicité des « caractères secondaires ». En quoi ce que dit Ogotemmeli ou Mushona est-il plus simple (ou plus compliqué) que ce qu'enseigne, toutes choses égales d'ailleurs, tel ou tel théologien, moderne ou non ? Le symbolisme ne saurait s'évaluer en termes forestiers de densité de peuplement, forêt primaire ici (mais c'est chez les Ndembu), steppe rase là, maquis ailleurs, ni les rites se comparer au nombre des gestes.

Ce qui est vrai du religieux l'est aussi du social. Mais à

supposer même que l'on puisse distinguer, sur le modèle offert par l'analyse des systèmes, des niveaux objectifs de complexité en fonction par exemple — et pour en rester aux problématiques durkheimiennes — de l'étendue des variations individuelles et collectives (Durkheim insiste sur le fait que dans la religion primitive « toutes les consciences étant entraînées dans les mêmes remous, le type individuel se confond presque avec le type générique » (Durkheim, 1960, 8), qu'est-ce qui autorise à affirmer que la profusion et la diversité des formes d'un contenu sont un obstacle à sa connaissance ou qu'il faudrait subordonner cette dernière à l'élaboration préalable d'un savoir s'appliquant à ce contenu là où il emprunte une forme moins variable ? Il semble qu'il s'agisse là d'une conception philosophiquement datée du travail anthropologique qui aurait pour fin véritable de dégager des essences à partir des variations phénoménales, identifiant au bout du compte des objets construits à des objets naturels.

De deux choses l'une, finalement : ou bien il existe une différence de nature entre des sociétés qui seraient les unes complexes (ou plus complexes), les autres élémentaires (ou plus élémentaires) parce qu'en termes durkheimiens, toujours, « les faits y seraient plus simples » et du même coup « les rapports entre les faits plus apparents » (*ibid.*, 9), et dans ce cas il importe, outre de le vérifier, d'en tirer la conclusion logique, à savoir la nécessité de les étudier les unes et les autres pour constituer une science des sociétés en général ; ou bien les sociétés humaines ne se distribuent pas selon un critère de complexité univoque et il n'y a pas lieu, alors, d'exclure certaines, fût-ce provisoirement, du champ d'une anthropologie générale sous des prétextes de méthode.

Il n'est pas sûr que l'évolutionnisme méthodologique puisse être entièrement affranchi de tout principe de théorie évolutionniste quand bien même est récusée, comme chez Durkheim, une représentation linéaire de l'évolution sociale. On ne voit pas davantage pourquoi le projet d'élaborer une anthropologie générale, qui implique à coup sûr l'étude des sociétés les plus différentes de la nôtre, exigerait corollairement que soit toujours différée l'étude de la société donnant au départ, intuitivement si l'on peut dire, la mesure de cette différence. Une fois admis que la diversité sociale ou encore les « écarts différentiels » entre sociétés sont bien l'objet de l'anthropologie, quelle raison commande que soit reculé le moment d'examiner — et non plus d'utiliser comme seul pôle de contraste — de quoi est fait au juste, dans son rapport avec les autres, le mode qui est le nôtre de vivre en société et de constituer le monde en système signifiant ?

*

Qu'il soit nécessaire d'être allé ailleurs pour être en mesure de revenir ici, comme le rappellent avec raison les tenants de l'ethnologie traditionnelle, ne doit pas faire oublier qu'il n'est, en même temps, d'ailleurs que par rapport à ici.

L'ethnologie des sociétés dites complexes s'efforce seulement de faire entendre ce qui, dans le programme anthropologique, restait le plus souvent sous-entendu, à savoir que les sociétés étrangères à la nôtre ont de celle-ci quelque chose à dire. Elle ne s'écarte pas de la tradition problématique de la discipline ; elle en est, comme nous l'avons vu, doublement tributaire. Son développement n'implique en aucune façon l'abandon des orientations ethnologiques classiques ; c'est même tout le contraire puisque plus seront connues des sociétés différentes, mieux sera cernée la singularité de la nôtre. Elle ne travaille pas à la dilution du projet anthropologique ; elle tente de le mener à son terme logique. Sans doute peut-elle faire tout ceci bien mieux qu'elle ne le fait encore, mais c'est un autre problème et il faudrait cesser de prendre ses insuffisances pour un vice de naissance.

GÉRARD LENCLUD.

1. L'expression est de Charles Péguy, appliquée à l'Université de son temps. Je veux sur ce point préciser ma pensée. L'abstention relative de la communauté scientifique, tenant pour une part à ses désaccords internes, suffit-elle à jeter le doute sur la nature anthropologique des recherches sur les sociétés dites complexes ? Sans doute pas. Le consensus professionnel est une chose, la pertinence des orientations une autre. Et ce n'est pas méconnaître les risques de conformisme intellectuel liés au corporatisme que de souhaiter le maintien d'une communauté scientifique suffisamment rassemblée autour de valeurs partagées (et clairement affirmées) pour être à même de déterminer, suivant ses propres critères, l'organisation du travail scientifique. Mais on devine ce qu'il adviendrait de l'ethnologie si, du fait de la désagrégation de cette communauté, notre discipline devrait se soumettre directement aux injonctions, par nature fluctuantes, de cette « demande » qui est d'autant plus dite sociale qu'elle émane d'appareils spécialisés.

2. Encore qu'à la suite de l'historien Paul Veyne, je ne sois pas sûr que les poissons de l'ichtyologiste conservent quelque ressemblance, au terme du traitement qui leur est appliqué, avec ceux que nous pêchons (Veyne, 1971, 161).

3. On peut rappeler, à titre d'exemple des bizarreries auxquelles conduit immanquablement tout essai de délimitation empirique entre types généraux de sociétés, l'introduction par S.N. Eisenstadt d'une catégorie appelée par lui « sociétés relativement complexes mais non modernes », distinctes à la fois des sociétés tribales et des sociétés complexes modernes, dans laquelle il fait entrer, entre autres, les Nupe mais non les Swazi, et les Kachin (Eisenstadt, 1961, 203-204). Voir le commentaire d'E.R. Leach à la suite de cet article de *Current Anthropology*. Il n'est pas interdit de se demander dans quelle mesure la complexité, présentée comme propriété intrinsèque d'un système social, ne se confond pas avec la complication, attribut de la représentation que se fait un observateur de ce système social. Une société serait alors d'autant plus « complexe » que celui qui l'étudie est subtil.

4. C'est ainsi que nul n'a jamais contesté, au sein de la communauté professionnelle, la possibilité d'une anthropologie d'univers aussi incontestablement « complexes » que ceux de la Chine ou de l'Inde.

5. « ... la *méthode* propre de l'anthropologie se définit par cette distanciation qui caractérise le contact entre représentants de cultures très différentes » (Lévi-Strauss, 1958, 415 ; c'est nous qui soulignons).

6. On nous fera peut-être remarquer que les anthropologues ne sont pas seuls à se rattacher à cette tradition problématique (le contraire serait étonnant) ou que d'autres adoptent, à la formulation près, cette perspective ultime. Il y a lieu de s'en réjouir plutôt que de s'en inquiéter, sauf à vouloir à tout prix que ce qui, de ce point de vue, est anthropologique soit impérativement placé sous le nom « anthropologie ».

7. Il faut distinguer entre problématique et topique. Une problématique n'est pas l'addition de questions ponctuelles : il est évidemment absurde d'interroger notre société dans les termes mêmes des questions que l'ethnologie adresse à tel ou tel attribut de fonctionnement d'une société non « complexe ». Après tout, l'ethnologie n'interroge pas de manière identique les rapports de pouvoir au sein d'une communauté de chasseurs-cueilleurs et d'un royaume africain.

BIBLIOGRAPHIE

DURKHEIM, É.

1960 *Les Formes élémentaires de la vie religieuse*. Paris, P.U.F. (1re éd., Paris, Alcan, 1912).

EISENSTADT, S.N.

1961 « Anthropological Studies of Complex Societies », *Current Anthropology 2* (3), 201-222.

LÉVI-STRAUSS, C.

1958 *Anthropologie structurale*. Paris, Plon.

1960 « Introduction à l'œuvre de Marcel Mauss », *in* M. MAUSS, *Sociologie et anthropologie*. Paris, P.U.F., IX-LII.

VEYNE, P.

1971 *Comment on écrit l'histoire. Essai d'épistémologie*. Paris, Le Seuil (« L'Univers historique »).

L'OBJET ET LA MÉTHODE

QUELQUES RÉFLEXIONS AUTOUR D'UNE ENQUÊTE D'ETHNOLOGIE URBAINE

Yves Delaporte

Tous les critères que l'on a proposés pour cerner le domaine de l'ethnologie, et qui se définissaient de façon singulière par leur caractère privatif (peuples sans histoire, sans écriture, sans machinisme, etc.), se sont révélés caducs pour avoir fait la preuve de leur rivalité ; aucun n'était pertinent parce que tous pratiquaient des coupures là où la réalité ne connaît que le continu. L'ethnologie rurale opéra un premier décentrage ; celui-ci est aujourd'hui achevé avec l'arrivée des ethnologues sur la scène du monde moderne et urbain, longtemps considérée, dans le cadre d'un partage du monde entre ethnologie et sociologie, comme la chasse gardée de cette dernière. L'histoire des sciences retiendra que ce déplacement de perspective, si fondamental soit-il, n'a pas pris la forme d'une révision déchirante ni celle de quelque rupture épistémologique, mais seulement d'un glissement progressif. Les plus clairvoyants parmi nos maîtres avaient d'ailleurs défriché la voie. Dès 1936, André Leroi-Gourhan proposait de porter sur notre culture un regard distancié, où la radio serait considérée « comme un moyen de transmission comparable au tambour », « le complet-veston comme le vêtement typique des indigènes mâles et la mitrailleuse comme une arme de jet » ; citant ces lignes dans *L'Homme et la matière* (1971, 316), l'auteur ajoute : « c'est une singularité que de prétendre étudier l'Homme en tenant l'homme civilisé ou comme trop bien connu, ou comme d'une essence en quelque sorte extra-humaine ».

S'il y a eu, et s'il y a encore, des réserves à l'idée d'abandonner résolument tout ethnocentrisme, *même inversé*, elles se sont exprimées bien davantage sur le terrain du forum officieux que sur celui du forum constituant — pour emprunter à la sociologie de la science cette distinction proposée par Collins et Pinch (1982, 254). De même, l'extension du champ de l'ethnologie à la totalité du monde social, sans exclusives fondées sur des bases géographiques ou ethniques, semble résulter moins d'une volonté théorique clairement énoncée que de la multiplication effective des travaux, due en partie à des considérations pratiques ; sa traduction la plus visible est le développement d'une nouvelle spécialisation, l'ethnologie dite urbaine. L'extrême diversité des recherches qui peuvent s'en réclamer, des orientations théoriques, des sources historiques, des points de rencontre avec les autres sciences humaines, en font d'ailleurs bien davantage un point de ralliement sous une étiquette commode, et peut-être provisoire, qu'une sous-discipline pleinement constituée. Les mêmes motifs qui justifient son existence interdisent d'ailleurs d'en proposer une stricte définition ou d'en cerner trop étroitement le champ : de l'ethnologie « traditionnelle » à l'ethnologie « urbaine » il n'y a nulle coupure, mais continuité.

C'est donc du côté de la méthode qu'il faut se tourner pour trouver des critères constituant l'unité de l'ethnologie et la différenciant des sciences connexes. Non seulement la méthode ethnologique garde sa pertinence dans les sociétés complexes et urbaines (Pétonnet, 1973, Gutwirth, 1978), mais c'est sur ce terrain qu'elle s'affirmera irremplaçable et de valeur universelle, permettant notamment de dépasser les limites de l'enquête sociologique. Cependant, elle affronte en ville des problèmes nouveaux et doit donc s'y adapter. Les faits se présentent souvent sous la forme d'agrégats aux limites floues, voire inexistantes (comme dans le cas des réseaux de relations), et leur inscription spatiale tend à se dissoudre. Or, c'est l'unité de l'espace d'observation qui caractérisait peut-être le plus généralement l'enquête ethnologique, la distinguant de l'enquête sociologique qui opère fréquemment par regroupement de traits isolés de leur contexte, avec le risque, pas toujours évité, d'une part d'arbitraire. Cet obstacle sera contourné et la spécificité de la démarche ethnologique maintenue si la définition et les limites de l'objet ne sont pas posées a priori, mais construites au cours de l'enquête et soumises à d'éventuels réajustements au fur et à mesure de sa progression.

D'autre part, un même fait peut être observé et analysé dans des perspectives parfois fort différentes, parce que la taille et la complexité de l'ensemble social auquel il est intégré autorisent de multiples découpages. C'est donc à l'enquêteur qu'il appartient de tracer les limites de son observation et de choisir sa problématique. Ceci ne saurait constituer un obstacle à une analyse objective : il suffit que l'enquêteur ait pleine conscience de ces opérations et qu'il énonce ses choix lorsqu'il publie ses résultats. L'indication de contours différents et d'autres problématiques possibles pourront alors ouvrir autant de pistes éventuelles pour d'autres chercheurs.

Ces quelques remarques seront illustrées à partir d'une enquête sur le milieu des entomologistes parisiens. Le choix de ce thème correspond à une logique qu'il faut préciser. Confronté pendant plusieurs années à une société pastorale, celle des Lapons du nord de la Norvège, j'ai été conduit à mener ma recherche dans le cadre de l'ethnozoologie ; à examiner en particulier comment des rapports sociaux peuvent être médiatisés par l'animal et, inversement, comment les rapports entre l'homme et l'animal sont liés aux rapports sociaux. Recueillant et analysant le vaste corpus des termes utilisés pour décrire et nommer les rennes, j'ai en outre, et selon le même cheminement, été amené à situer ce travail dans la perspective de l'anthropologie de la connaissance. La conjonction de ces travaux et d'un intérêt ancien pour les sciences de la nature m'a incité à m'interroger sur les possibilités d'application d'une telle problématique à un domaine nouveau, celui de la production de la connaissance naturaliste : ne serait-il pas légitime de soumettre celle-ci aux méthodes d'observation et d'analyse habituellement appliquées aux modes traditionnels des relations entre l'homme et le monde animal ?

Au-delà de ce que cet exemple peut avoir de personnel, et donc de particulier, n'a-t-il pas quelque rapport avec une certaine trajectoire historique de l'ethnologie ? Dans l'argument qui présida à l'élaboration de ce numéro, J. Pouillon soulignait, à côté de l'extension géographique du champ de l'ethnologie, une extension thématique et une multiplication des « interfaces ». Or, les deux phénomènes ne sont probablement pas sans lien. Tant que l'ethnologie reste prisonnière de la problématique étroite des ethnies, son morcellement fournit les moyens de sa clôture. Le développement des sous-disciplines transversales, en remplaçant des aires géographiques par des domaines conceptuels, encourage une perspective unitaire. Dans la perspective ancienne, il ne peut y avoir de commune mesure entre la société lapone et une association d'entomologistes parisiens : ce sont deux objets entièrement irréductibles l'un à l'autre. Dans celle de l'ethnozoologie, en revanche, elles fournissent l'une et l'autre deux illustrations de la multiplicité des rapports entre l'homme et l'animal. Ce n'est pas par hasard que les réflexions si novatrices d'un Leroi-Gourhan, sur lesquelles on a plus haut attiré l'attention, sont apparues dans le cadre de la technologie, c'est-à-dire de l'une des toutes premières spécialisations transversales de l'ethnologie.

Il est parfois fait grief à l'ethnologie urbaine de se réfugier dans le marginal ou le pittoresque, et il n'y a guère de doute que la présente enquête pourra éventuellement être invoquée à l'appui de cette opinion. Aussi voudrait-on souligner combien il convient d'être précautionneux dans l'emploi des concepts de centralité et de marginalité — surtout lorsqu'ils sont implicitement traduits en termes d'important et d'accessoire ; l'ethnologue ne saurait entériner la vision que la société ou tel de ses secteurs ont d'eux-mêmes, et les hiérarchies qu'ils produisent, pas plus lorsque cette société est la sienne que lorsqu'elle se situe sur un terrain exotique. A supposer que l'on tienne à conserver ces notions, on doit au moins reconnaître leur relativité et convenir que ce qui est marginal sur un plan ne l'est pas nécessairement sur un autre (voir, par exemple, le rôle central des groupes dits marginaux dans la création de la mode du temps) ; et que ce qui est marginal à un moment peut ne plus l'être à un autre (que l'on songe, notamment, à l'intérêt qu'offrirait, si elle eût été possible, une investigation ethnographique du parti bolchevique avant 1917). L'un des mérites de la méthode ethnologique n'est-il pas de refuser la loi des pourcentages trompeurs et des moyennes nivelantes ?

L'enquête dont il est ici question illustre la difficulté de donner un contenu scientifique, exempt d'idéologie sociocentriste, au concept de marginalité. Que sont, en effet, les entomologistes ? Un groupe quantitativement négligeable (peut-être 0,01 p. 100 de la population), dont le profil psychologique comporte fréquemment des traits obsessionnels qui offrent l'image de la plus pure excentricité — par exemple lorsque, « battant » des branches, « brossant » des troncs d'arbre, « fauchant » l'herbe des prairies, « troublant » l'eau des mares ou fouinant dans quelque « bonne bouse », ils se livrent en pâture aux moqueries des petits paysans. En même temps, leur activité contribue, de manière irréfutable bien que selon des modalités complexes et nuancées, à la production de la connaissance scientifique, l'un des traits spécifiques de notre société.

*

Sous quels angles, donc, aborder l'observation du milieu entomologique, mosaïque très hétérogène de collectionneurs amateurs, de professionnels, de marchands ? Un premier point de vue engage à traiter comme une culture l'ensemble de comportements et de représentations qui leur est propre et dont on a fait ailleurs un exposé détaillé (Delaporte, 1984a). Qu'il s'agisse d'observer des techniques, de mettre à jour des systèmes de valeurs, de repérer des règles de politesse, de relever des usages linguistiques, de recenser des savoirs, de recueillir des histoires de vie, de reconstruire des réseaux de relations, il n'y a rien là qui ne soit familier à l'ethnologue ayant travaillé en terrain traditionnel.

Ce parti pris de traiter l'objet en termes de culture ne pouvait être, au départ, qu'une hypothèse de travail : à prendre comme objet un conglomérat de rôles dont chacun appartient aux répertoires les plus divers, est fondé sur des choix individuels et s'exerce en des lieux séparés, on court le risque d'un exercice artificiel, aboutissant à la construction d'un objet factice. L'enquête seule pouvait légitimer l'hypothèse initiale, en l'appuyant sur quatre observations principales.

En premier lieu, la passion éprouvée pour l'insecte est telle que le rôle d'entomologiste tend à investir tous les autres[1]. En second lieu, les comportements observés offrent une remarquable stabilité, en synchronie — chez des personnes appartenant aux milieux sociaux les plus divers — et en diachronie, comme le prouve la comparaison de ce qui peut être observé aujourd'hui avec ce qu'enseigne la consultation des publications du siècle dernier. En troisième lieu, tous les niveaux constitutifs d'une culture sont représentés dans l'activité entomologique : comportements symboliques et comportements ritualisés y tiennent en outre une large place. En quatrième lieu, les faits relevant de différents niveaux entretiennent des relations nombreuses et complexes, si bien que nombre d'entre eux présentent le caractère de faits sociaux totaux. On en donnera deux exemples.

Décider de conserver un insecte en collection en le piquant au moyen d'une épingle ou en le collant sur une paillette de carton est un fait qui ne relève pas seulement de la technique, mais renvoie à des considérations dépendant de l'esthétique et de la scientificité, et se révèle pertinent dans l'analyse des relations sociales : il divise ainsi les coléoptéristes entre « piqueurs » et « paillettistes » (l'un des plus fervents propagandistes de la technique du collage fut surnommé « La Paillette-nous-voilà »).

La dénomination d'un insecte implique la capture d'une forme nouvelle, son isolement par rapport aux formes connues, sa description, le choix d'un nom nouveau, sa publication, et enfin son acceptation par la communauté des entomologistes (ou du moins de ceux ayant même spécialisation). Elle met donc en œuvre des techniques de chasse, des processus cognitifs variés (connaissance du stock des formes préexistantes, définition de critères permettant de conclure à la nouveauté, choix du niveau taxinomique pertinent, connaissance du stock des noms préexistants) et, souvent, la capacité de manipuler l'information, ainsi que de mobiliser un réseau de relations. Soit, par exemple, le taxon *Chrysocarabus auronitens hennuyi* GRAFTEAUX, 1980. La découverte de cet insecte est le résultat de prospections où l'échange d'information entre collectionneurs joua un rôle important ; son statut taxinomique (forme infrasubspécifique) implique sa non-reconnaissance par les Règles internationales de la nomenclature et par conséquent la nécessité de s'assurer la bienveillance de la direction d'une revue ; la décision de le nommer intègre de multiples facteurs, d'où ne sont absents ni les jugements esthétiques ni les considérations économiques ; le choix par l'auteur de l'un de ses pairs comme éponyme doit être considéré comme une prestation sociale venant renforcer telle partie de son réseau personnel, et d'ailleurs bientôt payée de retour par un *Chrysocarabus auronitens grafteauxi* HENNUY ; la dissimulation de la provenance géographique, visant à contrôler les captures de l'insecte et multiplier les échanges fructueux, ne doit pas risquer de valoir à son auteur l'accusation de manque de probité scientifique, d'où le recours à un subtil codage de l'information, analysable en termes sémiologiques.

Parmi ces multiples relations entre différents niveaux, la perspective ethnozoologique engage à s'intéresser plus particulièrement, ainsi qu'on l'a indiqué, à celles qui s'établissent entre, d'une part, les rapports de l'homme avec l'insecte et, d'autre part, les rapports sociaux. On a ainsi pu expliquer par les caractéristiques de tel insecte (phénotype, localisation géographique, statut taxinomique) le rôle que sa capture joue dans l'intégration à une association d'entomologistes (Delaporte, 1984b). Le chapitre que, dans sa *Faune de France* des coléoptères carabiques (1941), R. Jeannel, entomologiste de grand renom et directeur du Muséum, consacre au genre *Carabus* (carabes) contient quelques grossières erreurs ; ceci ne peut être compris qu'à la lumière des querelles entre les amateurs de carabes et les spécialistes des autres familles[2] — ainsi que le résume excellemment cette phrase d'un informateur : « Ils n'aiment pas les carabes parce qu'ils n'aiment pas les carabologues. » Quarante ans après la parution de l'ouvrage de Jeannel le fait est toujours aussi patent, et il est impossible de lire un article sur les carabes, quel que soit son degré apparent de scientificité, en en faisant abstraction — on en verra plus loin un autre exemple.

Bien des entomologistes, il est vrai, contesteraient le point de vue unitaire qui est défendu ici : la violence des polémiques fragmente ce milieu en une multitude de micro-milieux, sur la base des familles collectionnées et de l'adhésion à telle ou telle pratique ou idéologie ; pour chacun d'eux, les autres s'excluent plus ou moins de l'entomologie. Cependant, ces querelles semblent à l'observateur bien davantage constitutives de la culture entomologique qu'elles ne tendent à la dissoudre : que l'on soit « variétiste » ou « antivariétiste », c'est bien par rapport à la même classification que l'on se situe. Et des professionnels, dont le savoir thésaurise des milliers de taxons et leurs noms, au petit collectionneur qui, prononçant *farinei* au lieu de *farinesi* ou confondant labre et vertex, est un objet de risée, il n'y a nulle solution de continuité, non seulement parce que tous les degrés intermédiaires se rencontrent, mais surtout parce que dans tous les cas les références sont communes, même si elles sont dissemblablement maîtrisées.

*

Quelles que soient l'homogénéité et la spécificité du milieu dont l'ethnologue urbain met à jour les logiques internes, l'insertion de l'objet dans un ensemble plus vaste impose à l'évidence le poids de déterminations externes. Comment en rendre compte ? On proposera ici trois pistes.

On peut tout d'abord, dans la perspective traditionnelle de la sociologie de la connaissance, examiner la manière dont la culture entomologique est influencée par les valeurs de la société globale. Il n'est pas sans intérêt d'observer que la systématique de certains groupes s'est longtemps préoccupée presque exclusivement de l'appareil génital mâle ou que les entomologistes constituent un milieu très majoritairement masculin. Inversement, on remarquera que, de Vacher de Lapouge, auteur de *L'Aryen et son rôle social* (1899), à Wilson, inventeur de la sociobiologie, en passant par Escherich, hitlérien de la première heure offrant en modèle à la société des hommes celle des termites, des entomologistes de valeur ont apporté de bien curieuses contributions à la pensée sociale de leur temps.

Une seconde manière de situer l'objet en perspective consisterait à isoler chacune de ses facettes pour les replacer dans des ensembles regroupant les facettes correspondantes d'autres objets. Ce point de vue comparatiste est familier à l'ethnologue : c'est lui qui fonde l'existence de sous-disciplines transversales, et son pouvoir heuristique n'est plus à démontrer ; mais sa spécificité, en ethnologie urbaine, réside en ceci que la mise en relation se fera avec des objets appartenant à la même société globale. On pourrait ainsi comparer la part prise par les amateurs en entomologie avec celle qu'ils occupent dans d'autres sciences, sur la base de critères tels que l'existence de domaines de spécialisation (en entomologie : systématique et faunistique), le type de relations qu'entretiennent amateurs et professionnels (lieux de publication distincts ou non, etc.). Plus généralement, une analyse ethnologique de la culture entomologique peut apporter sa contribution à l'anthropologie de la science, par exemple en relativisant l'opposition entre classifications populaires et classification savante, fondée sur le fait que les premières opèrent sur un corpus doublement limité, ne tenant compte que des espèces qui leur sont géographiquement coextensives et présentant une quelconque utilité, alors que la seconde aurait pour toutes les espèces le même regard objectif et désintéressé. Or, le développement de la systématique de certains groupes est largement lié à des considérations telles que l'intérêt esthétique ou la valeur marchande qu'ils présentent pour le collectionneur ; et les cartes de répartition d'autres groupes coïncident, à peu de choses près, avec celle des lieux de vacances estivales des Parisiens, tandis que la connaissance de familles peu spectaculaires dépend souvent d'une éventuelle sympatrie[3] avec des groupes plus prestigieux. On signalera également le rapport de bricolage que le collectionneur entretient avec la pensée scientifique : il ordonne son matériel avec la plus extrême minutie, suivant pas à pas les ouvrages de systématique, mais souvent sans rien connaître des critères qui la fondent.

Dans cette perspective, on proposera de donner à la publication scientifique le statut d'objet ethnographique[4]. Observons, par exemple, un article récemment publié sous une quadruple signature dans l'une des principales revues d'entomologie, et intitulé « Preuves génétiques de la synonymie de *Chrysocarabus punctatoauratus* GERMAR avec *Chrysocarabus auronitens* FABRICIUS (Coleoptera, Carabidae) ». Les auteurs exposent les résultats de l'hybridation expérimentale de deux carabes, à savoir l'obtention de produits interféconds, et concluent à la nécessité d'une révision taxinomique : la réunion de ces deux espèces en une seule. Un tel article relèverait, tout d'abord, d'une critique interne à la science entomologique, portant sur la validité du protocole expérimental, la pertinence des références bibliographiques, etc. Il serait également justiciable d'une critique plus générale, d'ordre épistémologique (mais d'une épistémologie relevant encore des sciences de la nature), puisque sa conclusion se fonde sur l'hypothèse implicite d'un lien entre hybridation expérimentale et taxinomie ; dans le cas présent, où les formes en question sont allopatriques, un tel lien suppose en outre, et toujours de façon implicite, une conception de l'espèce n'ayant, à proprement parler, aucun sens[5] : il s'agit donc là d'un objet qui, tout en présentant les formes de la plus pure scientificité, a un contenu idéologique. Mais de quelle pertinence relève-t-il ? Seule une observation de type ethnographique, considérant les réseaux de relations entre entomologistes, les conflits de valeurs et d'intérêt qui les opposent, leur cristallisation autour de genres tels que *Chrysocarabus,* ainsi que la place particulière occupée, dans ces réseaux et par rapport à ces conflits, par chacun des auteurs de l'article, permettrait d'apporter une réponse satisfaisante à cette question.

On peut, en troisième lieu, s'intéresser plus particulièrement au contexte urbain dans lequel se déploient les comportements observés : on rejoint là l'une des préoccupations de l'ethnologie urbaine, qui est de rechercher comment la ville donne naissance à des modes de vie spécifiques et, en particulier, comment elle peut cristalliser des traits latents. Ainsi, seule une vaste cité comme Paris permet de constituer, sur la base de l'infime pourcentage de sa population qu'ils représentent, des associations d'entomologistes ; et non seulement des associations d'entomologistes, mais également des associations de coléoptéristes ou de lépidoptéristes, de dimensions suffisantes pour que chacun soit assuré d'y trouver des pairs partageant sa passion exclusive pour les seuls staphylins, charançons ou chrysomèles[6]. Alors que l'entomologiste de province, plus isolé, se tournera de préférence vers une collection dite générale, englobant plusieurs familles, l'entomologiste parisien dispose de relations d'une densité lui permettant de se spécialiser étroitement. La concentration, dans un espace restreint, des bibliothèques, musées, commerçants spécialisés, salles de vente publiques, laboratoires, influe évidemment dans le même sens.

Ces associations rassemblent en outre assez de membres pour que s'y retrouve cette part d'anonymat qui caractérise nombre de relations sociales dans la ville.

Quelles que soient la fréquence et l'ancienneté des relations entre individus, elles se construisent en effet sur la base du seul rôle commun, tous les autres étant mis entre parenthèses. Cela a des conséquences sur le fonctionnement des réseaux : leur instabilité, par exemple, est due à ce que chacun peut s'en retirer à tout moment sans compromettre sa position dans le cadre d'autres rôles ; il est vraisemblable que les relations entre l'instituteur et le pharmacien pratiquant l'entomologie dans une petite ville de province prennent un tour bien différent.

Cette empreinte de l'urbain se retrouve jusque dans les chasses solitaires au cœur des forêts bretonnes ou pyrénéennes. Cherchant à capturer tel insecte rare, dont la localisation n'est connue que d'un petit nombre d'initiés, le chasseur mobilise simultanément ses capacités personnelles d'interprétation du milieu, acquises au cours d'une longue expérience, et les multiples informations fragmentaires qu'il a pu obtenir à Paris. Ces informations portent non seulement sur les localités elles-mêmes, mais également sur leur mode de transmission, la personnalité et les antécédents de ceux qui sont à leur origine — comme le montrent ces lambeaux de conversation glanés au cours d'une chasse à la recherche d'une forme rare *(bleusei)* de *Chrysocarabus auronitens* :

> « M. en a trouvé dix le mois dernier en deux heures... Donc, c'est pas la peine de chercher les endroits classiques où tout est gratté, il aurait pas pu en trouver autant. C'est forcément un nouvel endroit... Ah ! ici, c'est plus de la futaie, ça devient du taillis. D'habitude c'est pas mauvais pour *auronitens,* mais ici, *bleusei* on le trouve plutôt dans les feuillus... La bande à N., ils ont raconté à tout le monde qu'ils en avaient trouvé deux de l'autre côté de la nationale, mais avec eux faut se méfier ! Ils avaient bien été raconter à P. qu'ils avaient trouvé trente *variolosus* dans un tronc près de G. et puis deux mois plus tard, on a su par R. que c'était 30 km plus au sud ! Mais M., lui, c'est un type droit. S'il dit qu'il en a eu dix ici, c'est qu'il en a eu dix. Mais où ? Si c'était en deux heures, c'est pas possible qu'il ait eu le temps de venir jusqu'ici, traverser tout ça... »

Là aussi, voilà une manière de chasser qui a peu de rapports avec celle de l'entomologiste qui, isolé en province, collectionne la faune de sa région.

*

Les problèmes soulevés par la construction de l'objet sont étroitement liés à la méthodologie de l'enquête. Nombre de thèmes évoqués jusqu'ici ont pu être traités par les moyens les plus ordinaires de l'enquête ethnographique, notamment la technique de l'observation directe et celle des entretiens : la fréquentation des séances de deux associations, des boutiques spécialisées, des bibliothèques, les liens personnels établis avec des personnes qu'un fréquent isolement social et une solitude psychologique, joints à l'intensité de leur passion prédisposent à une parole parfois abondante, permettent de cerner un milieu et d'en repérer les principaux traits spécifiques. Il en va différemment lorsque la poursuite de l'enquête sur plusieurs années laisse entrevoir l'existence de réseaux de relations dont la fonction est la manipulation de l'information portant sur les localités d'insectes prestigieux. Transcendant les groupes constitués que représentent les différentes associations, ces réseaux sont difficilement accessibles selon les mêmes méthodes.

L'observation directe, en effet, méthode d'investigation puissante en terrain classique, se heurte dans la ville au phénomène de division spatiale des rôles, en particulier aux difficultés de pénétrer la sphère du privé. Les lieux entre lesquels chacun évolue présentent souvent des degrés fort divers d'accessibilité pour l'enquêteur : celui-ci parvient-il à accéder à l'espace d'habitation qu'il lui est souvent impossible de suivre les enquêtés sur leur lieu de travail, ou inversement. La méthode par entretiens ne permet de pallier que partiellement ces difficultés. Dans le cas présent, les caractéristiques des réseaux que l'on se proposait de prendre comme objet d'étude rendaient ces méthodes inopérantes.

On ne peut en effet étudier les modalités de la transmission de l'information indépendamment de son contenu ; or, celui-ci consiste en secrets jalousement gardés vis-à-vis de l'extérieur et qui, même dans le cadre des réseaux, ne se transmettent que très parcimonieusement. D'autre part, les caractéristiques formelles des réseaux, aussi bien que les stratégies qui s'y déploient, relèvent davantage de régularités que de règles et échappent partiellement à la conscience des sujets ; faisant rarement l'objet d'énonciations, elles ne peuvent le plus souvent être observées qu'en actes. Enfin, l'opacité résultant de l'espace privé atteint ici son degré ultime, la transmission de l'information se faisant essentiellement au cours de conversations téléphoniques.

Dans ces circonstances, la réponse technique ne pouvait être que l'observation participante ; et, plus particulièrement, cette forme d'observation participante que l'on qualifiera de totale pour la distinguer de ce qui est très fréquemment employé comme un quasi-synonyme de la simple observation directe[7]. Cette méthode s'est révélée doublement féconde. La capture d'insectes très recherchés, la découverte de stations nouvelles, la possibilité de disposer ainsi d'une monnaie d'échange, ont permis de lever les obstacles énoncés ci-dessus[8]. Mais l'apprentissage lui-même, surtout dans sa phase terminale, s'est révélé particulièrement riche en enseignements, parce que c'est à ce stade que le groupe exerce de la façon la plus claire son contrôle normatif, en prenant la peine (plus tôt, il ne s'en soucie pas ; plus tard, ce sera inutile) de rendre manifeste son système de valeurs pour corriger les comportements relationnels jugés inadéquats.

On ne peut, pour finir, éviter d'aborder un problème qui, s'il n'est nullement propre à l'ethnologue de la société moderne, s'impose cependant à lui par son aspect massif : celui de la quantité considérable de matériaux imprimés qui se rattachent d'une manière ou d'une autre à l'enquête, y compris ceux qui sont produits par les enquêtés eux-mêmes. L'entomologie, science constituée depuis deux siècles, est à l'origine d'un nombre immense de travaux : qu'il s'agisse de systématique, de biologie ou de technique, d'entomologie appliquée, d'ouvrages de vulgarisation ou de biographies de savants, c'est par milliers que les publications s'accumulent sur les rayons des bibliothèques spécialisées. Ceci appelle deux remarques.

Tout d'abord, ces matériaux fourniront de précieuses indications — à condition de les traiter avec prudence, et de ne jamais perdre de vue que la distorsion entre ce qui se dit et ce qui se fait risque d'être amplifiée lorsque le dit est remplacé par l'écrit. On peut y trouver des pistes de recherche ou, à l'inverse, y vérifier des informations orales. Quelques traits entr'aperçus dès les débuts de l'enquête, comme la prédilection des collectionneurs pour certaines familles et le délaissement dont d'autres sont l'objet, seront ainsi prouvés plus objectivement par l'examen des index des revues, la lecture des listes de vente des commerçants ou des petites annonces d'échanges entre collectionneurs. Des polémiques dont l'enquêteur est le témoin, mais dont il hésite à affirmer la portée générale, peuvent de même voir leur importance confirmée par l'accumulation de preuves fournies par la littérature. D'une certaine manière, les textes, publiés dans une revue nationale par des auteurs ayant peu de contacts personnels entre eux et ne cherchant pas à se ménager, sont souvent plus libres que ce qui se dit dans le cadre plus étroit d'associations où règne une volonté de consensus. Ces matériaux peuvent aussi, comme sur n'importe quel terrain, permettre à l'enquêteur d'avoir accès à la dimension historique — de constater, par exemple, que les conflits qu'il observe aujourd'hui (tel celui dit du variétisme) avaient déjà cours, en des termes presque équivalents, au début du siècle.

Ensuite, cette présence massive de l'écrit participe, en quelque sorte négativement, à la construction de l'objet. Elle met en effet le chercheur dans la nécessité d'affiner ses outils d'analyse pour observer la réalité des comportements vécus, par opposition à la face officielle de l'activité entomologique que représentent largement les publications. Ce type d'enquête se trouve donc assez bien immunisé contre les risques de juridisme — affirmation qui demande à être illustrée d'un exemple. Un ethnologue travaillant chez un peuple pasteur pourra recueillir, de manière exacte et complète, le corpus des termes utilisés pour nommer le bétail ; mais il lui restera à étudier comment cette terminologie fait l'objet d'une pratique : variations selon le contexte, le degré de proximité sociale du locuteur et de l'auditeur, les niveaux de compétence, etc. Cependant, dans les conditions habituelles de la profession, peu songeront à lui reprocher de s'être arrêté au premier stade de l'observation dans la mesure où il aura recueilli des matériaux nouveaux. En revanche, enquêtant sur la nomenclature entomologique, il ne saurait être question de recueillir les millions de termes utilisés pour nommer les insectes, puisqu'ils sont inscrits dans des milliers d'articles et d'ouvrages : si l'on doit aborder ce thème, ce sera nécessairement sur le plan de l'observation des comportements. On mentionnera l'importance des écarts entre les règles officielles et les pratiques réelles ; les problèmes de communication entre interlocuteurs ayant des compétences parfois fort différentes ; les relations entre graphie et phonie ; l'existence de variante ; les manipulations jouant sur de possibles synonymes pour dissimuler la nature d'un taxon (*Carabus auratus ventouxensis*, interdit de capture par un arrêté ministériel, se vend sous le nom de *Carabus auratus fabrei* ; un exemple plus complexe est détaillé dans Delaporte, 1984a) ; et, surtout, l'intérêt que présenterait une analyse du processus de création lexicale. De manière surprenante, si la forme des noms est soumise à des règles précises, leur contenu sémantique est laissé à l'entière liberté du descripteur. Anagrammes, jeux de mots, procédés allusifs, métaphores font de la nomenclature le champ d'une activité ludique et poétique, mais également un lieu où se cristallisent des rapports sociaux, qu'il s'agisse de la prestation hautement valorisée qu'est l'immortalisation du nom d'un collègue ou, à l'inverse, de son emploi comme arme dans des polémique : ainsi de *Delenda carthago*, nom attribué à un charançon d'Asie mineure et dédié en dérision à un collègue qui avait, dans un précédent article, confondu Troie et Carthage ; ou de ce *Rhyacophila tralala*, nom attribué à un trichoptère des États-Unis pour moquer l'habitude des entomologistes américains d'attribuer des noms arbitraires[9].

L'ethnologue régnant souvent sans partage sur les terrains exotiques, la question des fondements de sa discipline ne s'y pose peut-être pas avec autant d'acuité que dans le domaine urbain. Ici, plus encore que là, l'ethnologue se trouve en terrain mouvant ; il doit procéder par approximations successives et construire son objet dans le mouvement même de l'enquête. Il lui faut renoncer à saisir la totalité d'une société, mais ses méthodes d'investigation, qui consistent essentiellement en une observation patiente, soucieuse du détail, poursuivie dans la longue durée, restent irremplaçables pour la connaissance de chacune des pièces du puzzle social. Le champ urbain est trop vaste, et ouvert depuis trop peu de temps à l'enquête ethnologique, pour qu'une réflexion sur ce thème puisse apparaître autrement que fragmentaire ; même une somme aussi considérable et inspirant autant le respect que le livre d'Ulf Hannerz (1983) laisse des pans entiers dans l'ombre. Aussi n'avons-nous tenté ici que d'apporter, à partir d'une enquête particulière, quelques éléments pour constituer un dossier qui ne sera pas de sitôt refermé.

Yves Delaporte.

Ce texte a bénéficié des discussions menées dans le cadre du Laboratoire d'anthropologie urbaine (CNRS), et en particulier des remarques et conseils de Colette Pétonnet.

NOTES

1. Alors qu'il devait mener ses troupes au combat lors d'une bataille décisive des guerres napoléoniennes, le comte Dejean aperçoit un insecte qui lui paraît nouveau. Il met pied à terre, pique la bestiole dans son chapeau, remonde en selle et fait sonner la charge. De telles anecdoctes sont nombreuses (Delaporte, 1984a) ; elles montrent l'envahissement de

la totalité de l'espace et du temps personnels de chaque entomologiste par sa passion.

2. Du point de vue de leurs adversaires, les collectionneurs de carabes cristallisent cinq défauts (dont chacun peut se retrouver chez des spécialistes d'autres familles) : ils s'intéressent à des insectes spectaculaires et de bonne taille ; ils corrompent l'image de la probité scientifique en encourageant les pratiques commerciales ; ce sont des variétistes ; leurs techniques de chasse appauvrissent exagérément la faune ; ils se spécialisent jusqu'au ridicule.

3. Sympatrie : particularité de plusieurs espèces ou sous-espèces d'avoir une affinité pour la même région géographique. Ant. : allopatrie.

4. Voir, sur des thèmes proches, les recherches pionnières de Bruno Latour (Centre de sociologie de l'innovation) : « La représentation de la réalité est un résultat parmi d'autres que construisent phrase à phrase les laboratoires et les articles scientifiques, et que peuvent déconstruire, phrase à phrase, ceux qui lisent en sociologue et en sémioticien les articles scientifiques » (LATOUR & BASTIDE, 1984, 126).

5. H. DESCIMON (1975, 20), par exemple, la compare ainsi à « une division par zéro ».

6. Pour des exemples analogues dans d'autres domaines, voir HANNERZ, 1983, 151.

7. Cet emploi abusivement synonymique provient en partie de ce qu'observations directe et participante s'opposent toutes deux à la méthode des entretiens, en particulier à sa version sociologique. Il tient aussi, bien entendu, au caractère prestigieux (pour la discipline comme pour les individus) de l'observation participante.

8. L'intégration à un réseau a demandé trois années et a procédé par sauts qualitatifs, suivant très exactement la valeur de mes captures, mais qu'un critère, le nombre de communications téléphoniques reçues à mon domicile, permet de quantifier très fidèlement. Une tentative d'intégration simultanée à deux réseaux concurrents a échoué : j'ai rapidement été sommé de faire un choix.

9. L'analyse de la nomenclature entomologique fait l'objet d'un travail en cours, mené du double point de vue ethnographique et sémiologique ; une version préliminaire, très simplifiée, a été publiée dans une revue d'entomologie (DELAPORTE, 1985) pour recueillir les opinions des intéressés.

BIBLIOGRAPHIE

COLLINS, H.M. & PINCH, T.J.

1982 « En Parapsychologie, rien ne se passe qui ne soit scientifique », *Pandore*, nº spéc : *La Science telle qu'elle se fait. Anthologie de la sociologie des sciences de langue anglaise,* 249-289.

DELAPORTE, Y.

1984a « Des Insectes et des hommes », *Les Temps modernes,* 450, 1235-1263.

1984b « Stratégies d'information et d'intégration dans une association d'entomologistes : une approche ethnozoologique », *Ethnologie française,* 14 (4), 331-341.

1985 « Quelques remarques sur la formation de la nomenclature », *L'Entomologiste,* 41 (2), 49-54.

DESCIMON, H.

1975 « Les Critères biogéographiques de la délimitation de l'espèce », *La Notion d'espèce chez les insectes.* Paris, Société entomologique de France, 17-20.

GUTWIRTH, J.

1978 « L'Enquête en ethnologie urbaine », *Hérodote,* 9, 38-55.

HANNERZ, U.

1983 *Explorer la ville. Éléments d'anthropologie urbaine.* Traduction et présentation par I. Joseph. Paris, Éd. de Minuit.

LATOUR, B. & BASTIDE, F.

1984 « Essai de science-fabrication », *Études françaises,* 19 (2), 111-126.

LEROI-GOURHAN, A.

1971 *L'Homme et la matière.* Paris, Albin Michel.

PÉTONNET, C.

1973 « Méthodologie ethnologique en milieu urbain : un groupe espagnol », *L'Homme, hier et aujourd'hui. Hommage à André Leroi-Gourhan.* Paris. Cujas, 457-468.

LA PÂLEUR NOIRE

COULEUR ET CULTURE AUX ÉTATS-UNIS

Colette Pétonnet

En cette fin de siècle, quand est révolu l'âge d'or de la découverte en territoire inviolé, il importe qu'une nostalgie compréhensible n'émousse pas la capacité des ethnologues à se passionner pour les sociétés humaines, et que le poids de l'œuvre écrite n'inhibe en rien leur réflexion. Il leur faudra se satisfaire de renouveler le genre, sans craindre de regarder ce que d'autres ont déjà vu, à l'instar des historiens, avec cette autre dimension qu'est le mouvement du temps présent.

Dans les sociétés modernes particulièrement, l'abondance de l'information et une vaste littérature risquent d'accabler le chercheur jusqu'au renoncement. Les ouvrages concernant les Américains noirs atteignent un volume considérable. La question des ghettos noirs n'est-elle pas épuisée ? Depuis des décennies, sociologues et anthropologues y ont confronté leurs approches, des chercheurs noirs y ont consacré leur vie. Que peut-on oser écrire après l'étude monumentale de Saint Clair Drake et Cayton et les analyses pénétrantes de Franklin Frazier ou de Kenneth Clark[1] ? Cependant, au fur et à mesure que la connaissance progresse, on s'aperçoit que plus la complexité du phénomène est analysée, moins se résolvent les controverses entre les auteurs, que plus est grand l'effort de globalisation, moins le lecteur dispose de descriptions à confronter aux données de son expérience, expérience qui n'apparaît pas dans la littérature et dont l'absence conduit à se demander si elle est voulue, fortuite ou significative et peut-être si elle ne légitime pas un regard européen — un regard épris du détail mais libre de cette focalisation dont meurt, dans certains ouvrages, la complexité initiale. C'est pourquoi il n'y a ni audace ni inconscience à livrer d'ores et déjà certains éléments d'une enquête à ses débuts, glanés dans les quartiers noirs, et les réflexions qui à la fois sont nées d'elle et l'orientent, de New York à Philadelphie.

Il règne dans les églises protestantes noires, quelle que soit leur obédience, une densité émotionnelle très particulière. La ferveur presque tangible croît et décroît tantôt sous l'empire de la musique, des voix des chorales, des gospels et des cantiques, tantôt au gré du pasteur dont la diction de tragédien accompagne la montée emphatique du sermon, ponctué de *Yeah Man !* ou de *Yes Sir !* selon les publics, aussi bien que le quasi-chuchotement de l'apaisement final, aux larmes essuyées sur un soupir, *O Lord !* De cette atmosphère, à nulle autre semblable — grecque ou hispanique —, les ouvrages ne parlent pas. Dans le chapitre consacré aux églises, et rarement omis, celles-ci sont envisagées sous l'angle de leur histoire et de leur rôle, de leur fonction sociale, de l'action et du pouvoir des guides religieux. Parfois une définition est donnée, comme celle du pentecôtisme, réduite chez J. Lyford[2] à la lecture de la Bible et l'appel du pasteur à l'autodiscipline. Par ailleurs, les gospels sont enregistrés et des corpus de negro-spirituals soumis à l'analyse littéraire (M. Yourcenar[3]). Mais, sur le déroulement des différents services, sur les pratiques religieuses, les croyances et l'expression de la piété, le silence semble général, jugements de valeurs exceptés. Où chercher la cause de ce mutisme ? Dans l'Église réformée qui, englobant Noirs et Blancs sans différence de doctrine, nierait tout particularisme ? En ce cas, qu'est-ce qui autorise Hannerz[4] à user du terme « Black religion » sans autrement l'expliciter ? La religion noire serait une donnée implicite, faite de nuances inavouées. De quelle gêne s'agit-il qui n'empêche pas les chercheurs américains d'étudier actuellement le vaudou chez les Haïtiens de New York ? Le catholicisme des adeptes favorise peut-être la distanciation. Mais surtout le vaudou possède des letttres de noblesse que l'Église noire américaine n'a jamais eues. Des savants ont certifié l'origine africaine du vaudou. Or Frazier affirme que chez les Américains noirs, « même en ce qui concerne la religion il n'y a pas de preuves de survivances africaines, comme c'est le cas aux Antilles ou au Brésil ». Les traces effacées, qualifiées d'impondérables par Herskovitz, n'ont pas retenu l'attention des africanistes. Donc l'Église noire, pétrie de croyances indissociées destinées à conjurer les maux, est inférieure. Intériorisée, cette conception contraint les chercheurs noirs à passer sous silence la religiosité.

Il y a plus de cinq cents églises à Harlem. Il convient de livrer quelques notes de terrain avant de poursuivre. Les scènes se passent en octobre 1984 dans une ancienne boutique — identique à celle que décrit Baldwin dans *Go Tell it on the Mountain*[5] — transformée en église grâce à cinq rangées de chaises, une estrade et un pupitre, un piano, un harmonium et une batterie. Derrière le rideau rouge, les coulisses. Les horaires sont écrits sur la vitrine à la peinture rouge. L'église « fonctionne » tous les jours. Le pasteur est une femme, Mamie R., soixante ans.

Jeudi, 19 h 30 — l'église est encore vide. Une grosse femme blanche s'exerce péniblement au piano. Les chaises sont disposées sur les côtés. Mamie, vêtue d'une jupe écossaise et d'un blazer grenat, coiffée d'un béret assorti, s'installe à la batterie et entonne un cantique. Elle encourage de la tête les efforts de la pianiste, « notre sœur juive blanche » qui, soutenue par le rythme, joue mieux. Surgi de derrière le rideau, Brother Brox, en costume gris et cravate blanche, rejoint sa place au fond de l'estrade, où il gratte sa planche à laver. Les « saintes » arrivent, vont revêtir leur surplis, taillé dans un rideau de tergal, et leur coiffe de dentelle, s'emparent d'un tambourin. Chaque arrivant prononce *Praise the Lord,* s'agenouille un instant, puis s'assoit et se joint aux chanteurs. Le tambour branlant sur sa tige, Brother le dévisse, l'emporte au fond, et revient le fixer sans cesser de chanter, tandis que Mamie joue des cymbales. C'est une veillée paisible, sans enfants. Aux chants succèdent les invocations au cours desquelles, à tour de rôle, chacun porte témoignage *(testimony).*

Vendredi, 20 h 30 — Lecture de la Bible. La fillette qui tient l'harmonium est à son poste. Chaque « sainte » lance un hymne que l'enfant accompagne après trois notes hésitantes pour trouver le ton. Puis Mamie, vêtue ce soir-là d'une toge blanche, annonce : « On va lire John ». Les chaises sont disposées en rang comme pour le service. La fillette va s'asseoir et elle ne tardera pas à s'endormir, immobile, en torsion, les bras repliés sur le dossier. Chacun rend grâce rapidement, moi-même y compris, levée sur un signe du pasteur, les remerciant de m'accueillir. Brother Brox lit le verset, demande si l'on a compris. On répond *No* ou *Amen.* Il explique, recommence, continue. Mamie commente *Be born again* (doctrine des pentecôtistes). Sister Davis, qui suit du bout d'un crayon bille, souligne le dernier mot du verset en disant : *Alleluiah.* La « sainte » chargée de l'accueil vient essuyer la bouche de la paralytique qui s'est assoupie dans le coin qui lui est réservé. Dans les *Actes des apôtres,* Brother saute les versets concernant les Parthes et les Mèdes, la Cappadoce, la Mésopotamie, notions difficiles à expliquer. A 23 heures, après une vingtaine de versets seulement, je reçois l'ordre de partir (« You, go home, is late ») et la sœur juive celui de m'accompagner. Pendant le court trajet d'autobus, celle-ci raconte sa maladie mentale, la découverte qu'elle fit de Mamie, l'amélioration de sa santé et la joie qu'elle éprouve à tenir le piano.

Dimanche, 11 h 30 — Sister Davis lance des hymnes pendant que l'église se remplit lentement ; on installe la paralytique, les enfants sont au premier rang. Un Portoricain mal rasé s'assoit au fond. Mamie arrive à midi, des sacs en plastique au bout des bras, disparaît derrière le rideau, revient en robe à collerette ; un rythme endiablé démarre. Puis les invocations commencent. Sister Davis parle d'un ton plaintif, en sautillant, paumes levées. Des larmes roulent derrière ses lunettes. Elle appelle *O Lord !* de plus en plus fort et vite. Les *Amen* de l'assistance ponctuent la voix qui s'essouffle. La salle est attentive, excepté deux petits garçons en costume noir rayé qui, nullement impressionnés, font, sans bruit, un concours de grimaces. Mais l'élan mystique est contrôlé. Mamie indique d'un roulement de tambour que cela suffit. Elle entonne un hymne, le piano et l'harmonium suivent, la tension tombe. Sister Davis se rassoit, répare discrètement avec un mouchoir en papier les désordres de son corps secoué d'une quinte de toux, tandis que la musique redouble. Soudain Mamie lâche ses baguettes, se lève et danse les bras en l'air. Deux enfants écartent la batterie. Elle prononce des syllabes syncopées, trépigne, pousse des cris véhéments suivis d'ahanements. Le souffle lui sort des lèvres avec des cris de plaisir. Puis elle s'abat sur sa chaise et reprend sa respiration. Un fidèle prend la parole. Une femme en chapeau rouge arrive, portant un plat de victuailles. Derrière l'harmonium la fillette se repose, tassée sur elle-même, les yeux fermés.

Le dimanche suivant il y a fête. Tout l'après-midi des musiciens, des chorales, des pasteurs évangélistes se sont succédé, venus d'autres églises. La quête a rapporté la somme, joyeusement annoncée, de 94 dollars. A la fin Mamie conclut d'un discours. Mais tout en parlant, elle désigne des gens qui forment cercle autour d'elle. Elle chante alors et le cercle marque le pas. Puis chacun des appelés danse à son tour au centre, courbé en deux et claquant des pieds en arrière.

Nous ne sommes pas loin des danses de possession dans cette église pour misérables, cette église thérapeutique où l'on peut manger, parler, pleurer, être possédé. Mais seul J. Baldwin emploie le terme « possessed » quand il décrit des personnages « en transe » qu'il place « sous le pouvoir de Dieu ». Certes il s'agissait de pentecôtistes, mais dans la riche église baptiste, et néogothique, de Convent Avenue, des femmes en blanc, des « nurses » veillent, prêtes à intervenir si quelque fidèle tombe en pâmoison quand l'air vibre de sanglots. Dans une université noire de Pennsylvanie, le pasteur à la barbe de prophète, qui célébrait la cérémonie de « graduation », termina son exhortation en empoignant ses cheveux d'une main tandis qu'il tournoyait sur lui-même d'un pied léger de danseur, figure qu'aucun ministre blanc — en eût-il été capable — n'aurait osé exécuter.

My soul is a witness for my Lord. Il y a une manière noire d'être pieux, ce qui ne signifie pas que tous les Noirs la vivent. Il y a aussi une manière de se rendre à l'église vêtu de ses plus beaux atours : tailleurs stricts, robes décolletées, manches à volants, paillettes et dentelles, fourrures et bijoux, costumes sombres ou rayés, ouverts sur le gilet, chaussures vernies, ou à deux tons, organdi blanc, satin violet, larges capelines de feutre rouge, turbans noir et or ou de taffetas fleuri, bérets de velours cramoisi, toques à plumes ou à cerises, avec ou sans voilettes à pois, larges ceintures des fillettes. Comment définir cette mode où l'on veut voir « ce goût des nègres pour les couleurs voyantes » et qu'on assimile à un « besoin de respectabilité » ? Elle apparaît surannée ou d'origine provinciale. Mais ces vêtements aux étoffes soyeuses, aux coupes et couleurs inhabituelles, sont toujours de mise en province et à Paris dans les cortèges de mariage. Ce sont des habits de cérémonies, des habits rituels. Demain, lundi, ces mêmes femmes enfileront un pantalon et un tee-shirt pour aller faire des ménages sur la Cinquième Avenue, et elles paraîtront alors si typiquement américaines qu'on ne soupçonnera pas le passage, rythmé et familier, d'un monde à l'autre.

Les ouvrages ne font pas non plus mention d'une éventuelle tradition culinaire, sauf allusion à la *soul food*. Les *black dishes* — porc laqué, pain de maïs... — auraient été volés aux Blancs du Sud, mais de la cuisine caraïbe on ne se demande pas ce qu'elle doit aux maîtres blancs.

Les Noirs sont seulement américains et même « exaggerated Americans ». La culture noire n'existerait pas. Seuls certains traits font l'objet d'études spécialisées comme celle du musicologue Alan Lomax ou du linguiste W. Labov[6]. Mais, là encore, il s'agit de survivances dont aucune étude ne fait la somme ou la synthèse. En revanche, on ne compte pas les histoires du jazz. Mais ce peuple au rituel particulier, à la musique caractéristique, qui cuisine des plats parfumés, dont les termes d'adresse sont *Sister*, *Brother*, *Honey*, *Sugar*, *Folks*, ce peuple n'est pas envisagé sous l'angle culturel de son originalité, fût-elle américaine.

La culture noire ne peut pas avoir d'existence reconnue, car elle renvoie à l'image du ghetto aussi bien chez les sociologues que dans l'esprit des gens de couleur eux-mêmes, d'où un effet de boomerang. Selon Frazier, dès que les Noirs montent dans l'échelle sociale ils rejettent toute culture noire, s'efforçant ainsi, en se démarquant du populaire, de se débarrasser des stigmates. « Il n'y a pas de culture noire, il n'y a que des classes sociales », s'écrie Deborah (bottes italiennes, blouson Yves Saint-Laurent, parfum Dior) à la fin d'un dîner caraïbe offert sur une table Knoll. Fonctionnaire et psychanalyste, elle habite un bel appartement dans un immeuble « frontalier ». « D'ailleurs, ajoute-t-elle, je vis comme une Blanche, j'ai des collègues blancs. » Elle a le teint très clair. A Paris quelqu'un l'avait prise pour une Anglaise, ce qui la fit bien rire. Mais ses clients sont noirs parce qu'aucun collègue blanc ne lui envoie de patient blanc. C'est cela le mur invisible du ghetto dont parle Kenneth Clark et qui s'étend bien au-delà des quartiers délabrés.

Le concept de culture de ghetto, avec son cortège de misère, de drogue et de délinquance, ramène les auteurs au social comme unique dimension. C'est pourquoi Glazer et Moynihan[7] prétendent que « le Nègre n'a aucune valeur ni culture à sauvegarder ». Les conclusions oscillent de l'infériorité à l'injustice selon les idéologies, et le glissement à la culture de pauvreté achève de confondre les plans.

Il faut en finir avec ces concepts, sortir des quartiers pauvres, cesser d'assimiler les comportements réactionnels à des traits culturels. Il me semble inadéquat d'associer le trafic illicite, les jeux de hasard, la religion noire et la station de radio-ghetto (Hannerz). Dans les tripots clandestins les flambeurs sont blancs aussi. Quand les Américains noirs sont pauvres, ils le sont à la manière dont on est pauvre dans d'autres concentrations urbaines, comme le dit Billingsley[8] et le suggèrent mes propres travaux. Quand les pauvres sont Noirs américains, ils possèdent un style culturel qu'il devrait être possible de retrouver, en partie au moins, dans les classes moyennes. En dépit de Charles Keil[9], qui se moque avec indulgence des efforts des Blancs pour démêler la culture américaine, il me semblait que la sociabilité ne saurait disparaître tout à fait, que dans le corps, dernier refuge de la mémoire, les gestes, les goûts, quelques traces subsisteraient. C'est sur cette hypothèse que je partis en mai 1985 pour Philadelphie passer une semaine chez une amie de Deborah. J'y glanai un matériel disparate et incomplet, au demeurant fort utile à la réflexion.

Nettie est retraitée de l'administration scolaire[10]. Elle jouit en outre des revenus d'un « business » dont elle tait la nature. Séparée de son mari, elle dispose de son temps. Elle me fait pénétrer, en me présentant comme anthropologue, dans un milieu de fonctionnaires, enseignants pour la plupart des premiers cycles, primaire et secondaire, tous aux alentours de la cinquantaine. Nous allons à l'université Lincoln, au concert, chez son avocat, et elle donne une « party » en mon honneur. Elle a la peau blanche et le cheveu à peine ondé, mais le nez et les lèvres trahissent le métissage. Elle est catholique et a horreur des gospels. Elle prend des pilules pour supprimer l'appétit et ne cuisine plus. Du reste, le gaz est coupé et il faut faire chauffer sa tasse d'eau dans le four à micro-ondes avant d'y verser le café soluble. Elle m'emmène manger des salades composées à la cafétéria de l'université, des moules près du port, des hamburgers au

Friday's, surpeuplé de Blancs. Elle porte des vestes de lin sur des chemisiers de soie et roule en Cadillac jaune.

Le quartier est résidentiel, sans signe de taudification, sauf dans la 52e Rue qui le jouxte. Dans Larchwood Avenue, bordée de platanes, les maisons s'alignent en léger retrait sur un talus, un bow-window à l'étage, séparées par un passage étroit qui conduit à l'arrière-cour. Le salon s'ouvre sur l'avenue. Dans la cour de Nettie, un carré de ciment peint en vert supporte les fauteuils ; les marches de bois qui montent à la cuisine sont recouvertes d'un gazon de plastique vert. Chez Kate, en face, une terrasse en bois prolonge la cuisine. Le reste est planté, sauf un coin dallé pour le barbecue. Un piquet porte deux prises : dès que l'on sort dans la cour on y branche le téléphone. Si l'on s'installe un long moment, on branche aussi la TV, celle de la cuisine, par-dessus laquelle il faut se pencher, chez Nettie, pour atteindre le mixer. Un téléviseur plus important siège au salon et chaque chambre possède le sien. Les fils du téléphone courent sur l'escalier. On se déplace avec les appareils, au nombre de cinq, du haut en bas de la maison. Dans le sous-sol de Kate, que son mari, technicien en informatique et habile bricoleur, a aménagé en buanderie-douche-atelier-bar, il y a trois téléphones, deux téléviseurs dont l'un, hors d'usage, sert de support à l'autre, et un magnétoscope ; téléphones et téléviseurs sont présents dans chacune des pièces de la maison. Les cuisines sont suréquipées mais les salles de bain privées de luxe. La radio diffuse sans interruption des variétés — disco, punkrock — et des messages publicitaires. On l'allume à peine entré dans la maison et, dans la voiture, avant de mettre le contact. Kate ne l'éteint pas lorsqu'elle sort « pour que le chien ne s'ennuie pas ». Le standing exige qu'on ne se déplace qu'en voiture, même pour se rendre chez Celie à deux blocs de là. Le fait que chaque matin j'aille à pied acheter le journal alimente les conversations. Si la voiture est garée à quelque distance, on s'y fait ramener par quelqu'un de plus chanceux. Sur le parking du campus, le jour de la cérémonie de graduation, il n'y avait que de grosses voitures américaines luxueuses. Kate conduit une

Chrysler station-wagon « parce que les petites sont dangereuses ». Un choix non américain serait inconcevable. Les jeunes intellectuels blancs qui achètent des voitures européennes ne constituent pas un modèle.

Nettie conduit avec aisance, tout en se passant de la crème sur les mains, en se grattant un bouton devant le rétroviseur, en mangeant un chausson fourré de *chili con carne*, ou en rangeant sa monnaie dans le casier prévu à cet effet et si pratique pour téléphoner en cours de route. Kate, qui a des loisirs depuis le départ des trois enfants et « adore conduire », n'a de cesse de me promener à travers la ville et ses alentours, commentant les quartiers noirs, blancs, jamaïcains, chinois, celui de son enfance, désormais délabré, les banlieues résidentielles et même les cimetières noirs — car les cimetières sont noirs aussi puisqu'ils appartiennent aux églises —, sans jamais s'arrêter ni descendre de voiture. Nos pérégrinations englobant l'heure, très fluctuante, du lunch, Kate choisit de déjeuner dans une « pancake house » (sorte de crêperie de bord de route) pour faire mon éducation américaine, ou près d'un petit bois, dans un « restaurant basses calories » dont elle fait remarquer la décoration art-déco et où nous nous sustentons de légumes à la vapeur et de poisson poché. Une seule fois, pour m'y faire goûter, elle a acheté des barquettes de poulet frit que l'on a dégusté à la maison. Car les *black dishes* sont mauvais pour la ligne ; il faut les exclure pour se nourrir diététiquement, comme le rabâche la télévision et en témoignent les magazines féminins dont on suit les modèles d'élégance et de menus.

Kate aime faire du shopping dans les grands centres commerciaux où l'on peut aisément parquer sa voiture. Elle achète un parasol en me présentant au vendeur blanc qu'elle ne connaît pas. Nous essayons des pantalons dans un grand magasin spécialiste de marques dégriffées dont elle est une cliente assidue. Elle s'habille avec une élégance d'un genre sportif que l'on qualifierait à Paris de « Rive gauche ». Ses conseils sont avisés, et si elle requiert l'avis de la vendeuse (blanche) c'est afin de me présenter. Le lendemain, elle insiste pour que j'assortisse le pantalon d'un haut *(top)* que nous achetons dans le même magasin, non sans en avoir d'abord visité d'autres.

Kate parle d'abondance, répond à toute question, prend plaisir à m'instruire. Mais, pour qu'en ma compagnie son plaisir soit complet il lui faut des témoins blancs.

Le noir et le blanc commencent à s'imposer à l'attention qui devient plus vigilante au phénomène de la couleur, couleur des peaux, couleur des choses. L'assortiment des couleurs semble une préoccupation constante. Dans son salon récemment rénové d'une épaisse moquette blanche, sur un canapé de cuir blanc de chez Roche et Bobois, Nettie pose des coussins verts et mauves « non pour le confort mais pour la couleur, car il faut animer le blanc, le casser ». Le choix d'une toile rose pour recouvrir les vieux fauteuils la satisfait, mais sur la peinture fraîche du mur blanc où elle enfonce des clous avec une clef à molette, elle hésite longuement à disposer ses tableaux, des reproductions de paysages qu'elle craint de rapprocher, et dont les couleurs, à mes yeux, ne détonnent pas dans cet environnement blanc. Elle quête sur ce thème, jusqu'à deux heures du matin, l'avis de son amie Molly, toute vêtue de blanc, « qui est experte en couleurs ». Le nouveau parasol ne satisfait pas Kate qui le rendra au magasin. Ses tranches rouges, bleues et jaunes lui sont intolérables près des fauteuils marine et blanc. Des revues de décoration, internationales et onéreuses, jonchent les tables basses, même chez Célie qui n'a que son salaire d'institutrice pour vivre, et dont le teint foncé et l'intérieur vieillot rappellent le Sud.

Finalement, ces gens ne parviennent à montrer rien d'autre qu'eux-mêmes dans leur effort de réussite sociale et la discrimination dont ils sont l'objet. Car leur insistance — dont l'outrance parfois révèle le tragique — à persuader l'étrangère qu'ils sont seulement américains a pour effet de lui faire voir sous leur véritable jour les existences noires dans les limites de leur couleur et celles de leurs territoires excentrés. En effet, nos promenades croisent la plupart du temps au large du centre ville, et si l'on peut me présenter à un vendeur blanc, personne n'est en mesure de me faire connaître un ami appartenant à l'autre société.

La soirée un peu guindée qui se déroule sous l'érable illuminé de la cour a pour but de me montrer combien le cercle d'amis, les enseignants des écoles noires, sont intelligents et respectables, rivalisant d'élégance (tergal blanc, lanières dorées des sandales à hauts talons), indiquant obligeamment à l'anthropologue un terrain propice à l'étude dans le quartier sud, cosmopolite, et le mettant en garde sans ambages contre toute erreur d'interprétation : « les Noirs sont américains ». Le ban et l'arrière-ban ont été convoqués, et toutes les nuances sont représentées, depuis l'athlète d'un noir profond qui conrut aux Jeux olympiques avec Guy Drut et fut adulé dans le monde entier, jusqu'à la fille d'une Française qui avait épousé à Saint-Nazaire, en 1945, un officier métis. Nettie n'offre pas d'alcool mais des jus de fruits pressés au mixer. La seule concession au passé est l'obligation, rationalisée, de manger avec les doigts les ailes de poulet du traiteur noir distribuées sur des assiettes en carton. Tard dans la soirée, mon manque de cigarettes provoque presque un incident. Car il n'est pas convenable d'aller s'en procurer dans la 52e Rue, malfamée, surtout la nuit tombée, où l'on ne se commet pas. Tous se récrient, nul n'accepte de m'accompagner. J'irai donc seule. Kenneth, le comptable qui arrondit sa retraite en cuisinant des plats du Sud pour un traiteur, m'emboîte alors le pas jusqu'au guichet du supermarché qui vend la nuit portes fermées, puis m'offre une bière au bar du coin où de jeunes prolétaires dansent sur une musique disco. Il y salue un couple très respectable et analyse en rentrant le dépérissement du quartier. Au retour, Kate précise que le patron du bar est un ami de son mari. L'atmosphère se détend. Le danger est passé.

Quel danger ? Il fallait éviter sans doute que la vision possible d'une quelconque déchéance noire risquât d'évoquer, dans l'esprit du Blanc, de nouveau, comme toujours, le sale et le funeste, en bref l'esprit du mal, et que par voie de conséquence un esprit ainsi pollué n'en vînt à confondre la culture des gens de couleur avec l'éternelle infériorité. L'ambivalence qui les tourmente est manifeste chez Nettie. Pendant le concert de gospels donné dans une église — et dont elle avait retenu les places avant même mon arrivée —, elle demeure gênée, le visage fermé, sans applaudir. Kate s'est jointe à nous, l'église est pleine. Les artistes tardant un peu, un paroissien fait chanter la foule ; un homme, au premier rang, a apporté son trombone ; quelqu'un se met au piano ; et les cantiques se succèdent dans une joie patiente. Le chœur arrive enfin, composé de cinq femmes accompagnées d'un pianiste, dans des robes de scène éblouissantes, voilant l'opulence des seins, quatre blanches et une bleue, dont certaines sont l'œuvre d'un couturier parisien. Pendant deux heures, les voix chaudes et la présence des chanteuses noires tiennent la salle en haleine. Après le spectacle, la plus grande descend dans l'allée. J'apprends que sa troupe se produit souvent à Paris. Je transmets l'information à Nettie qui attend, moteur tournant : « Où ça à Paris, dit-elle, dans un bar ? — Mais non, dans un théâtre. » Elle se tait, agacée, et nous emmène prendre un sorbet au Friday's en manière de compensation.

Ce qui est nègre l'irrite. Elle a mal supporté que Célie, son amie de toujours, confectionne à mon intention un dîner de porc au chou et de poulet aux patates douces. Comme je rapportais à la maison, dans du papier d'aluminium, des reliefs du repas donnés par l'hôtesse, elle dit : « Oh ! jette cette bouffe qui fait grossir. » Célie aussi surveille sa nourriture. Elle ne prend de breakfast que le dimanche. Mais elle boit du whisky et me sert d'autorité un grand verre de cognac. Elle a offert ce repas peut-être pour montrer ce qu'elle présume que je cherche, car « elle est allée un petit peu à Columbia et sait qui est Margaret Mead ». Après dîner, Frank, lui aussi ami d'enfance, qui était de la partie, met des disques d'Armstrong et de Duke Ellington sur le vieil électrophone. Ils dansent même un peu, avec cette libération du bassin si difficile à enseigner aux Européens. Ils donnent une sorte de représentation, mais leur sincérité n'est pas absente. Célie m'indique un choix d'auteurs noirs, une pile de livres à ma disposition, dit sa préférence pour Baldwin, montre des portraits de leaders dus au crayon d'un ami, et des photos d'elle siégeant dans des comités de dames noires. Elle évoque Paris où elle a rendu visite à une amie « près de la Sorbonne ». Elle voudrait quitter le quartier. Elle a été cambriolée trois fois et vit à l'ombre des volets fermés. Frank parle de la composition musicale à laquelle il consacre ses loisirs et de son plaisir à chanter dans une chorale d'église. Il sort seul, parce que, depuis la mort de leur fille, sa femme ne quitte plus l'église. Il n'envisage pas un voyage en Europe, car il craint trop d'y souffrir de nostalgie. « Il ne peut pas quitter son pays. »

Frank, bel homme resté svelte, sanglé dans un costume tabac assorti à son teint, avait été mon mentor sur le campus de l'université dont il me fit les honneurs pendant que Nettie était retenue à une réunion[11]. Ancien élève, il y revient chaque année pour la cérémonie de graduation. Professeur d'anglais, il parle une langue châtiée, celle des Blancs cultivés. En devisant sous les arbres, il avait tenu, d'entrée de jeu, le discours suivant : « Nous sommes tous dans l'enseignement ou le droit et reproduisons le système. Nous n'avons aucun pouvoir et ne savons pas nous unir. Si nous faisons des études techniques, nous ne trouvons pas de travail alors que les emplois attendent les Blancs qui sortent des écoles. Chacun essaie de se tirer vers le haut, seul pour lui-même. Nous nous habillons très bien parce que nous sommes inférieurs. Les Africains qui viennent étudier ici repartent sans s'être intéressés à nous. Nous ne représentons qu'une seconde classe à leurs yeux. Nous n'avons aucune racine, ni nom, ni souvenir, rien. Nous pensons blanc. Il ne nous reste que les chromosomes. »

Et s'il ne reste plus de chromosomes ou si peu ?

Kate a les cheveux auburn, portés longs, les yeux bleus et des taches de rousseur sur le nez. Après m'avoir fait visiter sa maison, montré sa collection de peintures, son premier soin fut de commenter les photos de famille. Sa grand-mère mi-allemande mi-française, avait les yeux bleus. Son grand-père était Indien. Pour des raisons ignorées d'elle la grand-mère est partie, laissant cinq enfants jeunes que le grand-père a confiés, çà et là, dans le voisinage. La mère de Kate, « la plus blonde », a été élevée par des Irlandais. Elle a par la suite épousé un Noir du Sud.

Au salon, dans le coin de l'escalier, quelques petits objets sont posés ou accrochés, rassemblés en une sorte d'autel aux ancêtres : un tambour et des ceintures africaines, deux poupées noires, l'une « made in Germany », l'autre en biscuit d'Espagne dont Kate admire la chute des reins « tellement bien imitée ». Pourquoi pas d'objet indien ? La question la laisse sans voix. Elle n'y a pas pensé, tant il est vrai que les Indiens ne sont ni noirs ni blancs. Elle ne fréquente aucune église mais, « à la différence de ceux qui oublient d'où ils viennent dès qu'ils réussissent, elle s'efforce de ne pas oublier ses frères noirs maintenant qu'elle est confortable ». L'ascendance européenne ne compte-t-elle pas ? Elle éclate : « C'est eux, c'est leur faute. Ils m'ont toujours traitée de Noire, un prêtre m'a traitée de pécheresse parce que j'utilisais des contraceptifs. C'était un Blanc. Ils m'ont obligée à refouler *(repress)* mes racines blanches. » Elle a épousé un homme au teint très foncé et sa fille se coiffe à la mode afro. C'est une ultra.

Kate n'avait pas d'autre choix que de s'identifier aux gens de couleur dans une contradiction quotidiennement vécue : au restaurant, si la serveuse blanche a commis la moindre erreur dans la commande, elle renvoie le plat avec autorité : « C'est parce que je suis noire », dit-elle. Cette affirmation confinerait à l'absurde, s'il n'était vrai qu'aux États-Unis la pâleur de la peau n'allège en rien la négritude. Le paradoxe qui consiste à attribuer uniformément la couleur noire, qui paradoxalement n'est pas une couleur, à des gens de couleur dont la teinte n'est jamais précisée, est une phénomène connu, parfois dénoncé (Saint Clair Drake), mais guère analysé. Car, à quelle culture noire s'identifient ces visages pâles dont la morphologie ne rappelle en rien celle des ancêtres africains ?

La revendication consciente de Kate privilégie les aspects nobles de la culture. Elle tient à me donner par écrit les références des peintres, sculpteurs et photographes dont la renommée a franchi le ghetto et dont elle possède des œuvres, et me montre des livres d'art retraçant leur biographie. Elle se satisfait aussi des modèles noirs de la réussite, symbolisés par le médecin et l'avocat, transmis par les feuilletons télévisés d'une chaîne spécialisée et le magazine *Ebony* dont Frazier, dans *Bourgeoisie noire,* critique le « make believe » (bluff) et qu'il présente comme le mythe social de l'élite noire.

Ce modèle, Nettie le présente en chair et en os en la personne de son avocat, à Washington DC. (Les faits sont restitués dans leur ordre chronologique afin de donner une vision plus globale de la vie et des mœurs.) Ayant appris qu'une manifestation contestataire aurait lieu le lendemain à Washington, Nettie décide que nous irons. Elle en profitera pour consulter Jim. Il est millionnaire, il possède son propre câble de télévision, il nous offrira un bon lunch. Après deux heures d'autoroute nous sommes les premières à son bureau. Jim arrive à 11 heures, grand, mince, haut en couleur, vêtu d'un jeans et d'une chemise brodée. Gai et tendre avec les femmes, il refuse de voir son courrier pour se consacrer à ses invitées. Il fait visiter les bureaux de ses collaborateurs, la salle de conférences, la salle d'attente et les toilettes, le tout somptueux, en dépit de l'aspect délabré du quartier. Sa clientèle est, évidemment, exclusivement noire. Dans la pièce d'accueil où une secrétaire travaille sans interruption, il bavarde avec des gens de passage, dont l'un de retour du Cameroun, puis nous emmène « chez Louis ». Il s'attarde un instant au bar, serre des mains, commande des cocktails. Pendant le repas ils échangent des nouvelles et des plaisanteries dont le débit et l'argot dépassent ma compréhension. Par déférence, Jim, changeant de ton, raconte ses voyages en Europe. Il a fait partie de la suite du président Nixon. Il trouve les Allemands arrogants et les Anglais froids. Un serveur s'est permis, à Londres, de lui dire : « Vous les Américains noirs, on ne vous comprend pas. » Il lui a rétorqué : « Prends mon fric et tire-toi. » Les Français sont différents, de même les Italiens : « You, Romanics, vous êtes mal organisés, comme tous les Romanics, mais plus proches, plus amicaux. » En rentrant, devant la station-service qui fait face aux bureaux, un homme lui sert la main. Présentations. C'est le patron de la station. Il est Italien. Jim nous mène en ville dans sa Buick. Il ne tarit pas d'éloges sur la capitale qu'il m'exhorte à visiter. Sur les esplanades désertes, nous ne trouvons pas trace de manifestation. Des passants noirs, interrogés, ne sont pas au courant « Elle aura été interdite. » Jim nous laisse et nous continuons à pied (en touristes). Devant un édifice dont les drapeaux claquent, Nettie, bras levé, un pied sur une marche, clame d'une voix forte : « United States of America ! », puis rappelle le rêve de Kennedy. Devant les grilles de la Maison Blanche, elle pose, exigeant une photo. Elle est vite fatiguée, prétend avoir parcouru trois miles, s'en enquiert auprès des gardes, leur demande son chemin et finalement rendre en taxi pour travailler avec Jim. Quand je les rejoins à 18 heures, Nettie dort, pieds nus, sur le divan de tweed où l'avocat « aime faire la sieste quand il a pris un whisky ». Adossé au cuir d'un fauteuil tournant, les pieds sur un bureau d'acajou, Jim fume une cigarette dans la lumière tamisée. Une grande sculpture africaine rompt la blancheur d'un mur. Des rafraîchissements arrivent comme par enchantement. Nettie emporte son coca à bord de sa voiture. Embrassades. « Je te téléphone demain », crie-t-elle en démarrant. A la maison, la soirée se termine devant un spectacle télévisé donné en présence de Gene Kelly et en hommage à son talent, qu'illustrent des extraits de films entre les éloges que de nombreux artistes, à tour de rôle, dédient au maître. Nettie reconnaît tous les acteurs. Elle les annonce et cite les films avant que les sous-titres apparaissent sur l'écran ou que la présentatrice nomme les invités. Peut-être n'a-t-elle pas même remarqué qu'un seul danseur de claquettes noir figure parmi eux. Ces comédies musicales, si typiquement américaines dans leur syncrétisme particulier, lui appartiennent. Et sur les idoles, toujours l'accord se fait.

Modèles noirs, modèles blancs, éléments en fusion, contradictions, ambivalence, diversité, toutes les observations montrent la complexité du phénomène culturel et, accessoirement, l'évanescence du concept de culture noire. Mais elles ne répondent pas à l'hypothèse posée au début du voyage. C'est que, à la recherche d'un style, d'une dimension commune dans les mentalités, autre que l'identification à l'Amérique ou à la classe sociale, il faudrait d'autres matériaux, qu'un plus long séjour aurait permis de recueillir. Une collection de menus faits, impossibles à livrer dans un article, ne suffisent pas à rendre compte de la sociabilité et des relations ; quelques-uns, à titre indicatif, permettent une suggestion.

Malgré l'unicité du « vous » anglais, la façon la plus courante d'aborder autrui ressemble à celle du tutoiement. Entre des êtres qui, par ailleurs, se disent frères, il existe — surdéterminée peut-être, et dans quelle mesure ? — une proximité qui présente quelque analogie avec ce que l'on peut rencontrer de cet ordre, à ma connaissance, en Afrique du Nord et dans les sociétés méditerranéennes. Si tous les amis ne sont pas des voisins, beaucoup de voisins sont des amis. Le jeune chômeur, venu faire du nettoyage, qui s'est assis au salon en attendant les ordres, est un voisin. On adresse facilement la parole à un inconnu, par exemple, dans un restaurant, à la seule femme noire attablée parmi les Blancs, ou bien dans la rue, source d'informations. Ayant reconnu un mafioso dans une rue du centre, Nettie s'offre un hot-dog et s'ouvre de cette rencontre à la marchande ambulante. Celle-ci dit que la photo du mafioso est dans tel journal. Nettie court au kiosque, lit le journal et le rend au vendeur sans l'acheter, en lui racontant l'histoire. Puis, après avoir acquis une paire d'anneaux d'oreilles à un dollar, non sans les avoir tous essayés, elle disparaît au fond d'une librairie dont elle ressort chargée de deux sacs pleins de magazines.

Ce mode de relation pourrait être qualifié de connivence. Comme il y a toujours un Noir de service en quelque lieu, c'est à lui qu'on s'adresse pour un renseignement ou un passe-droit. Un clin d'œil, un geste de la main au policier, et l'on stationne un instant en zone interdite. Le mot ami désigne fréquemment les gens que l'on connaît. Comme le travail alloué aux Noirs concerne les services, le réseau des connaissances permet d'obtenir des faveurs, ainsi la place de concert vendue à Kate au dernier moment, bien que la salle fût pleine. Nous passons outre l'interdiction de pénétrer dans le cimetière sans en aviser le gardien, car celui-ci est un ami. Nous nous rendons aussi chez le médecin sans le prévenir, et sans avoir l'intention d'attendre : c'est un ami. Bref, si la connivence n'est pas l'union, que l'on dit impossible aux Noirs, elle n'en représente pas moins, transversale aux classes sociales, un contre-pouvoir possible. Dans le même ordre d'idées, on pourrait se demander s'il n'existe pas de relations dites de clientèle.

Mais c'est à une réflexion d'un autre type que conduit l'expérience de ce séjour. Tous les gens rencontrés m'ont demandé si j'avais le mal du pays. Tous ont également demandé si je me plaisais à Philadelphie, mais aucun ce que j'en avais vu. Aucun n'a suggéré une visite à un monument ou un musée. Le musée n'est-il pas un fief blanc par excellence contenant une mémoire qui ne leur appartient pas ? Par contre, malgré les apparences, chacun des informants proches a volontairement livré des éléments de sa vie qui ont dévoilé certains aspects des mentalités. Kate livre son ascendance. Elle pense blanc mais a des goûts noirs en partie intellectualisés. Frank parle blanc mais pense noir parce qu'il chante à l'église et ne peut voyager[12]. Nettie espérait une manifestation contestataire ; blanche dans ses goûts, elle est, en politique, dans l'opposition noire. Célie, avec son intérieur modeste, son dîner, et sa préférence pour Baldwin, donne à voir une image plus traditionnelle, mais elle veut déménager dans un quartier mixte et c'est la seule qui ait effectué un séjour en Europe.

Comme tous les êtres en situation de double culture,

ils résolvent individuellement les contraintes par des choix culturels, oscillant d'un monde à l'autre en fonction d'une personnalité duelle dont l'histoire personnelle, en l'occurrence l'ascendance et, ici, la couleur, est un facteur constitutif. Cette couleur n'étant pas uniforme, l'héritage varie avec les métissages. C'est pourquoi il a paru nécessaire de préciser dans chaque situation la couleur des acteurs.

Il apparaît donc que dans une étude sur la culture d'un groupe américain noir, la diversité des traits culturels devrait être mise en relation avec les nuances de couleur des acteurs. Or, dans les ouvrages sociologiques, seule émerge l'opposition réductrice noir/blanc. Les sociologues noirs, qui vivent eux-mêmes la discrimination, persistante malgré les lois égalitaires, réfléchissent cette dichotomie. Ils ne prennent pas en compte les métissages multiples et ne font pas mention de la couleur des gens dont ils citent des fragments d'interview en signalant le sexe et l'âge. Dans l'œuvre romanesque, au contraire, la couleur est restituée. Dans les romans que je reçus en cadeau d'adieu, symbole de ce qui n'avait pu, su ou osé être transmis, elle est précisée en termes évocateurs tels que café, cuivre, miel..., les variations jouant un rôle dans les affinités et les amours. En milieu noir, l'identification de quelqu'un dont on a oublié le nom se fait, entre autres, par la description de sa couleur. Aux Antilles comme au Brésil, les mulâtres sont différenciés, la valorisation des couleurs claires favorisant l'ascension sociale. Selon une thèse universitaire, les Haïtiens de New York se distinguent entre eux par la dénomination de la couleur de peau (chocolat, rouge, jaune), de celle des yeux (marron, gris, vert), des traits (pointus, épais, « neg ») et du degré de frisure du cheveu. En milieu européen, le teint est décrit comme rose, laiteux, verdâtre, bistre, doré... Aux États-Unis, les « color categories » sont au nombre de deux. Pour les Amércains blancs, l'inconcevable pâleur noire ne constitue pas un illogisme. Privés de la réalité de leur teint, les Américains noirs ne sont donc plus qu'un symbole, celui des ténèbres, celui de l'impur ; un symbole, un mythe ou un fantasme aussi vieux que l'humanité. Quand leur peau n'est plus pigmentée, l'identification forcée, faute d'autre solution, à la population noire et à sa culture, devient la preuve de leur enfermement.

On serait en droit de s'interroger au sujet des Noirs non américains, venus des Antilles ou d'Afrique. Mais brisons là d'une anecdote. Dans une boutique de West Harlem, propriété d'un Haïtien marié à une Américaine noire, un Sénégalais d'un noir de jais, vêtu d'un boubou terre d'ombre, également marié à une Américaine, demande : « Si j'allais à Paris, pourrais-tu me procurer une femme ? — Les Françaises sont libres de choisir leur époux. — Je sais, dit-il, mais si j'en rencontrais, crois-tu que je pourrais convoler ? »

C'est bien là, en effet, la question essentielle. Le ghetto, au sens élargi que lui donne K. Clark, n'est rien d'autre, en dernière analyse que l'interdiction, non dite, d'exogamie dans l'autre « color category ». C'est pourquoi la réalité des métissages n'est jamais prise en compte, et la question de la couleur jamais posée autrement qu'en termes de dichotomie noir/blanc. Cette dichotomie introduit, entre les notions de couleur et de culture, plutôt qu'une correspondance, un télescopage difficile à maîtriser. S'y essayer pourtant revient, à mon sens, aux ethnologues, parce que leur fonction fut toujours de déceler la vérité dans la complexité, et que l'un de leurs rôles demeure celui, classique, de mettre en évidence les tabous, même si, de la prohibition à caractère magico-religieux, il ne reste plus, dans le monde moderne, que le sens figuré de ce sur quoi silence est fait par crainte, pudeur, ou culpabilité.

COLETTE PÉTONNET.

NOTES

1. SAINT CLAIR DRAKE & HORACE CAYTON, *Black Metropolis*, New York, Harper & Row ; Franklin FRAZIER, *Bourgeoisie noire*, Paris, Plon, 1969 ; Kenneth CLARK, *Ghetto noir*. Traduit de l'américain par Yves Malaric.

Préface de Gunnar Myrdal, Paris, Payot, 1969, « Petite Bibliothèque Payot ». (Éd. orig. : *Dark Ghetto,* 1965 ; 1er éd. franç., Robert Laffont, 1956.)

2. Joseph LYFORD, *The Airtight Cage,* New York, Harper & Row, 1965.

3. Marguerite YOURCENAR, *Blues et gospels.* Textes traduits et présentés par M.Y. Images réunies par Jerry Wilson, Paris, Gallimard, 1984.

4. Ulf HANNERZ, « What Ghetto Males Are Like », in Norman E. WHITTEN & John F. SZWED, eds., *Afro-American Anthropology Contemporary Perspectives,* New York, Free Press, 1970.

5. New York, Grosset & Dunlap, 1952 (« The Universal Library »).

6. Alan LOMAX, « The Homogeneity of American-Afro-American Musical Style », *in* Norman E. WHITTEN & John F. SZWED, eds., *Afro-American Anthropology Contemporary Perspectives,* New York, Free Press, 1970 ; William LABOV, *Language in the Inner Cyty. Studies in the Black English Vernacular,* Philadelphia, University of Pennsylvania Press, 1972.

7. GLAZER & MOYNIHAN, *Beyond the Melting Pot,* cité *in* BILLINGSLEY, *op. cit.* (*cf.* note 8).

8. Andrew BILLINGSLEY, *Black Families in White America,* Eaglewood Cliffs, Prentice Hall, 1968.

9. Charles KEIL, *Urban Blues,* Chicago, University of Chicago Press, 1966.

10. Vingt ans de service suffisent pour ouvrir les droits à la retraite.

11. Elle appartient au conseil d'administration. Sa toge est à parements bleus.

12. L'une des constantes relevées par Franklin Frazier.

Anthropologie de la politique : une organisation en abîme

Contingence et nécessité dans la formation des États

Pouvoir et durée, liberté et étendue

La cité des anthropologues et celle des historiens

L'ANTHROPOLOGUE ET LE POLITIQUE

Marc Abélès

Porter sur la vie politique et administrative française un regard d'anthropologue : étrange affaire... Quand j'enquête auprès d'élus locaux, il n'est pas rare qu'on me fasse répéter : « Vous avez bien dit ethnologue ? » Suit généralement une plaisanterie, du genre : « Mais on n'est pas des sauvages ! » L'objection n'est pas dénuée de fondement. S'il est coutumier pour les ethnologues d'analyser le fonctionnement politique des sociétés exotiques, il peut paraître aventureux d'utiliser les mêmes méthodes pour étudier un milieu fort complexe et qui englobe des activités très différenciées et cloisonnées. Il faut reconnaître que l'on identifie souvent l'anthropologie à un ensemble de procédures qui guident le recueil des données sur le terrain. Autrement dit, on confond anthropologie et ethnographie. Les ethnologues eux-mêmes semblent parfois plus pressés d'épiloguer sur les méthodes de collecte des documents matériels et oraux, alors qu'il importe aussi — et sans doute davantage — d'envisager la position épistémologique qui commande ce style de travail. Or il nous faut réfléchir sur les conditions de possibilité de ce « regard éloigné » qu'évoque C. Lévi-

Strauss (1983) et sur l'efficacité heuristique de l'approche proposée.

C'est pourquoi j'éviterai de traiter la question méthodologique préalablement à la problématique épistémologique. Il ne sert à rien, à mon sens, d'affirmer qu'on peut appliquer les mêmes règles d'enquête aux banlieues des grandes villes modernes et aux Mélanésiens des îles Trobriand, si l'on n'a pas montré que ces techniques d'observation présupposent l'existence de principes théoriques d'analyse dont l'application peut d'ailleurs déterminer les modalités d'usage de ces techniques. Dans le cas de l'anthropologie politique, cela équivaudrait à une extension aveugle de l'objet traditionnel propre à cette discipline ; on peut aboutir dans cette voie à des perspectives plaisantes : ainsi cet ethnologue américain, J. McIver Weatherford (1981), qui a étudié le Congrès américain en le considérant comme une tribu primitive avec ses clans, ses « parrains », ses « chamanes ». La description ne manque pas de sel, mais la démarche masque mal son caractère circulaire. En effet on postule au départ que l'anthropologue se définit comme spécialiste des tribus exotiques. On isole alors un groupe pour mieux le traiter comme une microsociété. On ne s'étonnera donc pas au terme de l'entreprise d'obtenir une analogie frappante entre les pratiques politiciennes des sénateurs américains et celles des primitifs.

Cette acception de l'anthropologie qui la bornerait à la simple circonscription, pour des besoins de méthode, d'un univers rigoureusement clos et incarné dans une réalité empirique homogène, me semble contredire le projet essentiel de cette discipline qui vise à saisir des systèmes de relations sociales. Si l'on se contente d'abstraire un élément du système politique, sans restituer les liens qu'il entretient avec un ensemble plus vaste de pratiques, il y a risque qu'on n'obtienne guère plus qu'une image partielle de la réalité, quelle que soit la richesse des traits ethnographiques.

Les remarques précédentes indiquent que l'anthropologie politique ne saurait se réduire à jouer les comparses auprès des autres approches des sciences politiques et administratives et de la sociologie. Le piment d'une fine ethnographie ne justifie pas à lui seul de recourir au corpus anthropologique. Mais ce dernier présente certains apports qu'il convient d'exposer afin de mettre en évidence l'intérêt intrinsèque de ce point de vue. Laissant de côté la discussion des procédures techniques, je vais tenter de faire apparaître les caractéristiques théoriques de l'anthropologie du politique en replaçant cette démarche dans le contexte plus général des études consacrées aux systèmes politiques et étatiques dans nos sociétés. L'examen successif de deux notions familières aux anthropologues — territoire et pouvoir — me servira de fil conducteur.

*

L'approche anthropologique du politique se distingue d'abord par l'intérêt qu'elle accorde à la question du *territoire*. On a coutume de retenir de la définition wébérienne de l'État une dimension bien précise qui se résume en quelques mots : « monopole de la force légitime ». Il est vrai que Weber lui-même analyse surtout les fondements de la légitimité en s'interrogeant notamment sur les formes historiques de l'autorité. On ne saurait cependant oublier que cette dernière s'exerce toujours dans un espace donné. Cet ancrage territorial de l'organisation politique semble sous-estimé par les sociologues postérieurs à Weber. Ainsi décrit-on généralement le fonctionnement du système politique dans le contexte plus restreint de la prise de décision. Le jeu politique et l'action administrative occupent le premier plan dans cette perspective qui privilégie les relations entre acteurs institutionnels sans se préoccuper d'étudier le rapport étroit et complexe que le politique entretient avec le territoire.

L'anthropologie politique, quant à elle, présente une tradition analytique bien différente : si l'on se réfère aux travaux pionniers d'E. E. Evans-Pritchard (1940, 4) sur les tribus nuer du Soudan, on notera cette définition des relations politiques comme « relations qui existent, dans les limites d'un système territorial, entre des groupes de personnes qui vivent sur des étendues bien définies et sont conscients de leur identité et de leur exclusivité ». Le système politique nuer est vu comme un ensemble de relations entre segments territoriaux ; celles-ci constituent un arrangement d'un certain type, en l'occurrence une « anarchie ordonnée » dans cette société acéphale parcourue de mouvements contradictoires de fission et de fusion lignagères. D'un point de vue méthodologique, cette sensibilité à l'espace implique une connaissance extrêmement précise du terrain, ce qui impose une immersion prolongée dans la vie sociale locale.

Il peut sembler paradoxal d'effectuer ce retour à Evans-Pritchard en évoquant du même coup un contexte exotique qui ne présente aucune analogie, même lointaine, avec la situation française. L'étude du mouvement de décentralisation entamé en 1982 incite pourtant à penser que l'organisation politique de notre société suppose un ensemble de délimitations spatiales. La mise en place de divisions administratives comme le département ou la commune correspond à la fondation du système politique moderne. On peut montrer en effet d'une part que l'organisation politique produit une territorialité spécifique, d'autre part qu'elle postule comme sa condition d'exercice l'existence d'une représentation cohérente et prévalente de l'espace ainsi segmenté.

La réorganisation administrative de la France en 1789 est un bon exemple d'un tel processus ; elle marque en effet une rupture significative, puisqu'elle substitue purement et simplement un espace homogène et univoque à une pluralité de référents territoriaux. Citons, parmi d'autres, le cas du département de l'Yonne qui prend forme sur les ruines d'une multitude de circonscriptions dont les limites ne se recoupaient pas : diocèse, bailliage, élection, généralité, subdélégation, maîtrise des eaux et forêts. La construction du nouveau territoire consiste dans la détermination d'un centre, Auxerre, et de limites bien établies. La situation antérieure, marquée par la multiplicité des subdivisions, chacune définie en référence à une fonction (judiciaire, financière, administrative), avait abouti à un certain flou dans les délimitations. Cette imprécision occasionna bon nombre de confusions lors de la convocation des États Généraux, quand chaque paroisse dut envoyer des députés au chef-lieu de son bailliage. Ainsi les députés du Donziois qui dépendaient d'Auxerre se retrouvèrent-ils à Nevers, capitale d'un bailliage différent.

L'organisation départementale conçue par les Constituants apparaît bien comme le produit de trois exigences. Une volonté de simplification d'abord : il s'agit de clairement délimiter un territoire homogène. Le modèle géométrique qui avait été proposé à l'Assemblée n'a certes pas recueilli les suffrages, et la constitution de chaque département tient compte des données locales. Mais on ne s'en conforme pas moins à certaines normes : ainsi le département de l'Yonne ne dépassera-t-il pas une superficie maximale de 342 lieues carrées. De même écarte-t-on le projet, présenté par la ville de Châtillon, visant à déplacer le département vers l'est. Ici se situe une seconde exigence, celle d'un espace fonctionnel d'un point de vue économique : Auxerre l'emporte sur Châtillon ; la première est à la croisée des chemins et occupe une position privilégiée pour le commerce et l'industrie. Dans l'optique du législateur cet argument est décisif. Troisième exigence enfin : concentrer au chef-lieu du département l'ensemble des administrations.

Dès 1790, on le voit, le dispositif est désormais en place. Mais l'organisation de l'espace sécrète aussi un ensemble de représentations qui déterminent aujourd'hui encore les comportements des acteurs politiques. Dans les débats relatifs à la constitution des départements, on observe par exemple l'acharnement déployé par les représentants des différents bourgs pour faire de ceux-ci les chefs-lieux des nouvelles collectivités locales. Les élus d'Auxerre préviennent les députés de ce bailliage des pressions qu'ils auront à subir à Paris : « Parmi les différentes villes du royaume il en est un très grand nombre qui ne pouvant être chefs-lieux de département tenteront de l'être d'un district[1]. » Il est vrai que la lutte fut rude :

Châtillon qui espérait former son propre département tentait, on l'a vu, de disqualifier Auxerre : « Qu'on ne dise pas qu'Auxerre est favorablement placée pour être chef-lieu du département, puisqu'il ne pourrait y parvenir qu'en prenant sur cinq provinces[2]. » De leur côté, les représentants d'Autun recouraient à une autre tactique pour faire de leur cité un centre administratif. Rattachée primitivement au département de Dijon, Autun demanda à en être distraite. Ses élus savaient en effet que, face à une ville économiquement forte comme Dijon, Autun était condamnée à jouer les seconds rôles ; en revanche, ils espéraient s'imposer face à Chalon. Les visées d'Autun furent déçues, mais son rattachement au futur département de Saône-et-Loire eut pour conséquence d'obliger les Constituants à redéfinir les limites du département. En échange d'Autun, Dijon récupérait en effet Semur et Saulieu, primitivement attribuées au département d'Auxerre. Des tractations du même ordre caractérisent la division des départements en districts : on y retrouve cette obsession de la centralité. C'est que la détermination du centre conditionne l'assignation des limites.

On voit naître durant cette brève période — le découpage fut voté à la fin de janvier 1790 — une représentation du territoire marquée par la prévalence d'une opposition, *présente à chacun des niveaux de collectivités territoriales,* entre centre et périphérie. Du point de vue anthropologique, l'analyse de la segmentation territoriale adoptée sous la Révolution apparaît indispensable pour comprendre les permanences du système français. Près de deux siècles plus tard, l'échec de la réforme[3] visant à fusionner les petites communes pour accroître l'efficacité de l'administration locale témoigne de l'extraordinaire stabilité de cette « idéo-logique[4] » ; les commentateurs se demandaient d'ailleurs si les propres artisans de la loi de 1971 « y croyaient » vraiment. En l'occurrence, la notion de croyance n'est pas inadéquate : le pouvoir des élus et, dans une grande mesure, l'ascendant des fonctionnaires territoriaux s'inscrivent dans une logique spatiale : mettre en question l'une des articulations du système en ébranlant la notion bien ancrée de commune, cela signifie plus profondément qu'on commence à « casser du centre ».

Il faut bien admettre en effet que l'opposition entre centre et périphérie structure la représentation du territoire, même dans les plus petites communes. L'observation des relations sociales dans un village du Morvan qui compte moins de mille habitants est à cet égard révélatrice : on y distingue clairement les gens du bourg et les habitants des hameaux. On « monte » faire ses courses au bourg où se trouvent mairie et bureau de poste. C'est aussi là que se traitent les affaires de pouvoir. Un personnage, le maire, incarne l'unité politique de la collectivité : il *est* le centre, alors que les conseillers municipaux se voient surtout reconnaître un rôle d'intermédiaire entre les hameaux et le bourg. Le conseiller municipal symbolise avant tout la *jonction* : à lui, par exemple d'obtenir des routes qui relient les terres de ses administrés aux zones les plus peuplées de la commune.

Que le but avoué d'un élu consiste à améliorer la voirie prête parfois à sourire. Mais on ne saurait s'en tenir à une simple critique du caractère borné à la gestion rurale, alors que cette préoccupation relève d'une logique plus essentielle. Les chemins ainsi réalisés matérialisent un lien avec le centre ; il marquent et démarquent simultanément : marquant l'appartenance de la périphérie à un territoire identifié par son centre — le bourg-noyau, microcosme de la commune —, ils démarquent écarts et hameaux de cette zone qu'on dénommera « étrangère » puisqu'elle ressortit à un autre centre. Le tracé d'un chemin offre moins l'assurance d'une proximité qu'il n'identifie a contrario l'ailleurs, le lointain, ceux qui fréquentent un autre, mais tout semblable, univers. Stabilité des frontières, que chaque individu ressent comme garantie de sa propre citoyenneté : ce qui induit une demande aussi ferme qu'implicite à l'égard du maire ; à lui de préserver l'intégrité du territoire, de gérer les relations de la collectivité avec l'extérieur plus jalousement encore que ses affaires intérieures.

Le pouvoir local se trouve donc d'emblée pris au piège

de cet univers symbolique : un élu peut d'autant moins « trahir » cette organisation du territoire qu'il a lui-même intériorisé l'ensemble de ces représentations. C'est précisément ce mode de penser que met en cause la loi de fusion des communes. Au nom de la rationalité et de l'efficacité, les gouvernants souhaitent supprimer de petits centres : ils ne semblent pas se douter qu'ils s'en prennent en fait à une cohérence conceptuelle : ils introduisent du désordre parce qu'ils brouillent la représentation des limites en détruisant un ordonnancement ancestral. Les petits centres ne constituaient-ils pas jusqu'alors un double pôle ? Lieux d'élection, d'abord, avec leurs notables — la centralité est ici synonyme de légitimité ; lieux cardinaux, ensuite, autour desquels s'ordonne la vie sociale au sein d'une hiérarchie d'espaces, du plus proche au plus lointain. La réforme de 1971 a échoué parce qu'elle se fondait sur une dénégation de cet ordre qui intègre la réalité et la symbolique des lieux en dessinant les places de pouvoir au sein du dispositif territorial.

Depuis lors on peut constater un renforcement des modes traditionnels de segmentation : dernière réforme en date, la décentralisation s'accommode de la structure communale. De même que les départements, les municipalités se voient attribuer des compétences spécifiques. Si l'on se défend désormais de souhaiter la fusion des communes, les responsables administratifs n'en cherchent pas moins à obtenir une certaine cohérence de gestion entre les plus petites unités. La mise en place des chartes intercommunales[5] est à cet égard exemplaire : il s'agit de promouvoir une coopération entre les commune sur des objectifs d'ordre économique. Jusqu'alors les collectivités locales se regroupaient pour l'entretien de la voirie ou l'amélioration des équipements collectifs. La démarche des chartes est plus ambitieuse et mise sur l'initiative des communes dans l'optique d'une politique globale d'aménagement sur un espace donné. Or que se passe-t-il sur le terrain ? Des enquêtes menées dans deux départements[6] sur l'élaboration progressive des chartes intercommunales montrent que les élus dépensent une grande énergie dans la phase d'élaboration des périmètres concernés.

Interrogés sur le contenu des chartes, les représentants des communes indiquent que la définition des objectifs économiques est suspendue à une entente préalable visant à circonscrire le territoire commun. Cette réponse décevra sans doute les aménageurs : ne devrait-on pas en bonne logique privilégier la réflexion préliminaire sur le développement local ? Ne risque-t-on pas ainsi de réveiller de vieilles querelles de clocher ? L'anthropologue doit s'abstraire de ce dialogue entre l'administration et les élus, afin de déployer la logique de la démarche autochtone. Délimiter un périmètre revient à réaliser un nouveau marquage du territoire. A la différence des projets de fusion, l'idée de charte ne menace pas de brouiller la dialectique du centre et des limites, pertinente en chaque localité. L'innovation vient ici de la nécessité d'un ordonnancement global des unités contiguës. On assiste alors à une négociation entre représentants des différentes communes qui doit tenir compte des hiérarchies (entre commune chef-lieu de canton et communes périphériques), préserver les différences (entre tendances politiques) et assurer des rôles adéquats à chacun des protagonistes (conseillers généraux, maires).

Un exemple : le conseiller général de T., dans la Nièvre, décide de mettre en place une charte qui comprend, outre les communes de son canton, quelques villages voisins. Le chef-lieu de T. est une petite bourgade industrielle dont l'activité (chimie, industrie du bois) subit le contrecoup de la crise économique. L'actuel conseiller général a battu le maire de T. aux dernières élections cantonales. Le premier a des racines rurales et appartient à un parti d'opposition ; le second, communiste, représente une population à dominante ouvrière.

La charte met en jeu trois types de clivages : politique (gauche/droite), territorial (centre/périphérie), économique (ville/campagne). La détermination du périmètre est le moyen, pour le conseiller général, de mettre en cause la prédominance traditionnelle du chef-lieu en obtenant que les communes rurales du canton voisin adhèrent aussi à la charte. Mais cette tentative habile, qui vise à décentrer la petite ville industrielle, se heurte rapidement à la résistance du conseiller général du canton voisin, de tendance politique opposée. Ce dernier obtient en effet que *toutes* les communes de son canton soit incluses dans la charte ; le déplacement est significatif, car ces communes se trouvent dans la proximité immédiate de Nevers. Voici la charte en quelque sorte « réurbanisée ». Il est trop tôt pour connaître le résultat de cette nouvelle orientation, mais cet exemple permet de mieux comprendre l'importance accordée au périmètre en tant que tel. Les élus, s'ils tiennent compte de la représentation autochtone, savent aussi la manipuler pour produire un ordre territorial qui satisfasse à leurs stratégies. Nous avons affaire ici à un cas complexe où l'équilibre paraît difficilement réalisable. Dans d'autres chartes l'accord se fonde sur la primauté reconnue à l'une des communes par les autres, sans généralement mettre en cause la sacro-sainte notion de chef-lieu.

On a beaucoup glosé sur l'opposition entre local et global ; elle a le mérite de reconnaître comme distinctes des approches du réel souvent confondues. L'analyse précédente nous incite cependant à penser que la question de l'articulation entre niveaux territoriaux distincts mérite d'être appréhendée plus clairement. Il faut bien comprendre en effet que le local est l'effet dérivé d'un ensemble de représentations dont on a décrit précédemment la dynamique propre. En ce sens, il n'y a pas de « bon » objet local, d'espace clos dont l'observation — si fine fût-elle — suffirait à engendrer la connaissance. On doit en revanche s'interroger sur les conditions de segmentation d'un espace donné, sur la nature spécifique de la population qui gère cette segmentation et qui constitue la strate politique d'une société. Si l'on admet que le pouvoir local ne s'identifie pas nécessairement à un pouvoir *localisé,* mais qu'il est lui-même producteur et manipulateur de territorialité[7], on conçoit que la micro-analyse du village ou du quartier (ou de toute autre collectivité conçue comme un univers fermé) ne présente pas toutes les garanties scientiques : de la description de l'objet local à l'analyse des relations sociales qui en déterminent la clôture, un pas reste à franchir. Il nous faut en effet identifier cette strate politique qui se pose et s'impose comme la représentante de ces micro-sociétés et comme la garante de leur fermeture. Voici le moment d'aborder la question du pouvoir et des rapports politiques locaux ; cela va nous donner l'occasion de mettre en perspective la démarche anthropologique par rapport aux disciplines qui détiennent actuellement le monopole de l'analyse politique des sociétés modernes : la sociologie et la science politique.

*

Sociologie et science politique sont fortement marquées par une vision institutionnaliste du champ politique : pour elles la question du territoire ne se pose plus, puisqu'elles envisagent exclusivement les complexes organisationnels qui commandent l'action administrative et la gestion des collectivités. Si l'on se réfère aux travaux les plus remarquables de la sociologie des organisations on perçoit l'intérêt d'une telle entreprise qui, non contente de nous informer sur le mode d'emploi des institutions — comment gouverner ? —, entend dégager les règles implicites qui président au fonctionnement des services de l'État et régissent les rapports entre fonctionnaires des différents niveaux hiérarchiques. L'analyse sociologique se déploie d'une part horizontalement, en traitant des rapports qu'entretiennent les administrations à propos de problèmes complexes (transports, planification, etc.), d'autre part verticalement, en interrogeant les relations qu'entretient l'État central et ses services extérieurs avec les pouvoirs locaux. Les travaux de J.-P. Worms (1966) et de P. Grémion (1976) sur le « pouvoir périphérique » font apparaître les formes d'interaction entre les stratégies des élus et les comportements des fonctionnaires territoriaux. Ils montrent que le système fonctionne d'autant mieux qu'il offre une réelle capacité de jeu aux acteurs concernés : préfets, fonctionnaires de l'Équipement, notables tissent des liens et intériorisent à leur manière les règles non dites de cet univers administratif.

Une question surgit, naïve : et si l'on sortait des bureaux et des couloirs où se trame l'action pour mieux identifier les protagonistes ? Comme le remarque Grémion (*ibid.*, 468) : « Nous avons présenté les mécanismes de la représentation/représentativité déjà constitués. Nous ne disons rien de leur constitution. » Du point de vue anthropologique, la production du pouvoir local — des représentants, pour reprendre l'expression de Grémion — constitue un élément fondamental, en quelque sorte un point de départ pour comprendre l'action politique, alors que la sociologie des organisations, sans nier l'intérêt du problème, le situe en aval de sa propre démarche. La différence d'approche semble loin d'être négligeable, puisque la démarche de l'anthropologue équivaut à réinscrire les acteurs du jeu politico-administratif dans un réseau relationnel préexistant et dont on peut penser qu'il conditionne pour une part leur insertion dans le jeu et leur représentation des enjeux.

En abordant la question de la représentation, l'on ne rejoint pas pour autant les cadres d'analyse de la sociologie politique : nombreuses sont les enquêtes que celle-ci a consacrées au personnel politique français et qui se fondent généralement sur les investigations destinées à révéler le profil sociologique de nos élus et les bases sur lesquelles ils assoient leur légitimité. Les recherches de J. Becquart-Leclercq (1976) illustrent ce courant d'analyse : la méthode adoptée privilégie l'enquête par questionnaire auprès des maires ; on met ainsi en évidence différents modèles du pouvoir local : « îlot de routine », « circulaire-bloqué », « coopératif-innovateur », auxquels correspondent des types d'élus spécifiques. La sélection des maires fait également l'objet d'investigations qui démontrent la politisation croissante des élus locaux, de même que l'existence d'un double cursus : ascendant — fondé sur l'enracinement local — et descendant — illustré par le parachutage des hauts fonctionnaires parisiens. Préoccupée de construire une typologie « idéale », cette approche tend à abstraire du réel un ensemble de prédicats dont les combinaisons permettront d'obtenir des « profils » d'élus, mais occultent purement et simplement l'univers relationnel qui produit ces différents types.

Les limites de cette démarche apparaissent clairement lorsqu'il est question du personnel politique : le chercheur constatera que la variable politique (affiliation à une organisation, influence d'un parti) devient prééminente, mais il sera bien en peine d'expliquer les raisons de cette évolution, et surtout de dégager la signification locale de l'affiliation à un parti. A première vue, la politisation, surtout dans le contexte des années 70 peut être interprétée comme le corrélat d'une logique des blocs qui ne laisse plus de place aux « petits » et aux « non-inscrits ». Cette hypothèse implique que la règle du jeu posée au Centre, à Paris, s'applique mécaniquement dans chaque localité, mais élude la question plus délicate du symbolisme du port de l'étiquette : a-t-elle fonction de distinguer l'individu du lot, suppose-t-elle l'existence d'une organisation localement structurée ?

La sociologie politique semble victime de son propre travail d'abstraction : dans la nuit des sondages tous les élus sont gris, et le jeu des corrélations finit par devenir un leurre en raison de la trop forte disparité entre le raffinement statistique et la relative pauvreté des données recueillies. N'oublions pas en effet qu'avec l'utilisation systématique du questionnaire, le discours d'interlocuteurs déjà soigneusement sélectionnés (les fameux « échantillons ») se trouve d'emblée coincé dans une grille d'analyse, sans qu'on se préoccupe de confronter les dires des acteurs à leurs comportements concrets. Les enquêtes de sociologie politique produisent ainsi l'impression de conforter une représentation dominante de l'« évolution générale de la vie politique ».

L'anthropologue est plutôt enclin, pour sa part, à laisser pour un temps les instruments de précision et la construction des variables ; descendons avec lui dans les cuisines et salissons-nous un peu les mains. Il est vrai que les ethnologues ont appris à décrire avec force détails le mode de production et de transmission des pouvoirs locaux dans les sociétés exotiques. L'absence de familiarité du chercheur avec des institutions totalement étrangères suscite en lui de nombreuses questions : des faits anodins pour les autochtones prennent un relief particulier aux yeux de l'observateur en raison même de son extériorité. En terrain français, la connivence spontanée avec l'objet constitue un obstacle surmontable à condition d'enregistrer scrupuleusement faits et dires en évitant de se livrer à une quelconque sélection préalable des données jugées plus « intéressantes » que d'autres. L'attention flottante, méthode bien connue des psychanalystes, est ici de rigueur. Pour appréhender le processus de fabrication des élus dans une société du Morvan[8], je me suis ainsi installé dans une commune et ne fixais aucune limite géographique précise à mon investigation. De même, je prenais soin de ne pas orienter mes interlocuteurs vers des sujets proprement politiques. Je notais en revanche des conversations, des démarches, certains comportements en relation plus ou moins directe avec ces questions. C'est l'accumulation de ces notes éparses et parfois légèrement baroques qui m'a permis de reconstituer comme un puzzle la vie politique locale et ses enjeux.

A partir de données de ce genre[9], il est possible de construire un modèle plus général des conditions de production et de reproduction du pouvoir local :

I. TRANSMISSION DU PATRIMOINE POLITIQUE

- par patrimoine politique on entend des éléments d'idéologie (anticléricalisme) et des positions politiques (mandats électifs) ;
- la transmission s'effectue au sein des familles : c'est le cas pour les mandats ;
- la transmission s'effectue au sein de réseaux plus larges : liens de parenté et d'alliance qui dépassent le cadre strict des communes ; c'est le cas pour l'idéologie radicale ;
- les réseaux ont aussi un autre rôle : celui de circonscrire qualitativement et quantitativement les familles réellement éligibles.

2. COMPÉTENCE POUR LES MANDATS

- Il existe bien une compétition pour accéder aux positions électives (l'hypothèse d'une reproduction restreinte, d'un partage entre clans ne correspond qu'à une situation extrême). Mais cette compétition s'opère dans un cadre limité ;
- cela tient à des contraintes territoriales : par exemple habitat dispersé et nécessité d'une représentation minimale de chacun des hameaux ;
- cela tient ensuite à des contraintes de transmission : nombre limité des réseaux qui assurent la transmission des mandats au sein des parentèles ;
- l'idée de compétition implique qu'il n'y ait pas nécessairement reproduction continue des antagonismes (ici on aurait un cas extrême du même modèle) ;
- il y a donc possibilité de compromis, voire d'alliance entre concurrents.

3. LA COMPÉTITION S'INSCRIT
DANS UN SYSTÈME GLOBAL QUI IMPOSE

- un cadre conceptuel : distinction entre fonction de représentation à finalité délibérative et fonction de pouvoir : maire *vs* conseillers municipaux, président *vs* conseillers généraux ;
- des rapports complexes entre les différents types d'élus et les agents de l'administration ;
- un ensemble de relations entre élus de base et élus de statut supérieur (conseillers généraux, députés) : la forme que prennent ces relations et leur contenu varient (clientélisme, partis, parenté).

La notion de patrimoine implique l'idée d'une permanence incarnée par l'extrême longévité des élus locaux dans les communes et les cantons, et par la rétention du pouvoir local au sein de certaines lignées qui se le transmettent de génération en génération. Dans l'une des communes du Morvan où s'est déroulée l'étude, l'actuel maire a succédé en 1983 à son beau-père, Monsieur E. Celui-ci, conseiller municipal depuis 1925, avait occupé le poste d'adjoint au maire entre 1925 et 1935, avant d'accéder à la mairie en 1945. Le propre père de Monsieur E. avait lui-même été maire entre 1888 et 1912. Or cette stabilité des instances représentatives n'est pas due à l'inertie populaire ou au désintérêt des habitants à l'égard de la politique. Bien au contraire, si l'on en juge par la participation aux scrutins municipaux — 85 p. 100 de suffrages exprimés au chef-lieu du canton —, la population suit avec passion les joutes électorales malgré l'absence d'enjeux d'envergure (on sait d'avance que les élus ne peuvent modifier radicalement les modes de gestion locale) et parfois même de compétition réelle : il arrive que les candidats constituent une liste unique.

Si la représentation municipale demeure l'apanage d'une minorité, c'est qu'il existe une strate unique de détenteurs possibles du pouvoir : les stratégies qui en assurent la perpétuation varient, ce qui signifie que des « nouveaux venus » peuvent faire bonne figure sur les listes ou même ambitionner une responsabilité de premier plan, à condition qu'ils soient parrainés par des représentants éminents de cette strate dirigeante. Ce qui s'observe le plus massivement, c'est néanmoins une transmission ininterrompue des mandats dans un nombre restreint de familles. Le patrimoine politique de celles-ci ne comprend pas seulement des positions électives, mais aussi un élément idéologique[10]. Les témoignages oraux recoupent les documents d'archives pour mettre en lumière la formation, entre 1880 et 1980, de deux réseaux antagoniques : l'un se fait le héraut du conservatisme clérical, alors que l'autre devient le foyer du radicalisme local. Si les contenus idéologiques tendent à se diluer de génération en génération jusqu'à nos jours, l'opposition n'en continue pas moins à structurer les rapports politiques dans les communes étudiées. De même que l'espérance d'un mandat s'hérite en certaines familles, l'adhésion des ancêtres à certaines valeurs (République/Église, par exemple) demeure une référence implicite pour les membres de ces lignées : si ces derniers ne se reconnaissent plus guère dans les outrances idéologiques des débuts du siècle, ils savent du moins tenir leur place sans se compromettre par des alliances inconsidérées qui transgressent la ligne de clivage.

Un exemple éclairera ce point : Monsieur U., candidat aux élections municipales en 1983, refuse de se voir étiqueté « union de la gauche », en raison de ses convictions personnelles : il devrait logiquement faire partie de la liste qui se dit « apolitique » et qui se trouve localement connotée à droite. Il préfère cependant se présenter en solitaire. Cette tactique portera ses fruits : la liste apolitique l'emporte nettement, alors que la gauche n'obtient qu'un seul siège ; mais Monsieur U. est lui-même élu. Jeune et inexpérimenté, U. a été élu « pour son nom » : petit-fils d'un ancien maire, il est aussi le descendant d'une dynastie d'élus qui défendit autrefois les couleurs du radicalisme. Bien que lui-même se défende de « faire de la politique », il n'était pas pensable qu'il s'affiche sur la liste apolitique, ce qui eut signifié une trahison de la symbolique familiale, une véritable dilapidation du patrimoine politique ancestral que les électeurs auraient dû sanctionner.

Dans notre schéma il est clair que la transmission des mandats n'est pas limitée au cadre familial, mais s'effectue au sein de réseaux plus larges qui dépassent le territoire de la commune. On constate en effet que les familles politiquement influentes font fructifier le capital relationnel par le biais des alliances matrimoniales. Plus que les qualités individuelles, c'est l'appartenance formelle ou informelle à l'un de ces réseaux qui détermine l'accès au pouvoir local. Nous employons ici à dessein la notion de réseau[11] pour désigner un faisceau d'obligations réciproques et qui fonctionnent sur la longue durée. En milieu rural, la reproduction des réseaux est inséparable des stratégies matrimoniales, mais l'usage de cette notion de réseau ne saurait se réduire à ce seul contexte : il importerait d'analyser la constitution des réseaux en milieu urbain, en posant l'hypothèse que dans un tel cadre, caractérisé par l'atomisation des groupes familiaux, les pratiques associatives doivent jouer un rôle déterminant. De même, là où les liens de parenté constituent la trame, on ne saurait sous-estimer le fait que le véritable élément intégratif est l'idéologie, et parfois une forme encore très précaire d'organisation, comme le radicalisme à la fin du siècle dernier.

D'un point de vue méthodologique on dispose de différents instruments pour cerner ces réseaux : 1. les archives écrites nous renseignent sur les événements électoraux, l'identité des candidats et leurs opinions déclarées. Les rapports des préfets ou des sous-préfets relatifs aux élections locales, à l'« esprit public », offrent une mine d'informations, de même que les dossiers comprenant les professions de foi des élus. Ces documents permettent de mieux mesurer le rôle réel d'acteurs, même modestes, du jeu politique dans leur circonscription ; 2. l'ethnographie de la politique locale complète ces données diachroniques par des enquêtes visant à reconstituer les différentes ramifications des réseaux. Dans le canton étudié, on a pu observer que leur extension territoriale excédait le cadre de la commune. Le décalage entre le discours de mes interlocuteurs exaltant la dimension municipale ou villageoise et la réalité d'une structure d'alliance qui se déploie bien au-delà est significatif : le pouvoir ne se construit pas dans une intériorité symbolisée par des limites administratives (la commune) et par une symbolique de l'enracinement (le clocher) ; il est la manifestation visible de l'emprise d'un système relationnel. Le pouvoir matérialise, localise, segmente, alors qu'il tire son origine d'un processus qui se joue des limites, tout en jouant de la proximité et de la contiguïté.

L'approche institutionnaliste des phénomènes politiques ne saurait adéquatement rendre compte de cet ancrage du politique dans la société civile, parce qu'elle reste prisonnière de la représentation d'un espace déjà orienté (centre/périphérie) où s'inscrit comme naturellement le jeu politico-administratif. L'anthropologie des réseaux offre en revanche la possibilité d'accéder à un autre plan, sous-jacent, mais non isomorphe au premier (l'espace localisé, visible) et dont on parcourra patiemment les chemins. En mettant en évidence l'existence d'un patrimoine transmis au fil des générations et d'une véritable mémoire des réseaux qui détermine les positions relatives des postulants sur l'échiquier politique en période électorale, il ne s'agit pas de faire prévaloir l'image d'une reproduction circulaire des élites. Transmission et compétition sont les ingrédients complémentaires d'une même dynamique. Le renouvellement périodique des responsables locaux est marqué par une période d'incertitude et de tension : au café et dans les foyers les discussions vont bon train, suscitant parfois quelques incidents notables. L'observation de la compétition électorale illustre d'abord la manière dont le patrimoine politique est intériorisé, pris en charge par les individus. Un héritier peut se révéler incapable de reprendre le flambeau et s'effacer au profit d'un autre membre de la parentèle. En second lieu les joutes électorales constituent un terrain de choix pour l'analyse des stratégies déployées par les différents réseaux.

Ces stratégies sont à l'œuvre dès la constitution des listes : il faut ici observer de près le « dosage » opéré au sein de celles-ci (catégories socio-professionnelles, lieux de résidence, parentèles de l'individu et de son conjoint), mais aussi le nombre et la nature des candidatures isolées. Ne nous attardons pas sur les événements qui ponctuent et dramatisent les périodes de scrutin. Les « petites nouvelles » font les grandes campagnes : chacun est à l'affût de ces échos selon lesquels « le maire sortant n'a pas repris Monsieur Untel sur sa liste, car il devenait trop encombrant » ou « l'autre soir au café Albert a dit aux autres : "Chiche, on se présente", mais je suis sûr qu'il se dégonflera ». Cette agitation apparente ne doit pas masquer le fait que la logique des réseaux influe fortement sur le déroulement effectif de la compétition.

Prenons pour exemple trois communes distinctes de notre canton morvandiau. La première est marquée par la longévité d'un maire sans cesse réélu depuis la Libération : face à sa liste, on ne recense que des candidatures isolées et vouées à l'échec. Une analyse de cette situation révèle que la cohérence du réseau est assurée par l'alliance (concrétisée par des mariages répétés) entre deux familles : l'une détient un solide patrimoine politique (succession de ses membres aux fonctions de maire) ; l'autre est caractérisée par sa prééminence économique. L'alliance se matérialise par l'octroi du poste d'adjoint à l'un des membres de cette dernière parentèle. Cette stratégie de verrouillage tend à neutraliser les contestataires externes ; mais la tension — sous forme d'un conflit de générations — est venue récemment de l'intérieur, avec la candidature inattendue du propre petit-fils du maire sortant. L'affaire connut un dénouement rapide ; on s'arrangea pour faire échec au jeune *outsider* en favorisant l'élection d'un candidat isolé, opposant de toujours, mais qui apparaissait comme facilement neutralisable en raison de son extériorité par rapport au réseau.

Le second cas est celui d'une commune chef-lieu qui présente une plus grande diversité sociologique. La stratégie des réseaux consiste à intégrer les différences en instituant une gradation des rôles politiques qui préserve l'hégémonie d'une personnage, le maire, reconnu irremplaçable. Pendant longtemps deux individus ont ainsi occupé successivement le devant de la scène en développant un système relationnel dont l'extension dépassait le cadre municipal : alliance avec des familles d'élus d'autres communes, affiliation à une organisation politique, etc. Le gonflement de chaque réseau s'accompagne de compromis, les frontières se font plus vagues, ce qui ne signifie pas que le clivage essentiel s'efface.

Envisageons maintenant le dernier exemple : on a affaire à une municipalité marquée par une forte intégration politique des réseaux antagonistes : rouges contre blancs, rejetons (communistes et socialistes) du radicalisme contre les cléricaux. On notera que ce clivage prend une dimension territoriale puisqu'il oppose une localité, A., dont les maisons bordent la grand-route, à un groupe de deux hameaux qui occupent l'intérieur des terres. Les habitants de A. ne se privent pas d'évoquer l'arriération, la sauvagerie même, des « rouges » qui résident dans les deux autres hameaux. On constate cependant que A. n'a jamais réussi à imposer son hégémonie :

la fonction de maire est passée successivement d'un pôle politique à l'autre.

Comme l'indique cette brève description, la compétition pour le pouvoir prend des allures différentes d'une commune à l'autre. On relève une formule simple : elle correspond à la transmission du pouvoir au sein d'un réseau unique qui verrouille la situation par un jeu d'alliances. On lui opposera une formule complexe où l'opposition entre les réseaux reproduit une segmentation territoriale existante et se thématise en un clivage idéologique. Entre les deux, une formule caractérisée par l'ouverture relative des réseaux visant à intégrer des différences sociologiques. Il importerait de multiplier ce type de comparaison pour mieux cerner les conditions stratégiques de l'accès au pouvoir local.

La dialectique de la transmission et de la compétition pour le pouvoir comporte une autre dimension, qu'une analyse purement interne et situationnelle des réseaux ne saurait appréhender. Elle tient à l'intégration historiquement réalisée par notre société des processus autochtones à un système politique global. On observe un consensus en quelque sorte « conceptuel » sur la définition des fonctions à chaque niveau de l'édifice national : la distinction entre rôles de pouvoir et rôles délibératifs s'est même renforcée avec la décentralisation. Les observateurs avaient relevé à la fin des années 60 un phénomène de « présidentialisation » des maires ; il faudrait évoquer aujourd'hui la « mayorisation » des présidents de conseils généraux, puisqu'ils ont concentré entre leurs mains la presque totalité des compétences déléguées à ces assemblées. Ainsi chacun, de la commune à la région, s'accommode-t-il d'une logique qui implicitement assigne, délimite et hiérarchise les fonctions : la reproduction en abîme des figures de la centralité imprime sa marque aux esprits plus sûrement qu'aucun texte. La notion d'« équipe municipale » doit toujours être entendue au sens restreint, parce que la « présence » du maire est conçue comme la condition primordiale d'une saine gestion.

Il serait vain d'éluder la question du « pouvoir périphérique » comme articulation de la représentativité locale et des modes de gouvernement propres aux structures étatiques. La longévité des élus tient aussi — et parfois beaucoup — à la qualité de leurs relations avec les administrations territoriales de l'État. M. Crozier et l'équipe du Centre de sociologie des organisations ont mis en évidence cette interpénétration entre le monde des fonctionnaires et l'univers des élus. L'attitude des maires qui préfèrent recourir aux agents de l'État pour traiter un dossier plutôt que de s'adresser au conseiller général de leur canton, est significative. Réciproquement, un fonctionnaire territorial a besoin de l'appui des élus pour faire prévaloir les solutions qu'il préconise et réussir dans sa propre administration. Chacun des partenaires tire avantage au sein de sa propre filière des relations qu'il entretient avec l'autre : « Chacun est à la fois régulateur et régulé » (Dupuy & Thœnig, 1983, 114). Dans cette interprétation, le centralisme à la française apparaît moins comme un système pyramidal que comme le produit d'une « régulation croisée » qui unit indissolublement les champs politique et administratif.

Ces travaux ont profondément marqué, car ils s'attaquaient de front à la question de l'insertion de la politique locale dans le cadre d'un État constitué et vigoureux. Il était en effet impensable de réfléchir sur des thèmes comme l'aménagement et la planification sans produire des analyses fines des relations complexes entre administrations et pouvoirs autochtones. On a précédemment rappelé les limites que ses promoteurs assignent explicitement à cette entreprise. Mais si l'on s'en tient au domaine d'investigation ainsi circonscrit, l'usage de certains concepts nodaux n'en fait pas moins problème. Nous pensons notamment à la notion de jeu : son introduction constitue une réforme de la problématique quelque peu figée des organisations. Il s'agit de penser le rapport entre individu et organisation autrement que dans une perspective adaptative qui contraint celui-ci à se conformer à un « rôle ». Pour Crozier et Friedberg (1977), le raisonnement stratégique doit compléter l'analyse systémique : conçu comme un « système d'action concret », le département apparaît au premier abord comme un bon exemple de ce jeu entre partenaires relevant d'organisations différentes, où chacun se préoccupe d'optimiser ses gains, c'est-à-dire de renforcer son pouvoir au sein de sa propre filière. L'action politique est ainsi traitée comme un processus de négociation permanente où les protagonistes obéissent à la même rationalité. Tout se passe comme si les rapports entre acteurs, quelles qu'en soient les fausses notes, contribuaient au maintien d'un équilibre que chaque partenaire a intérêt à préserver.

Cette conception peut sembler quelque peu abstraite : elle présuppose en effet que les acteurs partagent la même représentation des enjeux et des contraintes. Or il est clair que les groupes et individus qui agissent au sein du dispositif politico-administratif ne constituent pas une couche socialement et culturellement homogène. Un élu peut adopter le même langage qu'un fonctionnaire formé à l'école de l'organisation, mais se déterminer en référence à des enjeux qui ne renvoient nullement aux mêmes valeurs[12]. Alors que le technicien cherche des solutions et souhaite débloquer la situation, l'homme politique peut se trouver dans la position de faire échec à toute réalisation concrète sous peine de perdre la face localement. Cette tactique, qui évite à l'intéressé de prendre explicitement parti pour une solution qui favoriserait l'une des factions locales, se trouve masquée par un discours qui prône l'efficacité et qui peut apparaître en parfaite harmonie avec les projets de ses interlocuteurs. De tels décalages entre les valeurs qui déterminent l'action réelle des différents partenaires échappent à la thématique du jeu. L'univers des systèmes d'action concrets présente une surface lisse ; la réalité offre cependant l'image d'une complexité plus grande, due pour une part à l'hétérogénéité des systèmes de représentation qui se trouvent confrontés dans l'action politique. D'autre part, la dialectique du système et du jeu occulte l'existence des rapports de force qui structurent le champ politique. Cette seconde remarque mérite d'être illustrée par un exemple, et on citera à nouveau le cas des chartes intercommunales.

L'élaboration d'un projet de charte requiert les services de techniciens compétents en matière d'équipement et de développement. On devrait donc trouver là une bonne application du principe de la régulation croisée entre partenaires politiques (élus locaux) et techniques (Directions départementales de l'Équipement, Directions départementales de l'Agriculture) qui ont coutume de travailler ensemble. L'analyse anthropologique du cas nivernais déjà évoqué montre comment ce jeu binaire se trouve neutralisé par l'action du conseiller général rural qui est l'initiateur de la charte. Celui-ci a agi en sorte que l'élaboration du projet soit confiée à un bureau d'étude qui n'est en fait aucunement lié aux services extérieurs de l'État. Une enquête approfondie montre que cette agence technique a été créée par un réseau d'élus et de techniciens qui représente une force d'opposition face à la majorité politique départementale. Mais cette subordination du technique au politique demeure masquée. Les intéressés agissent en sorte que ce bureau d'étude présenté comme politiquement neutre soit choisi pour effectuer l'ensemble des études préalables aux chartes sur le territoire du département. Nous voici loin du jeu réglé entre techniciens d'État et politiques locaux. Si l'on tient à conserver le vocabulaire ludique, on dira que ces derniers ont opéré un véritable déplacement des enjeux, en exhibant une nouvelle carte. Il serait plus juste de constater que l'opération vise à imposer par le biais du technique un nouveau rapport de force défavorable à la majorité départementale et qui a pour effet de marginaliser les instances étatiques spécialisées.

Ces observations mettent en relief l'implication de réseaux politiques largement ramifiés dans des affaires qui concernent un nombre limité de communes et dont le traitement semble l'apanage des maires. S'il est clair qu'une analyse du pouvoir local ne peut faire abstraction de son inscription au sein d'un système politique global, l'État, il apparaît cependant que la thèse, chère à la sociologie des organisations, d'une complémentarité entre les instances techniques de l'État et la représentation politique locale ne prend en compte qu'un des aspects de la situation. L'intégration des pouvoirs localisés à un ensemble plus vaste ne s'opère pas seulement par la grâce — et sous la tutelle — des administrations ; elle met en jeu le système relationnel qui, de la commune au département, lie les « petits » et les « grands élus ». Notre connaissance de ces relations et des stratégies qu'elles enveloppent est aujourd'hui insuffisante. L'approche anthropologique devrait permettre de mieux cerner les caractéristiques de ces réseaux supracommunaux et d'étudier les variations qu'elles présentent d'une région à l'autre. La seconde orientation que l'on peut assigner à ce type de recherche viserait une analyse interne des administrations qui participent à la gestion d'un niveau donné du dispositif territorial. C'est la conjonction de ces deux axes d'enquête qui nous fera accéder au cœur du système politique français moderne.

MARC ABÉLÈS.

NOTES

1. Archives communales d'Auxerre D[3]1.

2. Archives nationales, D IV bis 182.

3. On se réfère ici à la loi du 16 juillet 1971 sur les fusions et les regroupements de communes dont le bilan s'est montré décevant : 3 p. 100 des communes ont été supprimées entre 1971 et 1975. Pour une étude détaillée de son application, on se référera à J. DE KERVASDOUÉ, L. FABIUS, M. MAZODIER *et al.*, 1976.

4. AUGÉ, 1977, ch. 2.

5. La loi de décentralisation du 7 janvier 1983 relative au transfert de compétences offre aux communes qui le désirent la possibilité d'organiser leur développement en élaborant des chartes intercommunales de développement et d'aménagement. Pour une analyse des principaux axes de la décentralisation, *cf.* ABÉLÈS, 1985.

6. La Nièvre et l'Yonne.

7. Les rapports complexes qu'entretient le pouvoir avec la territorialité ont été analysés dans un contexte tout différent, mais de manière tout à fait éclairante pour notre propos par M. IZARD (1983).

8. Cette recherche qui porte sur un canton du Morvan a commencé en 1982.

9. On pense notamment aux travaux sur le pouvoir local qui ont été publiés dans *Études rurales,* 1976, 63-64 : *Pouvoir et patrimoine au village.*

10. Par idéologie on entend ici un ensemble d'idées et de valeurs (*cf.* DUMONT, 1983) et non une idéologie politique au sens restreint. Nous préciserons ailleurs la portée de cette distinction.

11. Pour certains auteurs (P. & J. SCHNEIDER, HANSEN 1972) le rôle des réseaux est d'autant plus accentué que l'institution est faible et peu développée. Cette antinomie peut paraître contestable, si l'on admet que dans nos sociétés les réseaux de pouvoir alimentent les institutions à l'intérieur desquelles ils se déploient.

12. De ce décalage entre rationalité technique et logique « notabiliaire », les travaux de M. MARIÉ (1982) offrent une analyse originale.

BIBLIOGRAPHIE

ABÉLÈS, M.
1985 « Les Chemins de la décentralisation », *Les Temps modernes,* 463, 1393-1428.

AUGÉ, M.
1977 *Pouvoirs de vie, pouvoirs de mort.* Paris, Flammarion.

BECQUART-LECLERCQ, J.
1976 *Paradoxes du pouvoir local.* Paris, Presses de la Fondation nationale des Sciences politiques.

CROZIER, M.
1963 *Le Phénomène bureaucratique.* Paris, Le Seuil.

CROZIER, M. & FRIEDBERG, E.
1977 *L'Acteur et le système.* Paris, Le Seuil.

DUMONT, L.
1983 *Essais sur l'individualisme moderne : une perspective anthropologique sur l'idéologie.* Paris, Le Seuil.

DUPUY, F. & THOENIG, J.-C.
1983 *Sociologie de l'administration française.* Paris, Armand Colin.

EVANS-PRITCHARD, E. E.
1940 *The Nuer.* Oxford, The Clarendon Press.

GARRAUD, P.
1982 « Le Recrutement des maires », *Pouvoirs*, 24, 29-44.

GRÉMION, P.
1976 *Le Pouvoir périphérique : bureaucrates et notables dans le système politique français*. Paris, Le Seuil.

IZARD, M.
1983 « Engrammes du pouvoir : l'autochtonie et l'ancestralité », *Le Temps de la Réflexion*, 4, 299-323.

KERVASDOUÉ, J. DE, FABIUS, L., MAZODIER, M. *et al.*
1976 « La Loi et le changement social : un diagnostic. La loi du 16 juillet 1971 sur les fusions et les regroupements de communes », *Revue française de Sociologie*, XVII, 423-450.

LÉVI-STRAUSS, C.
1983 *Le Regard éloigné*. Paris, Plon.

MARIÉ, M.
1982 *Un territoire sans nom*. Paris, Librairie des Méridiens.

SCHNEIDER, P., SCHNEIDER, J., HANSEN, E.
1972 « Modernization and Development : The Role of Regional Elite and Non-Corporate Groups in the European Mediterranean », *Comparative Studies in Society and History*, 14, 328-350.

WEATHERFORD, J. MCIVER.
1981 *Tribes on the Hill*. New York, Rawson, Wade.

WORMS, J.-P.
1966 « Le Préfet et ses notables », *Sociologie du Travail*, 3, 249-275.

L'ÉTAT, LE HASARD ET LA NÉCESSITÉ

RÉFLEXIONS SUR UNE HISTOIRE

Emmanuel Terray

Un souvenir personnel pour commencer : lorsqu'il y a un an déjà, je subis à mon tour le rituel de la soutenance de thèse, et soumis à l'appréciation de mes juges un volumineux ouvrage sur l'histoire du royaume abron du Gyaman, des origines à la conquête coloniale, un des membres du jury — après avoir décerné à mon travail les éloges de rigueur en pareille circonstance — ajouta cependant qu'à son avis il appartenait à une période dépassée de l'histoire de notre discipline : les catégories qu'il utilisait, les problèmes qu'il abordait — l'économie, la politique, la richesse, le pouvoir, l'État — n'intéressaient plus guère les anthropologues d'aujourd'hui, du moins ceux de la jeune génération. Désormais les chercheurs mettaient en œuvre d'autres instruments, se tournaient vers d'autres thèmes : la santé et la maladie, la religion, le symbolique... Ainsi transformé en dernier vestige d'une époque révolue, je voudrais évoquer brièvement quelques-unes des conclusions auxquelles je suis parvenu ; même si mon témoignage ne présente pas d'intérêt pour les débats du jour, il aura au moins la valeur d'un document historique.

J'ai tout d'abord écrit une histoire. Non pas certes l'histoire d'un peuple, encore moins celle d'une ethnie : en effet si l'on entend par peuple ou par ethnie une collectivité distincte, identifiable par une langue, des coutumes, une organisation sociale, bref une culture qui lui serait propre, alors les Abron ne forment en aucune façon un peuple. En tant que groupe social, ils tiennent leurs principaux caractères, leur unité et sans doute leur existence même, du rôle hégémonique qu'ils jouent à l'intérieur d'un certain ordre social et politique. Cet ordre, c'est très précisément ce que j'ai appelé le royaume abron du Gyaman ; les Abron se définissent comme la classe dirigeante de ce royaume ; c'est la place qu'ils occupent à l'intérieur du système qu'il forme qui les constitue dans leur être et dans leur devenir.

Ce que j'ai donc écrit, c'est l'histoire d'un État, c'est-à-dire d'un ensemble organiquement lié de rapports économiques, sociaux et politiques de domination et de subordination. Comment cet ensemble a-t-il pris corps ? Comment s'est-il transformé au cours des âges ? Pour que les observations qui suivent soient intelligibles, on me permettra de rappeler en quelques mots les principales étapes de l'histoire du Gyaman.

Comme la plupart des États qui sont ses voisins et ses contemporains, l'État abron naît de la rencontre de deux processus historiques : l'expansion des commerçants maliens dans la boucle du Niger à partir de la fin du XIVe siècle, et l'irruption des Européens sur les rives du golfe de Guinée au siècle suivant.

Le développement des échanges à longue distance, l'apparition de rapports de production proprement esclavagistes, la naissance de véritables villes, l'influence et le rayonnement croissants de l'islam et ce qu'il transporte avec lui d'expériences intellectuelle et politique, produisent dans la région ce que je n'hésiterai pas à appeler une révolution. Les anciennes structures lignagères ne peuvent plus répondre aux exigences de l'époque nouvelle. Avec le concours des Dyula, des personnages que j'essaierai plus loin d'identifier bâtissent un nouveau type de domination que, sous bénéfice d'inventaire, on peut qualifier d'étatique. L'apparition des Européens sur le littoral accélère cette évolution, car les bâtisseurs d'État, désormais confrontés à deux groupes de partenaires rivaux — les Dyula au Nord et les Blancs au Sud — vont très adroitement tirer parti de leur situation intermédiaire en jouant systématiquement sur les deux tableaux et en allant, si j'ose dire, chercher leur bien d'un côté comme de l'autre.

C'est dans ce contexte qu'après beaucoup d'autres, ceux qui vont devenir les fondateurs du Gyaman se décident à tenter leur chance. Car à partir du moment où l'État apparaît en un point, toutes les communautés du voisinage se trouvent placées devant une alternative incontournable : commander ou être commandé, et il n'y a pas de troisième voie. Autrement dit, si l'on veut gouverner, il faut entreprendre pour son propre compte la construction d'un État, ou bien se résigner à subir la domination d'autrui. Or ce qui marque le destin des Abron, c'est qu'ils ne s'abandonneront jamais aux poisons d'une telle résignation. De nos jours même, j'entends encore ce vieux dignitaire du royaume s'exclamer devant moi : « Si ça n'avait pas été les Blancs, crois-tu que c'est un Baulé qui nous commanderait ? »

Bref, au début du XVIIe siècle, une petite bande de guerriers quitte l'arrière-pays d'Accra en quête d'un lieu où s'établir, et se fixe d'abord dans la région de Kumasi, où elle fonde le royaume de Domaa. Mais elle se heurte bientôt à d'autres immigrants — les fondateurs du futur empire asante — et dans le conflit elle est vaincue ; elle s'enfuit alors vers le nord-ouest et finit par trouver aux environs de Bondoukou un territoire où elle croit pouvoir s'installer à l'abri de toute menace.

Pendant les premières années du XVIIIe siècle, les nouveaux venus assujettissent les populations qui les ont précédés dans la contrée ; afin de se renforcer, ils nouent des relations de caractère contractuel avec d'autres fractions, qu'ils attirent à eux en leur promettant charges, privilèges et immunités. Enfin, ils commencent à édifier les institutions du royaume en s'inspirant du principe de l'alternance qui deviendra bientôt le caractère le plus apparent de leur système politique.

Dans le Sud, cependant, les fondateurs de l'empire asante poursuivent leur étonnant essor, et les Abron, qui avaient cru échapper à leurs puissants rivaux en émigrant, les retrouvent bientôt à leurs portes. En 1739-1740, c'est le choc, et le désastre : les Abron sont écrasés, leur roi Abo Miri mis à mort et le pays envahi.

Au lendemain de la catastrophe, deux souverains clairvoyants, Kofi Sono et Kofi Agyeman, rebâtissent le royaume sur des bases rénovées. Après avoir repris le contrôle de leur territoire, ils concluent de nouvelles alliances, en particulier avec les Dyula de Kong qui vont dès lors jouer dans le destin du pays un rôle capital. Par ailleurs, le centre de gravité du Gyaman glisse vers l'ouest ; le pays kulango est soumis et de nombreux Abron viennent s'y établir. Enfin, l'État est pourvu d'institution solides, organisées selon une règle d'alternance entre les deux segments du matrilignage royal, alternance dont les effets sont à présent étendus à l'ensemble de l'appareil gouvernemental.

Cependant le Gyaman est désormais tributaire des Asante. Pendant une première période, les dirigeants abron paraissent se résigner à leur sort, mais au début du XIXe siècle, pour les raisons d'ailleurs diverses, ils tentent un effort désespéré pour retrouver leur indépendance : c'est l'insurrection de 1818, et le désastre de la rivière Tain, la mort du roi Adingra, le massacre et la déportation de milliers d'Abron. Durant les décennies qui suivent, le Gyaman reconstitue ses forces, mais se garde de toute tentative aventureuse.

En 1874, l'empire asante soudain se disloque sous les coups des Britanniques, et les Abron retrouvent sans coup férir leur souveraineté. Ils s'engagent aussitôt dans un conflit, parfois feutré, parfois ouvert, avec l'ancien suzerain. A l'intérieur pourtant, l'ouverture des routes de la côte et l'essor du commerce entraînent des transformations économiques et sociales profondes ; mais surtout, comme un corps longtemps comprimé par un étau éclate sitôt que la pression se relâche, le royaume connaît une crise politique grave, liée à l'affrontement du roi et des détenteurs de commandement autour de l'enjeu du pouvoir. Tout absorbés par leurs conflits, les dirigeants abron ne s'apercevront pas que des partenaires d'un type entièrement nouveau entrent peu à peu en scène : Samori, les Blancs. En trois années de tourmente, ces partenaires se disputeront et se partageront le Gyaman, qui perdra en 1898 une indépendance qu'il n'a jamais retrouvée et qu'il ne retrouvera sans doute jamais.

*

Des origines de l'État dans la région, nous pouvons tirer une première série de leçons. Nous l'avons vu naître au XVIIe siècle de la rencontre d'une occasion et d'une volonté. Une occasion : celle que créent les commerçants mandé et les marins européens dans une région où dominaient auparavant les structures lignagères. En introduisant des biens de luxe susceptibles de devenir les supports d'une nouvelle différenciation sociale, en demandant en échange des biens dont la production exige de nouveaux rapports de travail, en répandant de nouveaux modèles d'organisation sociale et politique, les Dyula et à un moindre degré les Européens ouvrent aux ambitions et aux imaginations des carrières inexplorées.

Or il se trouve des hommes prêts à s'y engager, et l'analyse des traditions qui rapportent la fondation des États permet de dessiner leur portrait. Jeunes gens qui étouffent dans le cadre étriqué des cellules villageoises, cadets condamnés à végéter perpétuellement dans l'ombre de leurs aînés, chasseurs vivant aux limites des zones « civilisées » et de la brousse, soldats de fortune, colporteurs, toute une population confinée jusqu'alors aux marges de la société lignagère est saisie du frisson de l'aventure et se décide à « tenter sa chance ». Ce qui l'anime est une volonté dont l'objet initial est sans doute moins la puissance que la différence : volonté d'échapper au sort de la masse, à la biographie programmée que les communautés paysannes assignent à leurs membres. « Nous sommes autres que vous », voilà le premier cri de ralliement. Mais la société lignagère est moins que toute autre tolérante à l'égard des marginaux et des déviants : elle n'a de cesse qu'ils plient — ou disparaissent. Qui veut s'établir durablement dans la dissidence doit s'en donner les moyens, se faire craindre et respecter. Le désir de différence devient donc par un glissement tout naturel affirmation de supériorité.

Cependant la supériorité ainsi revendiquée n'existe que pour autant qu'elle est reconnue, et nos aventuriers vont d'abord s'employer à obtenir — ou à imposer — cette reconnaissance. Or c'est précisément dans et par leurs efforts que naît l'État.

En d'autres termes il apparaît que, dans l'aire qui nous intéresse, la formation des États est le produit d'un croisement entre deux processus rigoureusement indépendants l'un de l'autre. Le premier est le mécanisme permanent par lequel les sociétés lignagères sécrètent sur leurs frontières des personnages peu ou mal insérés dans les structures sociales dominantes ; le second est un épisode dont on peut situer les commencements dans l'histoire avec une certaine précision : l'essor du commerce lointain. A lui seul, le premier serait resté stérile ; pour qu'il soit, en quelque sorte, fécondé et devienne le point de départ d'une phase nouvelle de l'évolution, il fallait qu'intervienne le second. Or les causes de ce dernier sont tout entières inscrites dans les structures économiques, sociales et politiques de l'empire du Mali et ne doivent rien à la dynamique des sociétés lignagères du Sud. La rencontre des deux séquences est donc d'une certaine manière un événement accidentel, et la naissance de nos États n'est pas l'effet d'on ne sait quelle nécessité historique. Que la conséquence du contact entre les commerçants et les sociétés segmentaires ait été l'apparition de l'État, cela peut être expliqué et compris, mais le fait même du contact appartient au domaine du contingent.

De telles observations n'expriment pas seulement l'avis du chercheur qui examine la situation du dehors et après coup : à certains égards les acteurs mêmes de cette histoire, ou au moins leurs descendants, ont eu obscurément conscience du fait que la formation des États, bien loin d'être le résultat d'une évolution continue, marquait au contraire une rupture profonde avec les développements qui l'avaient précédée. Trois indices sont de ce point de vue significatifs : en premier lieu, à en croire les récits qui rapportent la naissance des États, les fondateurs sont dans la grande majorité des cas venus de l'extérieur ; plus précisément, ce n'est pas dans leur pays natal qu'ils édifient le nouveau pouvoir ; une migration, quelles qu'en soient l'ampleur et les formes — expédition de conquérants ou fuite de réfugiés —, précède toujours l'apparition des institutions étatiques. Bref, la genèse de l'État s'accompagne d'une coupure dans l'espace, mais celle-ci — second indice — se double à son tour d'une césure dans le temps : le temps qui précède la migration fondatrice et celui qui la suit ne sont pas de même nature ; le premier est celui du mythe et de la légende, le second, celui de l'histoire ; dans l'un, le merveilleux intervient à chaque détour du récit ; dans l'autre, il s'efface pour faire place à la politique réelle, sinon à la « real politik » : les rapports de force, les appétits, les ambitions sont désormais les principaux ressorts invoqués.

Enfin, comme pour mieux marquer le caractère radical de la mutation qui s'opère, l'apparition de l'État est souvent l'occasion d'une intervention en force des puissances surnaturelles dans le cours des affaires humaines, marquée par des prodiges de toutes sortes. Aux yeux des chroniqueurs, les hommes, livrés à leurs seules ressources, ne sont pas capables de mener à bien le bouleversement que représente la fondation des États ; ils ont besoin pour ce faire du concours d'un Agent Autre ; les traditions donnent à ce dernier le nom de Dieu ; je préférerais celui de Hasard ; mais il ne s'agit sans doute après tout que d'une querelle de mots.

*

En second lieu l'État, dans la région, tient ses principaux caractères des circonstances et des intentions qui ont présidé à sa formation. Il est d'abord l'aboutissement d'un projet de domination : en conséquence, son pouvoir s'exerce sur des sujets, non sur des territoires : seuls des hommes peuvent faire acte d'allégeance, se prosterner front contre terre, apporter présents et tributs. Les richesses sont recherchées et accumulées moins pour elles-mêmes que parce qu'elles symbolisent le rang et la puissance ; l'exploitation économique est avant tout un moyen de la domination sociale et politique.

Pour accéder à la suprématie et la conserver durablement, les fondateurs de l'État doivent être suffisamment nombreux. Afin d'atteindre l'effectif requis, le noyau initial s'associe donc à d'autres fractions avec lesquelles il passe de véritables pactes : les nouveaux venus lient leur sort à celui du groupe et acceptent l'autorité de ses dirigeants ; ils se voient accorder en contrepartie titres, fonctions et privilèges. Ainsi, aux liens familiaux viennent s'ajouter dans le tissu social les relations contractuelles, et la nouvelle classe supérieure se présente bientôt comme une fédération de lignages.

Mais une telle stratégie rencontre vite ses limites : une élite qui prolifère n'est plus une élite. Pour la même raison, les gouvernants se gardent bien d'imposer leur langue, leurs coutumes et leurs croyances à leurs sujets : dans le vie sociale, il faut qu'on puisse distinguer au premier coup d'œil « ceux d'en haut » et « ceux d'en bas ». Une politique d'alliance ou d'assimilation trop généreuse brouillerait cette séparation entre dominants et dominés qui est à la fois le fondement et la finalité de l'État.

Je voudrais y insister : de mon point de vue, l'essence même de l'État, c'est l'existence dans le tissu social d'une déchirure irréductible qui introduit entre gouvernants et gouvernés comme une différence de nature, quelles que soient les formes sous lesquelles cette différence est exprimée. Pour risquer une définition schématique, l'État surgit, dirai-je, lorsque le dernier des bambins du lignage royal a le pas sur les plus vénérables vieillards des lignages plébéiens. Dans le célèbre article de 1953 où Meyer Fortes se penchait sur les « unilineal descent groups », il faisait figurer, parmi les conditions de leur prévalence, une relative homogénéité sociale, entendant par là une large similarité de statut entre les personnes de même sexe et de même groupe d'âge, d'une communauté à l'autre. C'est précisément cette homogénéité qui est perdue avec l'apparition de l'État ; le champ social est désormais traversé par une faille insurmontable, et les dispositifs institutionnels par lesquels on définit en général l'État ont pour fonction de maintenir, de reproduire et parfois d'approfondir cette faille.

Dans ces conditions, la classe dirigeante se confond avec l'appareil de l'État : pour appartenir à la première, il est nécessaire et suffisant d'exercer des responsabilités au sein du second. Inversement, tous ceux qui jouent un rôle dans la machine gouvernementale accèdent plus ou moins vite aux étages supérieurs de la pyramide sociale. Il en résulte une sorte d'incarnation de l'État qui donne à la vie politique abron une saveur très particulière. A la différence du nôtre, l'État abron n'apparaît pas comme une entité abstraite et anonyme qui s'élèverait au-dessus de la société et des classes pour les représenter et s'ériger en arbitre de leurs conflits, prétendrait défendre l'intérêt général et ne se connaîtrait pour cette raison que des serviteurs tout dévoués au bien public. Au Gyaman, de telles fictions — de telles hypocrisies — ne seraient pas soutenables ; chacun connaît la voix et le visage de l'État : ce sont ceux du roi, de ses lieutenants, de ses dignitaires et de ses agents. Ces hommes *sont* l'État ; en dehors d'eux, il n'a aucune réalité ; son passé se confond avec l'histoire de leurs ancêtres, et son avenir s'identifie à celui de leurs enfants.

Mais dès lors que l'État ne se substitue pas à la société, il est contraint de la prendre en considération, et entre ces deux partenaires un pacte implicite est scellé qui est au fondement même de la vie sociale. Quelles en sont les clauses ? Pour le compte de la société, l'État doit s'acquitter d'un certain nombre de tâches : préserver « l'ordre et la sécurité » à l'intérieur, défendre la communauté contre ses voisins, maintenir de bonnes relations avec les dieux. Mais il lui faut aussi respecter les frontières invisibles qui bornent son domaine et restreignent son activité : la vie intérieure des cellules familiales et villageoises, l'organisation au jour le jour de la production, une très large partie du champ religieux lui échappent. Sitôt que les hommes du pouvoir ont rempli ces missions et pour autant qu'ils ont déféré à ces interdictions, ils ont tout loisir de poursuivre les objectifs qui leur sont propres — le faste, la magnificence, la renommée, la gloire. Mieux, sous réserve que leurs exigences demeurent « raisonnables », ils sont en droit, à cette fin, de faire appel aux services et aux ressources de leurs sujets.

Qu'est-ce qui les oblige à observer les prescriptions de ce contrat ? Le poids de la tradition et la crainte des châtiments surnaturels, certes, mais aussi des contraintes plus directes. Au moment même où ils commençaient à bâtir leur État, d'autres groupes s'attelaient dans le voisinage à une tâche identique. Bientôt ces entreprises rivales viennent s'entrechoquer ; on se dispute les vassaux, les voies commerciales, les réserves de chasse, les gisements d'or ; mais surtout on veut imposer son hégémonie, être reconnu comme le plus grand. Entre antagonistes également souverains, seule la guerre peut trancher : l'incendie jaillit de toutes parts. Du coup, les rapports entre gouvernants et gouvernés prennent un autre tour : mécontents, les seconds peuvent refuser leur assistance aux premiers ou même s'enfuir chez l'ennemi. Les maîtres sont donc tenus à une certaine modération : en fait, sur le produit des paysans libres, ils n'osent plus procéder qu'à des prélèvements symboliques, et c'est du labeur de leurs esclaves qu'ils tirent non seulement leur subsistance, mais le gros de leur richesse.

Telles sont, sommairement rappelées, les règles du jeu. On voit à quel point, sous le même nom d'État, la réalité évoquée ici est différente de celle qui nous est familière. D'un côté, des hommes et des femmes de chair et d'os, des pouvoirs dont le nombre est réduit et l'étendue restreinte, une domination qui est contrainte de respecter les autonomies et les particularités locales : de l'autre, ce « monstre froid », impersonnel et fantomatique, dont les tentacules pénètrent toutes les sphères de la vie sociale, et dont l'action produit toujours davantage de centralisation et d'uniformité ; d'un côté, une suprématie qui se déploie à visage découvert, et qu'il est donc relativement aisé de contenir à l'intérieur de ses limites ; de l'autre un despotisme insidieux, qui masque l'exercice presque sans frein du droit du plus fort sous les déguisements de la liberté et de l'égalité.

Que penser dès lors de ces invectives contre « l'État » en général dont quelques anthropologues trop attentifs aux modes se sont faits il y a quelques années les spécialistes tapageurs ? Parlons net : dans les variations que j'ai entendues sur ce thème à la suite des livres de Pierre Clastres, je n'ai trouvé pour ma part qu'opérations de propagande et machines de guerre idéologique à l'usage de l'intelligentsia parisienne. De ce point de vue la réussite a été totale, mais dans l'affaire, ni le respect des faits, ni la sensibilité aux différences, ni la simple honnêteté n'ont trouvé leur compte : ce seraient pourtant les moindres vertus qu'on serait en droit d'attendre d'un anthropologue. En réalité, face aux bardes qui nous chantent la rébellion de « la société contre l'État », on pourrait soutenir — et on a soutenu — de manière tout aussi convaincante que la communauté villageoise est le lieu privilégié d'un totalitarisme qui, pour être collectif, n'en est pas moins implacable : car ses victimes, exposées jour et nuit aux regards et à la vindicte de leurs oppresseurs, n'ont d'autre recours que l'exil et la servitude, la folie ou la mort. Si ces malheureux pouvaient chercher refuge auprès d'un souverain généreux et échapper à leurs persécuteurs en se plaçant à son service, l'État ne leur apparaîtrait-il pas dès lors comme un havre de liberté ? Après tout, il a bien souvent joué *aussi* ce rôle au cours de notre propre histoire.

*

Toutefois le rappel des règles du jeu ne nous livre encore qu'un squelette desséché ; il s'agit à présent d'identifier les joueurs, et j'en viens ainsi à cette question des acteurs sociaux qui me paraît capitale pour l'avenir de l'anthropologie. Dans les premières pages de ses *Mémoires*, Raymond Aron la pose en des termes qui me conviennent fort bien : les systèmes sociaux, se demande-t-il, peuvent-ils être assimilés à un sujet susceptible de prendre des décisions, d'être qualifié par des adjectifs à la manière d'une personne ? De fait, comme toutes les sciences encore dans l'enfance, l'anthropologie continue d'emprunter ses modèles explicatifs et ses images-guides à l'expérience la plus immédiate et la plus familière. Or, comme l'a bien vu Bachelard, quoi de plus familier que l'expérience de l'individu humain, du sujet psychologique, telle que nous la livre, croit-on, l'introspection ? C'est donc sur le modèle du sujet que nous avons tendance à penser les acteurs sociaux : communautés, peuples, classes, partis, factions, sectes et Églises. Nous les créditons de ce que nous regardons comme les attributs fondamentaux du sujet : la conscience de soi, la transparence à soi-même ; l'intelligence, la capacité de calculer, d'adapter des moyens à une fin ; et enfin la volonté, la faculté de prendre des décisions, de faire des choix. Et les acteurs ne nous sont intelligibles que dans la mesure où nous parvenons à les réduire à l'état de sujet.

Rapportée à son objet initial — l'individu humain — la notion de sujet est, depuis Marx, Nietzsche et Freud, entrée dans une crise irréversible ; pourtant nous continuons de l'appliquer de façon métaphorique aux objets sociaux. A mon avis, tant qu'il en sera ainsi, notre discipline n'accomplira pas de progrès décisifs. Bien entendu, je suis loin de détenir ne fût-ce que l'embryon d'une réponse au problème posé. Mais il me semble que le respect de certaines règles de méthode permettrait au moins de l'aborder.

Il faudrait d'abord admettre comme par hypothèse que les contraintes économiques, sociales, intellectuelles de toute nature qui pèsent sur l'action collective laissent toujours l'espace d'un choix. Mais nous devrions dès lors nous efforcer chaque fois d'éclairer les conditions concrètes de ce choix : qui se prononce ? Quel individu, sous quel contrôle ? Quel groupe précis, selon quelles procédures, en vertu de quelles valeurs, en fonction de quelles informations et de quels raisonnements ? Quels sont les effets du choix ? Les effets voulus et les conséquences involontaires ? Bref, il conviendrait d'expulser de notre discours ces grandes entités hypostasiées que sont *la* Société, *le* Peuple, *le* Pouvoir, *la* Classe dirigeante et rejoindre les acteurs effectifs du drame historique.

Une telle entreprise a-t-elle un sens et une utilité ? Est-elle du ressort de l'anthropologue ? Pour moi, l'inventaire des contraintes qui pèsent sur les agents historiques — les gouvernants abron en l'occurrence — et celui des valeurs auxquelles ils adhèrent délimitent l'espace où vont se déployer leur imagination, leur intelligence et leur esprit d'initiative ; et ce qui m'intéresse, c'est précisément cette dialectique de la nécessité et de la liberté telle qu'elle se développe à travers l'histoire du royaume.

Au cours d'un débat récent autour du monumental ouvrage qu'Ivor Wilks a consacré à l'Asante au XIXe siècle, mon interlocuteur, tout en rendant hommage au travail accompli, soutenait qu'aucun des dispositifs décrits — recours systématique au mariage patrilatéral pour réserver la succession aux agnats, attribution de responsabilités de premier plan aux « fils » et aux serviteurs, etc. — n'était de nature à étonner l'ethnologue : tous étaient inhérents, au moins à titre de virtualités, au caractère matrilinéaire de l'organisatioin sociale asante. Selon lui, n'était donc en réalité surprenante que la surprise de l'historien.

Bien entendu, nul ne songe à nier que la liberté individuelle ou collective s'exerce dans un cadre et sur un terrain dont les déterminations sont posées à l'avance. Dans l'histoire, il n'y a ni pages blanches ni tables rases ; des logiques, inscrites dans la nature des choses ou dans celle de l'esprit, prescrivent à l'action humaine des chemins en nombre limité, entre lesquels elle doit inéluctablement opter. La mise au jour de ces logiques, le recensement des voies qu'elles ouvrent et de celles qu'elles ferment, sont assurément des étapes importantes pour la connaissance des sociétés et de leur destin, mais elles ne nous dévoilent encore que des possibilités. Le moment capital, c'est le passage du possible au réel ; il s'accomplit par le biais d'un choix qui retient une variante entre toutes celles qui s'offrent ; à son tour, celui-ci résulte d'une stratégie organisant des moyens en vue d'une fin, et c'est finalement le déchiffrement de cette stratégie qui nous découvre le sens. A ce stade, l'analyse des possibilités n'a plus rien à nous apprendre : seule l'essence de Dieu contient son existence ; ici-bas, l'existence est irréductible à l'essence et relève d'une explication spécifique. On peut réserver à l'ethnologue l'inventaire du possible et confier à l'historien la compréhension du réel, mais on doit alors admettre que, dans une telle division du travail, c'est le second qui obtient « la meilleure part » ; l'autre n'est là que pour le servir.

D'autant qu'au fur et à mesure de l'écoulement du temps, la dialectique de la nécessité et de la liberté dont j'ai parlé fait place à une dialectique plus concrète entre l'héritage et l'invention. Aux logiques immanentes viennent se superposer les traces et conséquences des actions passées ; des décisions ont été prises, dont les suites sont souvent irréversibles ; des portes ont été fermées, des ornières creusées. Ainsi se forme l'héritage à partir duquel individus et groupes inventent leurs réponses aux conjonctures inédites qu'ils affrontent, mêlant en proportions variées recettes éprouvées et innovations. A leur tour, ces réponses produisent des effets inattendus, invisibles, pervers, et de nouvelles contraintes surgissent, qui pèsent sur l'action future. Le sort des institutions du Gyaman ou l'évolution de sa politique étrangère — de la rébellion contre l'Asante à la soumission au « pouvoir blanc » — illustrent bien ce processus : dans un cas comme dans l'autre, l'aventure des dirigeants abron ressemble fort à celle de l'apprenti sorcier. Mais est-ce un destin si particulier ?

Dans le cours de ce destin, les instants de liberté et de création durent ce que dure le *clinamen* de Lucrèce : le temps d'un éclair dans la nuit ; ils sont pourtant le foyer d'où toute lumière procède. Le repérage des contraintes qu'exercent la géographie et l'économie, le dévoilement des logiques qui commandent la représentation et l'action sont des tâches dont nul ne songe à se dispenser. Mais pas plus que le nôtre, le devenir des Abron ne saurait être déduit de semblables données ; sa substance se tient dans ces moments d'incertitude où les partenaires du jeu arrêtent leurs choix, engagent les paris et jettent leurs dés : si nous devions renoncer à pressentir ce qui se passe alors dans leur esprit, toute notre entreprise de reconstitution ne vaudrait pas une heure de peine. Comme toute histoire humaine, celle du Gyaman naît d'une rencontre et progresse à travers des espaces fortement structurés ; mais son sens surgit ailleurs : précisément sur ce sentier étroit que l'intelligence et la volonté des hommes se frayent d'âge en âge entre le hasard et la nécessité.

EMMANUEL TERRAY.

L'ÉTENDUE, LA DURÉE

Michel Izard

L'analyse de faits relatifs au royaume mooga (mossi) du Yatenga nous a conduit, dans un travail récent[1], à distinguer deux instances de légitimation du pouvoir : l'autochtonie et l'ancestralité. Nous avons essayé de montrer que la distinction, classique dans les régions que nous considérons, entre l'ordre de la terre et l'ordre du pouvoir, ne permet pas de rendre compte du rapport d'ensemble existant entre le pouvoir et ce qui le fonde, et qu'à côté d'une autochtonie par définition extérieure au monde du pouvoir, il en existe en quelque sorte une autre, intérieure à ce monde, les ancêtres étant dans la durée ce que les autochtones sont dans l'étendue : l'horizon idéologique dernier de toute référence d'historicité. Dans le travail cité, nous nous sommes longuement arrêté sur ce que l'on pourrait appeler les « propriétés » de la triade *pouvoir/autochtonie/ancestralité*. En résumé, cette triade, dans le contexte ethnographique spécifique au sein duquel nous nous situons, apparaît comme étant constituée par deux relations duelles *(pouvoir-autochtonie, pouvoir-ancestralité)* et non trois, ou peut être plus exactement par deux relations duelles « élémentaires » et une troisième *(autochtonie-ancestralité)* qu'on appellera sans plus d'examen « complexe », pour marquer simplement que les deux éléments mis en rapport ne peuvent l'être que par la médiation d'un élément intermédiaire, qui est ici le *pouvoir.* Il suit que la forme d'écriture : *pouvoir/autochtonie/ancestralité* devrait être développée ainsi : *pouvoir/autochtonie + pouvoir/ancestralité.* Dans cette triade, la place de l'élément *pouvoir* situait celle du souverain dans l'espace des représentations de la souveraineté, le roi étant à l'articulation du monde de la terre et du monde du pouvoir, avec cette dissymétrie cependant : le roi et les ancêtres sont liés dans le système de transmission du « pouvoir » *(naam)* qui procède du pouvoir divin *(wendnaam),* où l'on retrouve la dualité pouvoir *(naam)*-terre *(tenga)* dont rend compte le couple divin formé par Naaba Wende, le dieu du ciel, et son épouse Napaga Tenga, la déesse de la terre, le *wendnaam* émanant de Wende. Si l'on fait retour à notre triade initiale, nous aurions, à côté de la double relation duelle *pouvoir/autochtonie, pouvoir/ancestralité,* une relation duelle de la forme : *autochtonie/(pouvoir + ancestralité),* dont il est facile de montrer que le système rituel et le système des représentations n'admettent pas la formulation symétrique et inverse qui serait : *ancestralité/(pouvoir + autochtonie).*

Si nous généralisons ce qui précède, en écrivant la triade *pouvoir/autochtonie/ancestralité* sous la forme *a/b/c,* on reconnaît à cette configuration les propriétés suivantes : 1. *a, b* et *c* font système en référence à *a* ; 2. la triade *a/b/c* « contient » les relations duelles *a-b* et *a-c,* mais non la relation duelle de même forme *b-c* ; 3. il n'y a de mise en relation possible de *b* avec *c* que par la médiation de *a* ; 4. il existe dans *a/b/c* un sous-système *a-c* qui s'oppose à *b,* tandis que l'inverse n'est pas vrai : il n'existe pas dans *a/b/c* un sous-système *a-b* qui s'oppose à *c* ; 5. *a,* par rapport auquel s'organise l'ensemble de la configuration *a/b/c,* intervient à trois niveaux distincts de « réalité », chaque niveau intégrant le précédent dans une réalité de complexité supérieure : en tant que tel, distinct de *b* et de *c,* en tant qu'il appartient à *a-c,* distinct de *b,* en tant qu'il appartient à *a-b-c ;* 6. dans le contexte de la triade *pouvoir/autochtonie/ancestralité,* plus spécifiquement dans la relation du souverain à la souveraineté que nous avons introduite comme exemplification du rapport général de *a* à *a-b-c, a* a statut d'élément unitaire dont l'existence, quelle que soit la nature de *a,* est explicitée en termes de « place » dans la durée, liée à *c,* et dans l'étendue, liée à *b,* en un complexe ontologique tel que si l'être *a* est pensable dans la durée hors de toute référence à l'étendue, il n'est pas pensable dans l'étendue hors de toute référence à la durée.

En partant, de façon purement contingente, de la triade :

pouvoir/autochtonie/ancestralité (I),

il était intéressant de rechercher si, de proche en proche, on ne pouvait pas mettre au jour des configurations homologues. Ainsi, en passant du plan notionnel à celui des « acteurs » en cause, nous avons isolé la triade :

humain/génies/ancêtres (II)

où la mise en place des humains est surdéterminée par la position préalable du rapport des ancêtres à l'ancestralité et des génies à l'autochtonie. Que l'horizon ontologique de l'ancestralité soit défini par l'existence des ancêtres va de soi dans un système qui clôt l'ancestralité sur un ancêtre unique, Naaba Wedraogo, premier détenteur du *naam,* ancêtre commun à tous les Moose, dont l'existence historique situe le « moment » de la génération du *naam* à partir du *wendnaam.* Dans l'histoire encore, l'horizon d'autochtonie est à tout moment défini par l'existence d'autochtones, présents ici et maintenant, mais si l'histoire montre que l'autochtonie est toujours relative, le système des représentations et les récits de fondation propres aux gens de la terre définissent un horizon ultime d'autochtonie auquel sont associés les génies qui peuplent la brousse. Les ancêtres des humains sont des « ancêtres » *(kiimse,* sing. *kiima),* les autochtones des humains sont des « génies » *(kinkirse,* sing. *kinkirga)*[2]. Sans entrer ici dans le détail de la très complexe théorie mooga de la substance[3], indiquons que ce qui conduit à situer nécessairement les humains en *a* quand les ancêtres sont en *c* et les génies en *b* est le fait que la substance de la personne humaine *(siiga)* procède de la substance ancestrale *(kiima)*, l'intervention des génies dans le processus de la procréation humaine ayant précisément pour effet de « traiter » un *kiima* ancestral pour en extraire, si l'on peut dire, de la substance humaine.

Les ancêtres naissent d'humains décédés et leur substance propre s'autonomise à partir de la substance humaine, ou sans doute plus exactement à partir d'un élément rémanent, dans la substance humaine, de la substance ancestrale, dont cette substance humaine s'était différenciée. Quels que soient les avatars de la substance, dans ses différentes composantes et dans les différentes combinaisons de ces composantes, il y a continuité de la substance d'un ancêtre à celle de l'humain qui en naît, et de la substance d'un humain à celle de l'ancêtre auquel il donne naissance. La relation particulière qui s'établit entre un ancêtre et un nouvel humain, ou entre un humain et un nouvel ancêtre, n'a de sens que dans le contexte du tissage généalogique lignager, la généalogie d'ensemble du patrilignage servant de trame à une généalogie « utile » du point de vue de la liaison ancêtres-humains-ancêtres, dont les lignes agnatiques dessinent le réseau de circulation des flux de substance. A cet égard, les ancêtres sont les agents de la *socialisation* de la personne humaine, processus qui se développe dans la durée, dont la fonction de liaison — ici entre les ancêtres et les humains — est ainsi mise en évidence : la durée est un opérateur de *continuité*. Les génies interviennent comme agents de l'*individuation* de la personne humaine : au cours du processus procréatif, leur rôle consiste à donner à l'élément de substance né d'un ancêtre sa singularité d'être humain, à un moment — la naissance humaine — où la socialisation de la personne n'est encore que potentielle, puisqu'elle n'adviendra véritablement qu'au sevrage, si les génies le permettent. L'individuation est liée à l'étendue, qui est un opérateur de *discontinuité* : l'étendue sépare ce que la durée lie. On voit mieux ce qu'il en est des niveaux de « réalité » que nous entendions distinguer plus haut : les humains sont envisageables en tant que tels, indépendamment des génies et des ancêtres, auxquels est également assignée une existence immédiate autonome. Au niveau de complexité supérieure intervient la liaison nécessaire entre humains et ancêtres, qui appartiennent ensemble à une catégorie d'êtres plus globale que chacune des deux catégories précédentes prise isolément, cette cagégorie d'êtres se distinguant de celle que constituent les génies. Enfin, génies et (humains + ancêtres) forment ensemble une catégorie d'êtres qui englobe les deux catégories précédentes ; les êtres de la catégorie (génies + [humains + ancêtres]) relèvent d'une même composition substantielle et ont, entre autres caractéristiques communes, encore à inventorier, un morphisme général unique, dont le morphisme des humains et des ancêtres, d'une part, celui des génies, d'autre part, ne sont que deux variantes. Ensemble, humains, génies et ancêtres se distinguent, parmi les êtres vivants, des animaux — qui, comme eux, sont sexués — et des plantes. De ce qui précède, il suit que l'intervention des génies dans le processus d'autonomisation individuelle et sociale de la personne humaine situe le moment de la naissance biologique, que suivra à l'époque du sevrage la naissance sociale : les génies sont des marqueurs d'identité, des codeurs de flux ; de ce point de vue, la naissance et la mort biologique apparaissent comme des événements de même nature, mais de valence opposée, ce qui pose l'autonomie de la destinée humaine singulière ; dans le cycle de circulation de la substance, il y a mutation à la naissance et à la mort. Il demeure que nous comprenons encore très mal la signification de l'existence de deux morts, la première étant marquée par la transformation de la substance humaine individuée — le *siiga* — en un autre élément de la substance que l'on appelle le *tulle,* la seconde l'étant par la transformation du *tulle* en un *kiima,* élément individué de la substance ancestrale. Le passage du *siiga* au *tulle* correspond à une mort sociale, qui fait ainsi système, pour ce qui concerne le parcours de la destinée humaine, avec le moment — la naissance sociale — où, dans la séparation du nouvel être humain d'avec le génie auquel il doit son identité particulière, le *siiga* devient actif. Le passage du *tulle* au *kiima*, en tant qu'il correspond à la mort biologique, fait système avec la naissance biologique. A poursuivre dans cette voie, on est conduit à s'interroger sur le possible rôle des ancêtres dans la mutation *siiga-tulle*, et des génies dans la mutation *tulle-kiima* ; or, si nous ne connaissons pas encore les mécanismes qui président à ces mutations, le détour par les rituels funéraires, exemplairement les rituels royaux, nous permet d'interpréter la seconde mort comme une inversion de la première naissance. A la mort du roi — mais cette séquence appartient, sous une forme moins « forte », aux rituels funéraires ordinaires —, on choisit parmi ses fils les plus jeunes celui qui, sous l'appellation de *kurita*[4], deviendra l'incarnation symbolique du défunt parmi les vivants. Tout se passe comme si la personne royale était dédoublée en une partie intransmissible, vouée à disparaître à la périphérie du royaume sous le travestissement du *kurita*, et une partie transmissible du roi défunt à son successeur par l'intermédiaire de la fille aînée — la *napoko*[5] — du premier. L'itinéraire du *kurita*, qui part de la maison de son père pour se perdre au plus loin, d'où il ne reviendra jamais, en tant qu'il conduit du centre du royaume vers sa périphérie, vaut passage de la nature domestiquée vers la nature sauvage, du village vers la brousse : du monde des humains vers le monde des génies ; l'itinéraire du *kurita* inverse celui du génie procréateur, qui quitte son univers pour pénétrer — c'est le mot juste — dans le monde des humains. La naissance biologique exige pour advenir la conjonction d'un élément de substance né d'une mutation de la substance ancestrale et d'un génie venu de la brousse ; la mort biologique s'accomplit par la disjonction entre un élément de substance destiné à devenir de la substance ancestrale individuée et une partie de la personne du défunt symboliquement incarnée par un de ses fils que l'on met en situation d'être assimilé à un génie. Il est clair, à considérer la signification que revêt l'institution du *kurita*, que pour qu'un humain puisse devenir un ancêtre, il faut qu'il se sépare de ce qu'il y a — de ce qui demeure — de génie en lui. La disjonction qu'exemplifie l'opposition *napoko-kurita* concerne la génération des enfants du défunt, si l'on sait que la part transmissible d'un mort va, dans la majorité des cas, à ses petits-enfants, étant entendu que ceux d'entre les morts qui deviennent des ancêtres ne représentent qu'une minorité (un dixième, approximativement) parmi les défunts. On est tenté de poursuivre un peu plus avant l'exploration, en se souvenant qu'autrefois, nous dit-on, le *kurita* était le fils aîné du roi et donc généalogiquement l'homologue masculin de la *napoko,* cette symétrie et l'inversion qui lui est associée étant propres à éclairer la nature et la signification du marquage fortement négatif de la figure du fils aîné dans les représentations et la pratique sociale des Moose[6].

Ce qui précède permet de retenir une nouvelle triade :

personne/individuation/socialisation (III),

à laquelle on en pourrait associer d'autres, ainsi :

substance/partition/liaison (IV),

dans l'ordre de l'ontologie et dans le contexte du discours sur les représentations, ou dans l'ordre institutionnel et dans le contexte du vécu du système :

naaba/kurita/napoko (V),

le terme *naaba* désignant tout chef et plus particulièrement le roi. Derrière ces configurations particulières, et d'autres qui leur sont proches et qu'il est aisé de construire empiriquement, fait trame une triade de portée très générale, dont nous considérons qu'elle fonde dans une large mesure l'organisation structurelle des représentations, et sans doute aussi des rituels, notamment funéraires. Cette triade peut s'écrire :

existence/étendue/durée (VI),

où l'élément « existence » pourrait être remplacé, au gré des contextes d'analyse, par « être » ou par « destin individuel ». Du point de vue du système de représentation des Moose, il n'y aurait d'existence qu'asservie à une coréférence nécessaire à l'étendue et à la durée. On a souligné plus haut la fonction de liaison de la durée, celle de séparation de l'étendue : la durée s'oppose à l'étendue comme une instance d'ordre (d'ordonnancement, d'ordination) à une instance de désordre.

On remarquera qu'il faut mobiliser deux couples d'oppositions binaires pour rendre compte, dans un ensemble ternaire, de l'identité de chacun des trois éléments par confrontation, à chaque fois, avec les deux autres, le propre d'une telle opération étant, mais ceci est secondaire pour notre propos, qu'elle produit un reste qui situe le « lieu » d'une position de l'impossibilité d'existence. Prenons deux exemples de détermination des éléments d'une triade, en l'occurrence celle, notée (I), dont nous sommes parti. Les humains sont visibles (pour les humains) et vivent dans le monde visible (pour les humains) ; les génies (en règle générale) sont invisibles et vivent dans le monde visible ; les ancêtres sont invisibles et vivent dans le monde invisible ; il n'existe pas (il ne peut exister) d'êtres visibles vivant dans le monde invisible. Les humains naissent et meurent (à l'humanité) ; les génies ne naissent ni ne meurent ; les ancêtres naissent mais ne meurent pas à l'ancestralité ; il n'existe pas d'êtres qui ne naissent pas mais meurent.

Le « parcours » qu'effectue l'être humain au long de sa vie, « sur » la durée qui associe le moment de sa naissance à celui de sa mort, est interprété dans le langage de l'étendue comme étant un cheminement le long d'un axe est-ouest, qui est l'axe horizontal du monde, celui par rapport auquel s'organise le monde humain. L'homme, au long de sa vie, est censé se déplacer d'est en ouest et, à tout instant d'immobilité, construire l'espace selon la même orientation, de sorte que le nord soit à sa droite et le sud à sa gauche, l'ensemble de ce dispositif s'inversant dans la mort : au moment de l'inhumation, la tête du cadavre est tournée vers l'est. Si le destin individuel, pour ce qui est de sa relation à la durée, dessine sa trace sur l'axe par rapport auquel s'organise le monde horizontal, sa relation à l'étendue s'exprime dans l'« attachement » à un point, par rapport auquel sont définies des circularités rituelles qui en procèdent, et de lointaines et dangereuses périphéries. Pour chaque être humain, le centre du monde, c'est le lieu où il est né, où il est destiné à mourir, où il honore ses ancêtres, autour duquel s'étend l'espace indifférencié du risque de transgression : l'étendue des humains se prolonge dans toutes les directions en étendue des génies. Cette relation fondamentale de l'existence humaine à l'unicité d'un lieu s'exprime exemplairement, on vient d'y faire allusion, dans les rituels, qui ne connaissent de parcours que circulaires, c'est-à-dire centrés et envisageables comme l'extension ou l'expansion d'un point dans toutes les directions de l'espace, les cercles processionnels ainsi définis étant parcourus d'est en ouest par le nord et d'ouest en est par le sud, circumdéambulations liées à la vie qui s'inverse dans les rituels funéraires, de telle manière qu'est établie une correspondance entre parcours linéaire et parcours circulaire, le lieu punctiforme de l'existence individuelle associant verticalement la divinité suprême, Naaba Wende, à sa créature[7].

Dans ce système où l'existence individuelle est définie par rapport à ces deux référents nécessaires que sont la durée, support d'identification entre les êtres, et l'étendue, support de différenciation, la destinée humaine est grosse de deux altérations majeures qui la menacent, l'une liée à la durée et induite par elle : la mort, l'autre liée à l'étendue et produite par elle : la folie. Où l'on retrouve notre première triade, car ce sont les ancêtres qui font mourir et les génies qui rendent fou. La différence entre la mort dans la durée et cette mort dans l'étendue qu'est la folie est principalement que si la mort est inéluctable, sans d'ailleurs que ce caractère fixe clairement le statut de la morbidité, la folie n'a d'advenir que contingent. Il y aurait encore à approfondir cette différence : la mort est un événement ponctuel, qui fait coupure, tandis que la folie accompagne sans cesse la vie comme menace, son développement résultant d'un engagement toujours réversible dans un processus de

« perte » de soi, qui est « perte » réelle ou symbolique dans le monde non humain de la nature sauvage : de la folie douce à l'engloutissement de la raison, il y a tous les degrés de l'« égarement ». L'existence de la folie rend compte du fait que tout destin se joue dans l'articulation entre un être envisagé à un moment donné de son histoire individuelle et un lieu, et qu'en dehors du lieu de ses ancêtres, l'homme est en danger de transgression de la norme imposée par la terre. A cet égard, certains de ces morts que les Moose appellent *sampogoba* et que nous avons appelés ailleurs des « mauvais morts[8] » pourraient être envisagés comme des morts *de* et *par* l'étendue : guerriers tués au combat, chasseurs victimes de l'agression d'un animal sauvage (fauve, éléphant), adolescents morts accidentellement dans un camp d'initiation, etc., la mauvaise mort étant immédiatement une mort sur la terre sauvage, médiatement, dans la plupart des cas, l'effet d'une longue familiarité avec cette folie de l'espace qui saisit tous les errants. Mort dans la durée et mort dans l'étendue peuvent se confondre en une expérience vécue limite : ainsi en va-t-il de cette forme de rejet de la vie qu'est le départ à tout jamais, la disparition dans l'espace, acte volontaire ou conséquence d'un bannissement, sanction d'un inceste ou d'une accusation de sorcellerie : entre ignorance et oubli, la mort de l'exilé ne sera ni datée ni située.

Les Moose indexent la folie au chaud et à l'excès produit par la rétention, la mort au froid et au défaut produit par la perte. La rétention ou la perte de sang détermine respectivement chez la femme le risque de folie ou de mort, la rétention ou la perte de sperme produisant les mêmes effets chez l'homme, à ceci près que la folie masculine relève de l'*ubris* du guerrier et que la mort est ici symbolique : ainsi, si le roi engendre, il perd de la vie ; aussi ne passe-t-il qu'une nuit avec celle de ses épouses qui est institutionnellement la reine et est-il de très mauvais présage pour le règne qui commence[9] qu'une grossesse suive cet épisode de l'initiation royale, ce qui n'empêche pas le roi de s'efforcer d'avoir un très grand nombre d'enfants avec ses épouses ordinaires[10]. Les écoulements de sang féminin et de sperme ne conduisent à la mort — réelle ou symbolique — que s'il y a intense réitération de la perte. La mort masculine à la guerre ou à la chasse procède d'une perte de sang qui est d'une tout autre nature que la perte de sang féminin en ce qu'elle fait système avec la rétention de sperme : ici encore, la mauvaise mort est une issue de la folie ; au contraire de la bonne mort, qui est une mort froide, c'est une mort chaude, dont la chaleur résulte de l'imprégnation de la folie.

Affleure finalement la question de la liberté, dont on doit d'emblée rappeler que les systèmes de représentation sur lesquels nous travaillons ne fixent pas le statut, ce qui ne signifie évidemment pas qu'ils posent implicitement que le couple folie-mort surdéterminerait par sa prégnance sur la destinée humaine on ne sait quelle intériorisation d'une fatalité persécutrice exclusive de toute possibilité de choix existentiel. Dans un autre travail[11], nous avons associé à la liberté la figure mythique du chasseur nomade et les figures historiques du guerrier et du commerçant caravanier. Il nous a semblé que l'histoire, si répandue dans les traditions orales villageoises, du chasseur qui accepte d'épouser la fille du chef du village auprès duquel il a établi son campement provisoire, la femme étant le prix de son renoncement à la vie libre, rendait compte du fantasme d'enfermement de la société préétatique dans une sédentarité exempte de toute perte, et pour tout dire dans un conformisme social fondé sur le respect de la norme, dans l'indistinction entre nécessité et liberté. Dans ce contexte, le surgissement de la liberté dans l'histoire intervient dans l'espace de la transgression. Les figures superbement délirantes et toujours d'une extrême brutalité qui peuplent les récits des temps anciens des royaumes ont conduit plusieurs auteurs, au cours de ces dernières années, à situer au départ de certains gestes d'instauration étatique des marginaux en rupture de société[12]. Ces analyses ont fait très sensiblement progresser notre compréhension des modalités d'émergence de l'État, ne serait-ce qu'en réduisant l'écart entre les théories de l'origine endogène et celles qui font naître l'État de la conquête. En outre, cet intérêt nouveau sur ce qui a pu se jouer aux marges des calmes sociétés segmentaires permet peut-être de saisir le moment — autant phénoménologique qu'historique — où s'autonomise la figure du guerrier, dans l'épreuve de la libre détermination dont a pu procéder celle de l'exercice d'un pouvoir : nous avons quitté la vision éthique du monde pour sa vision tragique. Avec l'apparition de l'État, la société se complexifie de telle manière que sont progressivement aménagés des interstices dans lesquels s'instille de la liberté, celle, active mais archaïque, du guerrier, celle, neuve mais passive, du paysan qui ruse avec le pouvoir (ce que montre excellemment la parole proverbiale), celle enfin, active et moderne, du négociant dont la relation au pouvoir, exempte de tout fantasme héroïque, est de nature contractuelle.

Comme le chasseur des origines, le guerrier et le commerçant sont des figures de l'étendue, la dernière étant liée à une spatialité d'un autre ordre que celle de la société segmentaire ou de l'État, et à une gestion de la destinée humaine qui tend à assigner à la folie et à la mort leur vraie dimension : éclipse de la raison, accident de parcours irrémédiable. La durée, tissage du symbolique, l'étendue, déchirure de l'imaginaire, s'opposeraient comme norme et transgression, comme nécessité et liberté. La destinée humaine et l'histoire se déroulent dans la durée, mais le support de leur moment spéculatif est l'étendue.

MICHEL IZARD.

NOTES

1. M. IZARD, « Engrammes du pouvoir : l'autochtonie et l'ancestralité », *Le Temps de la Réflexion*, 1983, IV, 299-323 ; plus immédiatement à l'origine du présent articlc, il y a un texte intitulé *Deux ou trois catégories ?*

(1984) qui a fait l'objet d'une diffusion restreinte, et le dactylogramme d'un exposé ayant eu précisément pour titre « L'Étendue, la durée », présenté en octobre 1984 dans le cadre du séminaire « Anthropologie politique » de l'EHESS, où furent repris certains points abordés dans un article à paraître dont la rédaction date de 1984 : « La Mise à mort rituelle du roi chez les Moose » ; voir aussi un autre article à paraître : « Le Sexe des ancêtres ».

2. Le mot « génie » est d'usage courant en français, dans la littérature sur les Moose, pour désigner un *kinkirga* ; nous ne faisons donc qu'être fidèle à une tradition déjà ancienne en l'utilisant : il convient, pour éviter toute confusion, de rappeler que dans les sociétés que nous considérons on distingue très clairement entre l'être de la brousse de type *kinkirga* et le mort errant, sorte d'ancêtre sans descendance et de ce fait maléfique, que les Moose appellent *zini* (plur. *zina*), de l'arabe *jinn* ; le terme français « génie », dès lors qu'on l'emploie pour parler du *kinkirga*, ne saurait désigner le *zini*, qui est d'ailleurs uniquement référé à l'ancestralité.

3. Cette théorie n'est pas encore entièrement explicitée, mais le travail d'Étienne Poulet, *Étude des composantes de la personne humaine chez les Mossi* (thèse de 3e cycle, université de Clermont-Ferrand, 1970, multigr.), a fait considérablement avancer nos connaissances sur cette question. La problématique des relations entre humains, génies et ancêtres, telle que nous la présentons ici, doit beaucoup au travail de Doris Bonnet, *Corps biologique, corps social. Les Mossi de Haute-Volta* (thèse de 3e cycle, Paris, EHESS, 1982, multigr.), dont il faut à nouveau souligner le caractère novateur.

4. Construit comme *narita* « roi régnant », le terme *kurita* pourrait être traduit littéralement par « mort régnant » ; sur le *kurita* et la *napoko* (*cf.* n. 5), outre Izard, « La Mise à mort... », *op. cit.*, voir *Id.*, *Gens du pouvoir, gens de la terre. Les institutions politiques de l'ancien royaume du Yatenga*, Cambridge, Cambridge University Press — Paris, Éd. de la Maison des Sciences de l'Homme, 1985, 119-145.

5. Le mot *napoko* est construit sur *naaba* « chef » et *poko* « femme », et signifie littéralement « chef-femme ».

6. Rappelons que les Moose ont un système de transmission du pouvoir de type adelphique, de sorte qu'en principe un fils aîné ne succède jamais à son père ; entre le roi et son fils aîné prévaut une situation d'évitement si radical que l'on veille à ce que le second n'assite pas aux derniers instants du premier ; la position de la fille aîné est strictement symétrique et inverse de celle de l'aîné de ses frères.

7. Sur la cosmographie des Moose et le mode de comput du temps qui lui est lié, voir Izard, *Gens du pouvoir...*, *op. cit.*, 168-174, et *Id.*, « Le Calendrier du Yatenga », à paraître dans *Systèmes de pensée en Afrique noire*.

8. Voir M. Izard, « Transgression, transversalité, errance », *in* M. Izard & P. Smith, eds., *La Fonction symbolique. Essais d'anthropologie*, Paris, Gallimard, 1979, « Bibliothèque des Sciences humaines », 289-306.

9. La nuit que le roi *(rima)* passe avec son épouse rituelle, la *rimpoko* (« roi-femme »), prend place lors du voyage d'intronisation du *ringu* ; voir

à ce propos IZARD, *Gens du pouvoir...*, *op. cit.*, 150-168, et plus spécialement 160-161.

10. Le roi a pour double un étalon, le *tulubere weefo* (*weefo* signifie « cheval », *tulubere* désigne son ornement de chanfrein), qui, du début à la fin de son « règne », ne doit pas faire de saillie.

11. M. IZARD, « Des Sociétés pour l'État », *Cahiers ORSTOM,* sér. « Sciences humaines », 1985, 1, 25-33.

12. Voir notamment Emmanuel TERRAY, *Une Histoire du royaume abron du Gyaman. Des origines à la conquête coloniale.* Thèse de doctorat d'État, université de Paris V, 1984, 334-350 en particulier, pages si éclairantes de ce travail monumental qu'il faudrait les citer en entier ; ainsi, page 344 : « Pour exploiter les possibilités nouvelles créées par l'essor du commerce, pour oser s'aventurer dans les brèches que celui-ci creuse dans les murs de l'édifice social existant, il faut des hommes qui, tout en appartenant à la société traditionnelle, n'y occupent, en raison de leur naissance, de leurs occupations ou des accidents de leur vie, qu'une place périphérique, et sont donc déjà en partie affranchis des contraintes qu'elle fait peser sur la plupart de ses membres. Chasseurs, colporteurs, enfants d'unions mixtes, nobles exclus de la succession répondent à ces conditions, et c'est pourquoi les fondateurs d'État se recrutent parmi eux : vis-à-vis de leur société, ils représentent la figure à la fois prestigieuse et inquiétante de l'homme libre », à quoi il convient d'ajouter les admirables pages de la conclusion (pp. 1964-1972) sur l'État et la liberté, réponse sans appel aux invectives — ou aux jérémiades — anti-étatiques. A propos des « marginaux » fondateurs d'État, E. Terray rappelle ce que son analyse doit à Marc PIAULT (pp. 342 et 360, n. 47) ; voir, de ce dernier auteur « Le Héros et son destin. Essai d'interprétation des traditions orales relatant la genèse d'un État du Soudan central, le Kabi, au XVIe siècle », *Cahiers d'Études africaines,* 1982, 87-88, XXII (3-4), nº spéc. : *Systèmes étatiques africains,* 403-440. Sur la figure marginale de la « crapule », du « type qui se fout de tout », de ce guerrier errant que les Moose appellent *nakombgandaogo,* voir M. IZARD, « La Lance et les guenilles », *L'Homme,* 1973, XIII (3), 139-149, et *Id.*, *Les Archives orales d'un royaume africain. Recherches sur la formation du Yatenga.* Thèse de doctorat d'État, université de Paris V, 1980, multigr., notamment t. I, pp. 77-79 et 965-966.

REPOLITISER LA CITÉ

Nicole Loraux

C'est un point de vue. Ou une note, comme on voudra. En tout cas, pas un bilan, pour autant que le genre se doit d'être exhaustif et empreint d'objectivité. Je ne consacrerai pas les pages qui suivent à faire le point sur l'anthropologie française de l'antiquité dans son ensemble[1]*. Cette fois-ci, je m'en tiendrai aux trajets que je connais le mieux, pour côtoyer ceux qui les empruntent, pour les avoir moi-même plus d'une fois empruntés : c'est à ce qui s'est d'abord nommé « psychologie historique » avant de se penser comme approche anthropologique de la Grèce que je m'attacherai. Je pourrais justifier ce choix en arguant de la reconnaissance internationale dont jouissent des analyses où d'aucuns voient se dessiner les contours de ce qu'on a appelé une « Grèce à la française » — en tout cas une certaine idée française de l'anthropologie de l'antiquité. Mais, outre que cela ressemblerait encore à un bilan, c'est en mon nom propre que j'entends parler ici, et mon propos n'est pas d'autocélébration, celle-ci fût-elle collective. Il s'agira bien plutôt, par rapport à une démarche dont la fécondité n'est plus à démontrer et dont je considérerai les apports et les résultats comme acquis, de prendre du recul, suffisamment pour formuler quelques-unes des questions que l'on se pose, à emprunter des voies* *toujours mieux dessinées mais qui font parfois regretter les chemins de traverse des commencements.*

Ce sera donc un point de vue, et j'en assume sans hésiter le caractère partiel (et sans doute partial). Mais, pour exister effectivement, le dialogue ne saurait se nourrir seulement d'accord, et il se pourrait que, pour les petits-enfants de Gernet, le temps soit venu de faire le point. C'est à quoi je m'essaie, sans me dissimuler que d'autres, à partir d'une expérience différente des mêmes trajets, le feraient en de tout autres termes.

Entre l'histoire et l'anthropologie, la jonction serait chose faite. Avant de suggérer qu'elle est aussi toujours à faire, Claude Lévi-Strauss rappelait récemment qu'on peut y voir « un des aspects les plus originaux de l'évolution des sciences humaines en France[2] ». Est-ce succomber aux séductions d'un pessimisme excessif que d'observer qu'il est malgré tout des domaines où l'articulation ne se fait pas sans mal ? Des difficultés qu'il y a à procéder à cette articulation, les recherches sur la Grèce ancienne sont un exemple qui pourrait bien être exemplaire. De fait, la querelle de frontières, ou encore — car, à parler de querelle, on laisserait supposer que la pratique de l'empiétement est chose courante — la stricte délimitation des frontières ne date pas d'aujourd'hui, ni même d'hier : elle remonte aux Grecs eux-mêmes, chez qui, de l'épopée homérique à la réflexion de l'époque classique, deux modèles s'affrontent pour penser la cité[3].

Comme dans les sciences humaines du début du XXe siècle, où l'histoire et l'ethnologie se distinguaient par leur objet — « à l'histoire [...] les classes dirigeantes, les faits d'armes, les règnes, les traités, les conflits et les alliances ; à l'ethnologie, la vie populaire, les mœurs, les croyances, les rapports élémentaires que les hommes entretiennent avec le milieu[4] » —, on peut, dans la façon grecque de penser la cité, distinguer une manière historique et une manière d'anthropologue. Les deux manières (ou les deux cités), il est vrai, coexistent sans difficulté à l'intérieur d'une seule et même œuvre, l'une à côté de l'autre ou l'une après l'autre : c'est le cas chez Hérodote, où la cité qui sacrifie, qui marie, qui enterre, est un critère d'intelligibilité pour l'enquêteur qui parcourt les contrées barbares, mais s'efface du côté grec, lorsqu'est venu le temps du conflit, devant la cité des décisions politiques et des combats guerriers[5] ; et c'était déjà, dans l'*Iliade,* ce que donnait à voir le Bouclier d'Achille, avec sa cité en paix où résonnent les chants d'hyménée, et sa cité en guerre devant laquelle campent les armées. Division toute trouvée, prête à penser, et que, de fait, les modernes anthropologues et historiens de la Grèce ont fidèlement reconduite. Trop fidèlement, peut-être : car ils ont accentué la ligne de démarcation, comme si une démarche devait exclure l'autre, comme s'il fallait choisir une cité contre l'autre.

Les anthropologues de la Grèce ont donc choisi. Contre la Grèce des humanités, que son histoire associe à la cité des historiens, contre le prestige du même, qui a beaucoup à voir avec la politique et la raison grecques, ils ont voulu décentrer l'objet « cité » de lui-même, et ils se sont mis en quête de ce qui, dans les cités de la Grèce archaïque et classique, occupe la place de l'autre : le temps suspendu du rite, cet autre du temps politique, mais surtout ces autres du citoyen que sont jeunes, femmes, esclaves, voire artisans, en attendant qu'archers et peltastes, ces autres de l'hoplite, viennent grossir le bataillon de l'altérité. En d'autres termes, pour le dire avec F. Hartog : « derrière le même, retrouver l'autre, derrière Apollon, Dionysos, [...] mais avec le risque de passer, pour le grand public, du 'miracle grec' de la tradition aux Grecs exotiques[6] ».

Respectueux de la ligne de démarcation, les anthropologues de la Grèce ont donc opéré un tri parmi les textes qu'ils constituent en documents. Ainsi, ils ont lu Hérodote, mais très peu Thucydide, historien paradigmatique dont ils laissent volontiers l'étude aux historiens. Parce que Thucydide dit avoir expulsé le *muthôdes* et que le mythe est essentiel à la réflexion anthropologique sur la Grèce, ils ont cru Thucydide sur parole, oubliant un peu vite qu'en 1907, au sein de l'école de Cambridge, il s'était trouvé un disciple de Jane Harrison pour avoir l'audace d'écrire un *Thucydides mythistoricus.* Parce que, dans l'œuvre de Thucydide, l'attention aux critères anthropologiques est explicitement concentrée dans l'« Archéologie » qui, au début du Livre I, se consacre à reconstruire le plus lointain passé de la Grèce — l'anthropologie : un instrument pour le temps d'avant l'histoire ou, comme chez Hérodote, pour l'espace non grec —, les modernes anthropologues n'ont pas cherché, disséminés peut-être dans le *logos* de la raison historique, les éléments d'une autre grille de lecture[7].

Mais, anticipant sur mon propos, j'ai déjà commencé à m'interroger sur les options qu'entraîne le choix d'une cité contre l'autre. Il vaut la peine de tenter d'en élucider le principe.

L'acte fondateur de l'anthropologie de la Grèce consiste à arrêter le temps civique, immobilisé autour de quelques pratiques, rites ou gestes, dits « fondamentaux » et qui, dans l'*aiôn* (dans l'« éternité » toujours renouvelée) de la vie sociale, le sont effectivement. Rites et gestes perçus dans leur périodicité répétitive, et qui n'ont d'autre durée que celle, rigoureusement finie, de l'enchaînement de leurs séquences, toujours le même.

De cette immobilisation résulte la possibilité de généraliser, c'est-à-dire le recours aux types, isolés en leur singularité (« l'enfant, l'éphèbe, la femme, le guerrier, le vieillard ») ou réunis en couples d'opposition (le maître et l'esclave, l'homme et la femme, le citoyen et l'étranger, l'adulte et l'enfant, le guerrier et l'artisan). Et, assignant leur place à ces personnages génériques, les pratiques sociales deviennent, elles aussi, types : il y a *le* sacrifice, il y a surtout l'idéalité englobante de *la* cité, premier de tous ces types. Que la réflexion des Grecs, lorsqu'elle généralise, prenne volontiers la forme d'une typologie — ainsi chez un Aristote, lorsqu'il se fait penseur de la cité — n'est pas contestable[8]. Reste qu'on aimerait questionner l'empressement avec lequel le discours de l'anthropologue se saisit de tout ce qui, dans une société, « parle au singulier[9] ».

S'agissant de l'anthropologie de la Grèce, la réponse à cette question passe sans nul doute par l'analyse de ce qui en est la toute dernière option : l'irruption triomphante, sur la scène de la recherche, de l'iconographie ou, comme le disent ses praticiens, de la lecture des « images ». Images peintes sur les vases, scènes immobiles dont les personnages — des types, précisément — « postulent la cité ». *La* cité : tout entière dans les images. Un pas encore, et on parlera — on parle — de *La Cité des images*[10]. Avec armes et bagages, « la cité » est passée du côté de cette figuration que les Grecs nomment *zôgraphia* (dessin du vivant) et que Platon accusait de dire « toujours la même chose[11] ». La même chose : la chasse, la guerre, le mariage, le sacrifice, le banquet ; ou encore : les funérailles, l'érotique, la fête religieuse, l'univers dionysiaque. A travers rites et pratiques, la cité telle qu'en elle-même.

En un mot, la « cité tout entière » est tout, sauf le politique. Dans les images, on voit bien des Athéniens au banquet, mais non l'assemblée des citoyens ; et si l'on y trouve des types de guerrier, on y cherchera vainement la représentation d'un combat, à moins que celui-ci ne soit mythique. Ce que d'ailleurs reconnaissent volontiers les tenants de l'iconographie, qui n'hésitent pas à parler de « censure du politique[12] ». Ici, je m'arrête et m'interroge : si les modernes savaient articuler les deux manières de penser la cité, au repos et en mouvement, sans doute n'y aurait-il que bénéfice à cet élargissement — incontestable — du champ de l'investigation qu'apporte la perspective iconographique. Cela supposerait toutefois qu'on ne s'en tienne pas au constat d'une très remarquable censure, mais qu'on s'attache à situer celle-ci dans le fonctionnement d'ensemble du système des représentations civiques. De l'effort pour penser l'articulation, il y aurait beaucoup à tirer, beaucoup à comprendre. L'heure en viendra peut-être. A condition que les anthropologues-iconographes interrogent leur pratique implicite, qui consiste à redoubler d'un choix théorique le choix qu'ils décèlent dans leur corpus : exclure le politique parce que les images l'excluent ; ou s'enraciner dans les « images » — terme sur le choix duquel il conviendrait d'ailleurs de réfléchir — pour n'y pas trouver le politique[13]. Censées, en tant qu'elles sont des représentations figurées, « fournir un accès aux représentations mentales », les images déploieraient « l'imaginaire social » de la cité classique. Ou, pour citer avec exactitude la préface de *La Cité des images*, celui de l'Athènes classique (puisque aussi bien les représentations étudiées sont essentiellement athéniennes)[14]. Et voici que, détachée du politique à quoi l'identifiaient les études classiques « en un tableau sans doute un peu trop littéraire[15] », Athènes (dois-je dire Athènes ? ou *une* Athènes ?) se révèle à qui sait ordonner le répertoire figuré des scènes et des gestes signifiants. Athènes évitée, Athènes retrouvée : hors du temps des batailles et des assemblées, hors de l'espace civique que les peintres ne représentent pas, quelque chose comme une surface très polie. Une « société plate[16] ». Autre, certes, puisque c'est d'altérité qu'il s'agit. Mais un autre en forme de moitié, un *sumbolon* dépareillé. Un « langage » autonome, censé se passer de la discursivité du *logos*. Une cité peinte.

J'ai tout à l'heure évoqué les réticences platoniciennes envers la *zôgraphia* comme immobilisation du vivant. J'aimerais citer à nouveau Platon analysant le sentiment que l'on éprouve devant un modèle de cité seulement décrit :

> « Cette impression ressemble à celle que l'on ressentirait, quand, ayant vu quelque part de beaux êtres vivants, soit figurés en peinture, soit réellement en vie mais se tenant en repos, on éprouve le désir de les voir se mettre d'eux-mêmes en mouvement et effectuer en réalité quelques-uns des exercices qui conviennent à leur corps » (*Timée*, 19b-c).

Et Socrate de réclamer qu'on lui raconte les luttes que soutient une cité. On rêverait que la cité des images affronte l'expérience préconisée au début du *Timée* : celle d'une mise en mouvement. Ou du moins (car il ne m'échappe pas que l'exigence socratique ne trouvera pas sa réalisation dans le dialogue, tant Platon connaît la difficulté de mener à bien une telle expérience), que les inventeurs de cette cité d'images se donnent pour objet d'éclairer ce qui, en quelque sorte institutionnellement, poussait les peintres athéniens à tirer dans la réalité complexe de la cité athénienne, pour y choisir la société contre l'« État », le rituel contre l'histoire, et à donner à la marge (les marginaux, ceux que les textes appellent des *akhreioi,* « inutiles » parce que non-citoyens) la préférence sur le centre (le *méson* des citoyens).

Mais, au-delà du choix des imagiers athéniens, ce qui décidément m'intéresse, c'est le mouvement qui pousse les anthropologues de la Grèce — certains d'entre eux, du moins — à se faire iconographes. Ou, pour le dire en d'autres termes, la parfaite coïncidence entre un choix d'objet (l'investissement sur les « images ») et une façon implicite de définir l'anthropologie en l'assimilant de fait à la mise entre parenthèses du politique.

Certes, il y a plus d'une façon de mettre le politique entre parenthèses, et je n'ai insisté sur la variante iconographique que parce que les implications théoriques en sont, de ce point de vue, exemplaires. Mais, pour assigner son lieu premier à l'ellipse du politique, il se pourrait qu'il faille remonter beaucoup plus haut dans l'histoire de cette anthropologie de la Grèce, vers sa première époque, qui voyait se dessiner une figure anthropologique du politique grec. Car, au début, la cité des anthropologues est bel et bien politique, d'abord politique, et c'est sans doute à ce titre qu'elle a séduit plus d'un helléniste de ma génération, en quête d'une autre grille que celle des humanités, en quête surtout d'un modèle de vie civique plus civique que tous ceux, passablement désenchantés, que présentait la France des années 60.

C'est par la politique que commençait Louis Gernet, énumérant les points de vue sous lesquels on peut parler des « débuts de l'hellénisme », et il n'est pas indifférent que ce texte, longtemps resté inédit, ait été l'esquisse de ce qui deviendra *L'Anthropologie de la Grèce antique*[17]. Il est important, surtout, qu'un tel ordre d'exposition ait été retenu par celui dont les anthropologues de la Grèce font un père fondateur, au point de le créditer d'une représentation des « Grecs sans miracle » qui pourrait bien être d'abord la leur[18]. Sur les modalités du rapport que nous entretenons les uns et les autres avec l'œuvre de Gernet, il y aurait beaucoup à dire ; je ne m'y risquerai pas ici, pour ne pas déséquilibrer cette note, limitée dans son principe[19]. Je me contenterai de constater que des déplacements ont été opérés. A cela, rien de surprenant : il n'est pas de tradition sans déplacements, et l'on doit prendre acte du phénomène de dérive, quelle qu'en soit l'envergure (ainsi, à voir par exemple avec quelle récurrence la métaphore du juge revient sous la plume de Jean-Pierre Vernant pour caractériser le citoyen, siégeant dans l'assemblée ou spectateur au théâtre, on peut regretter que les anthropologues de la Grèce antique ne se soient pas directement affrontés à l'étude du droit, chère à Gernet). Mais les pieux regrets sont inutiles, et je reviens donc à ce qui, à mes yeux, constitue le déplacement essentiel : à l'ellipse du politique au sein même du politique ; comment il y fut procédé, quel sens on peut lui donner.

Ellipse du politique, disais-je. De fait, à se donner pour objet ce politique grec qu'il faut reconstruire au-delà de la diversité des documents (textuels, épigraphiques, archéologiques) qui portent sa marque, on travaille déjà au deuxième degré, et la situation est infiniment plus compliquée qu'elle ne l'était avec le corpus des images. Mais il y a encore une autre difficulté : c'est du politique tout entier que l'iconographie postule la censure, cependant qu'à déclarer, comme je le fais, le politique absent de lui-même, on constitue une idéalité du politique comme chaînon manquant des analyses qui lui sont consacrées. Ce chaînon manquant, cette dimension occultée que j'ai tendance, sinon à identifier avec la totalité du politique, du moins à croire indispensable à toute pensée de son fonctionnement, c'est le conflit.

Soit, pour commencer par le thème d'une enquête récente, l'exemple du sacrifice. Faire du sacrifice une « opération culinaire » où l'on tue pour manger revient en fait à mettre l'accent sur l'étape intermédiaire entre la mise à mort et la consommation, celle du partage. Et, de ce partage, pensé comme égalitaire, naît un politique sans histoire parce que la répartition est bien réglée, parce que — surtout — un pouvoir que tous partagent n'en est plus un. Mais, à vrai dire, envisagé de ce point de vue, le schème sacrificiel n'est qu'un développement, important mais dérivé, d'un modèle plus ancien et qui fut réellement fondateur. J'ai nommé le *méson*. Remontant à contre-courant l'histoire de cette anthropologie du politique grec, j'en viens donc à ce centre, à la fois symbolique et réel, qui vaut pour le tout de la cité parce qu'il est le lieu — le milieu — où le partage s'opère. Partage du pouvoir dans la rotation des charges, partage du *logos* dans le débat, contradictoire mais non conflictuel, où la loi de la majorité veut qu'à l'issue d'un affrontement de discours, l'avis qui l'emporte passe pour le meilleur[20].

Enraciné dans le *méson*, le politique est conçu comme ayant — pour ainsi dire une fois pour toutes — dépassé les conflits, ce que, dans l'Introduction aux *Problèmes de la guerre en Grèce ancienne,* Vernant explicitera en opposant le politique, qui « peut se définir comme la cité vue du dedans », à la guerre, identifiée avec « la même cité dans sa face tournée vers le dehors[21] ». Façon certes très grecque d'assimiler le politique à la cité en paix — à condition de préciser que, comme à la fin des *Euménides,* la cité en paix l'est d'abord avec soi-même — et de placer le conflit du seul côté où son existence soit légitime, voire souhaitable : dans la guerre extérieure, qui oppose la cité à son dehors (c'était aussi, dans le *Timée*, la seule mise en mouvement que Socrate envisageât pour la cité-modèle).

Le politique ou la cité en paix ? Sans doute tenons-nous là une définition bien grecque, la plus partagée de toutes les idées grecques du politique. Reste toutefois à déterminer si, pour comprendre les catégories grecques, il faut s'en tenir à parler leur langue. C'est à l'évidence un moment dont on ne saurait faire l'économie. Je ne suis pas sûre pour autant que la réflexion des modernes doive y trouver son dernier mot.

Que la cité ne soit jamais tout à fait « en paix », l'attesterait une relecture du chant XVIII de l'*Iliade* où, au cœur de la cité pacifique, la querelle *(neikos)* cohabite avec les réjouissances qui accompagnent le mariage : conflit certes judiciaire, déjà domestiqué donc, mais on observera que, dans cette contestation entre un meurtrier et un parent de la victime, la scène s'immobilise avant que l'arrêt ne soit rendu, au moment où tout se bloque, entre celui qui entend payer le prix du sang et l'autre, qui refuse d'accepter la moindre compensation, cependant que le peuple se divise en deux camps pour soutenir l'une et l'autre partie[22] : il est temps, décidément, que l'arbitre mène le conflit à sa fin. M'objectera-t-on que cette part conflictuelle de la cité iliadique doit être mise au compte de son caractère prépolitique ? Je reviendrai alors au *méson* classique, avec le projet d'éprouver cette représentation d'un politique qui serait au-delà des conflits.

Dans le *méson,* on peut certes — on doit même — installer « ce choix purement humain qui mesure la force de persuasion respective des deux discours, assurant la victoire d'un des deux orateurs sur son adversaire[23] ». Mais cette victoire — *nikè* ou *kratos* — implique la reconnaissance de fait d'une « supériorité » — supériorité d'un orateur sur son adversaire, c'est-à-dire d'une ligne sur une autre, mais aussi, dans le décompte des voix, d'une partie de la cité sur une autre —, et c'est précisément ce qui ne va pas de soi, parce que la pensée politique grecque n'accepte sereinement ni qu'il y ait eu — fût-ce dans l'instant du vote — division au sein de la cité ni que la loi de la majorité ait en soi toute valeur. A la première réticence répond la représentation des « bonnes » décisions, décisions heureuses prises à l'unanimité ; à la seconde, la tentation récurrente de créditer les assemblées humaines d'une tendance à donner la victoire à la mauvaise décision. A l'abri de la mise en avant du *méson,* voilà bien des arrière-pensées...

La seconde propriété du *méson,* lieu géométrique d'une vie politique sans à-coups, est de réunir des citoyens tous interchangeables, parce que tous semblables, en principe. De ce *méson* isomorphe, qu'il revient à

Vernant d'avoir placé dans la vive lumière qui dessine les idéalités, on ne dira jamais assez le puissant attrait — conceptuel et politique tout à la fois — qu'il a exercé, d'emblée, sur tous ceux que ne satisfaisait pas l'institution officielle de l'histoire grecque, avec sa conception empirique, voire anecdotique, de la cité. Mais il se pourrait aussi qu'en son exemplaire stabilité, ce modèle, dont la force convaincante rendait malaisée l'étude des dysfonctionnements qui font l'histoire[24], ait ouvert la voie vers la seule étude du politique comme rituel. Il suffisait de déplacer le politique vers le religieux et, sous l'égide du « politico-religieux », on transférait sans mal l'isonomie, du *méson* où l'on prend des décisions vers les lieux consacrés où l'on sacrifie, quitte à retrouver, à l'issue de l'opération, du politique au cœur du partage sacrificiel : un politique égalitaire et sans tension, qui clôt le parcours sur lui-même. Parcours de discours : celui des Grecs ; parcours d'un discours à un autre : celui de l'anthropologue de la Grèce, avec le risque de prendre le discours pour la chose même, de penser effectivement la cité sous le signe du partage égalitaire (qui, même limité comme il se doit aux citoyens, fut, dans toutes les cités de la Grèce, un idéal, y compris à Athènes où pourtant la démocratie exigeait qu'il eût une réalité).

Quoi qu'il puisse en coûter, prenons la décision de rompre le charme. Par exemple en renonçant à l'idée qu'il faudrait s'en tenir aux mots des Grecs, en soumettant leur discours à des questions qui précisément y sont tues. Si l'on refuse de parler jusqu'au bout la langue des Grecs, si l'on estime qu'il n'y a pas forcément à adhérer aux histoires qu'ils se racontent sur leur pratique, on n'évitera pas de faire l'hypothèse que le modèle « politique » orchestré dans le sacrifice n'est rien d'autre qu'une histoire que la cité se raconte à soi. En d'autres termes, le partage isonomique devient dès lors une figure. La figure que la collectivité des citoyens souhaite se donner d'elle-même, sous le signe rassurant de l'interchangeable. Quelque chose comme une utopie[25], pour recouvrir ce que la cité ne veut pas voir, ni même penser : qu'au cœur du politique, il y a virtuellement — et parfois réellement — du conflit, que la division en deux, cette calamité, est l'autre face de la Cité-une, cette belle idée.

Décider de ne pas prendre trop au pied de la lettre le discours que les Grecs tiennent à propos du politique, cela peut aussi revenir à rappeler que la cité grecque n'est pas une de ces sociétés « froides » dont Lévi-Strauss répétait récemment qu'elles ont « choisi d'ignorer » leur dimension historique, si bien qu'« un écart minimal sépare leur idéologie de leur pratique[26] ». En réduisant l'écart entre le discours et la pratique ou, plus exactement, en prenant l'écart pour ce que les Grecs suggèrent qu'il est — peu de chose, en vérité —, l'anthropologie de la Grèce a de fait « refroidi[27] » l'objet *cité*, rendant visible du même coup tout ce qui apparente cette forme politique à une société froide. Geste essentiel et riche de conséquences, qui a renouvelé l'étude du sacrifice, de la guerre, du mariage, et qui renouvellera sans doute encore la réflexion sur d'autres dimensions de l'expérience grecque. Mais, dans toute réévaluation théorique, le risque est de tordre trop fort le bâton dans l'autre sens, et l'on a un peu oublié en chemin que la politique des Grecs n'était pas que froide. J'aimerais donc plaider maintenant pour le geste inverse.

Pour mieux cerner cette figure ou cette utopie qu'est le partage entre égaux, il est temps de recourir à un mot — le mot « idéologie » — que, jusqu'à présent (jusqu'à la citation de Lévi-Strauss qui, lui, l'emploie sans hésiter), j'ai choisi d'éviter, moins parce qu'il serait malfamé, entraîné qu'il est dans ce qu'il est convenu d'appeler le reflux du marxisme, que parce que la signification en a souvent été galvaudée, lorsqu'on lui fait désigner tout ensemble de représentations (on parle alors d'idéologie de la chasse, d'idéologie funéraire, etc.). J'emploie donc ce mot, je parie sur cette notion. Parce que « le masque de l'idéologie est fait de ses silences, non de ce qu'elle dit[28] », il faut dès lors s'intéresser aux mots absents du discours civique, par exemple à *kratos*, mot caché, absent des envolées oratoires qui préfèrent le mot *arkhè*, nom du pouvoir institutionnel, partagé et toujours renouvelé dans la succession sans discontinuité des magistrats au foyer de la cité. *Arkhè* : le *méson* irénique n'est pas loin ; *kratos* : cela même dont la cité redoute les implications au point d'en taire le nom toutes les fois qu'il est possible. Entouré de silence, *kratos* est un des mots clefs de l'idéologie civique (qui est l'idéologie de la cité, en tant qu'elle produit la « cité » comme idéalité[29]).

Plaider pour une repolitisation de la cité des anthropologues, c'est prendre au sérieux la part conflictuelle du politique, et ne pas se contenter d'étudier le conflit (par exemple la *stasis,* guerre intestine) comme « présupposé de son dépassement » dans l'ordre civique[30]. C'est aussi montrer que, lors même que la pensée civique suppose révolu le temps du conflit, lorsque toutes les conditions rituelles et discursives ont été réunies pour imposer l'évidence que la cité est une, le conflit renaît sans fin comme menace au sein même de la langue, dans l'usage métaphorique de certains termes, comme le mot *sphagè,* nom de l'égorgement sacrificiel (à peine) détourné pour signifier le sang qui coule dans les guerres entre citoyens[31].

Toujours dépassé, le conflit ? On pourrait le croire, à s'attacher, pour chaque cité, à cette « histoire » immobilisée en tradition, que les citoyens se racontent à eux-mêmes, et où il y a toujours un oracle pour désigner les sacrifices dont l'accomplissement ramènera (ramène, a ramené) la paix, pour nommer la divinité qui, une fois apaisée, réconciliera les deux moitiés de la collectivité. Mais le conflit est aussi toujours à dépasser, sur la frontière indécise entre le vote et le meurtre fratricide où, sans fin, la loi de la majorité exorcise la menace de division. Et il est enfin toujours renaissant dans l'histoire à l'échelle du monde grec, celle d'un Hérodote ou d'un Thucydide. Comment, dès lors, les anthropologues pourraient-ils éviter de l'introduire dans leur cité générique, comme l'une des expériences vitales de l'expérience civique[32] ?

Pour conclure ou en guise de conclusion, on avancera quelques propositions. Rien qui ressemble à un programme. Seulement l'énoncé de quelques désirs.

On l'a compris, ce n'est pas pour un renversement du choix anthropologique que je plaide. Il ne s'agit pas de se retourner vers la cité des historiens, parce que le problème n'est pas de choisir un camp contre l'autre : ce serait, certes, reconduire une division grecque, bonne à penser mais dont il n'est pas sûr que, dans le vécu des cités, elle ait jamais été opératoire. Puisque la cité grecque présente cette particularité d'avoir entretenu simultanément deux représentations de soi concurrentes et complémentaires — celle qui « admet l'histoire », celle qui « y répugne et préfère l'ignorer[33] » —, il importe plutôt d'œuvrer à prendre ensemble ces deux figures pour tenter de les articuler l'une avec l'autre : penser historiquement la cité des anthropologues, mais surtout penser en anthropologue la cité des historiens.

Pour l'anthropologue, cela pourrait revenir à décloisonner sa propre pratique qui, jusqu'à présent, s'est par principe attachée à séparer les champs d'activité sociale en vertu de quelques grandes lignes de partage (il y a le sacrifice *et* il y a la guerre), pour éviter les chevauchements non contrôlés. Qu'il y ait un temps pour la mise en ordre typologique et que ce temps soit celui de la séparation n'est pas douteux — c'est d'ailleurs, une fois encore, un moment grec que répète la pensée des anthropologues[34]. Mais vient aussi le moment où, avec ou sans les Grecs, il faut aller au-delà des opérations grecques pour mieux en explorer les coulisses : façon d'avancer pour attaquer par l'arrière. Ainsi, de l'effort grec pour séparer la guerre et le sacrifice, on peut remonter vers ce qui est la menace à éviter, à savoir « cette menace de confusion entre les horreurs de la guerre civile et le geste maîtrisé qui fait jaillir le sang d'une victime sacrificielle ». Pour cela, il n'est d'autre voie que de se risquer — risque expérimental, systématique, calculé — à tout remettre en circulation. Cela exige que l'on s'essaie à tous les recoupements : le sacrifice dans la guerre et la guerre comme sacrifice ; puis, en procédant à des coupes transversales que l'on choisira le plus larges possible, on fera communiquer la guerre, le sacrifice, le meurtre, la mise à mort comme pratiques du sang versé ; on pourra aussi mettre en rapport le meurtre, le sacrifice et la fondation des cités telle qu'on la conte, qu'on la répète ou qu'on l'opère. En un mot, explorer toutes les zones de superposition parce qu'elles demandent plus que la simple mise en place de « représentations », distribuées pour occuper durablement un seul lieu ; parce que, surtout, dans ces zones troubles, se dissout l'idéologie, avec ses oppositions tranchées entre ce qui est beau (bon, un, légitime, civique) et ce qui ne l'est pas. Superposition, brouillage : à travailler sur les frontières, il faut accepter de faire la part du mouvement. Mouvement qu'introduit le conflit dans la mécanique bien réglée de la cité ritualiste, mise en mouvement des « représentations » dans des opérations de pensée qu'il faut suivre dans leur déroulement, et parfois reconstruire.

Bref, il faut bien postuler que la cité *pense*, ce qui revient à faire de la cité un sujet. « La cité pense » : je sais que cet énoncé est éminemment problématique, et cependant je le maintiens. Problématique, il ne l'eût certes pas été pour un Grec, habitué à ce qu'un décret voté en assemblée commence par créditer la cité (ou plutôt, à l'époque classique, le peuple ou le conseil) de sentiments ou de décisions ; mais, sur ce point comme sur les autres, il n'y a peut-être pas à répéter tout bonnement les Grecs. « La cité pense » : d'un tel énoncé, les historiens de l'antiquité n'ont cure, eux qui préfèrent installer leur cité dans la seule sphère de l'action ou, à la rigueur, parler d'« idées politiques », produites dans quelque éther et prêtes à s'intégrer dans une histoire — générale et sans sujet — de la pensée politique. C'est donc, encore et toujours, aux anthropologues de la Grèce qu'il reviendrait de donner un contenu à cet énoncé que, plus d'une fois, leurs analyses postulent (lorsque, par exemple, ils écrivent que la cité « conjure une menace » ou que son système de défense est « subtil[35] »). Unifiant ainsi la cité en sujet, sans doute prêtent-ils le flanc à la critique de ceux, parmi les anthropologues, qui récusent l'idée que la société serait un sujet[36] ou qui, soucieux de ne pas aplatir une organisation sociale en la réduisant à son discours, invitent à identifier, en matière de parole, des « locuteurs » et des « auditeurs[37] ». Mises en garde générales, mais utiles, nécessaires même, à qui travaille en pays grec, et cela pour deux ordres de raisons. Les modalités de l'enquête, d'abord : parce que l'anthropologue de la Grèce n'a d'autre terrain que des documents qu'il lui faut faire parler, la tentation est grande, pour lui, de réduire la cité à son discours. L'objet « cité », surtout : si méfiant soit-on envers le *méson* isomorphe où la cité se projette et trouve son identité, la figure en est trop belle et trop forte pour ne pas tendanciellement faire retour dans toute sa séduction, effaçant les écarts entre le discours et la pratique, entre le locuteur et le destinataire.

Et cependant traiter la cité comme un sujet est encore l'hypothèse de travail la plus opératoire pour qui veut échapper au discours immobile de l'Un et se donner les moyens d'en analyser les ressorts. Cela suppose que l'on n'hésite pas à reconstruire des opérations de pensée qui, face à la réalité politique de la cité, ressemblent fort à la mise en œuvre d'une dénégation, voire d'un déni. Mais, à créditer ainsi la cité de modes de défense qui sont autant de façons médiatisées de refuser le réel (ou, du moins, de ne l'accepter que neutralisé), il faudra peut-être faire encore un pas — un pas de plus en terrain mouvant — pour doter ce problématique sujet de quelque chose comme un inconscient. Je sais les difficultés — pour ne pas parler des résistances — que soulève immanquablement le recours à cette notion, appliquée à un sujet collectif. Mais, quand bien même il ne s'agirait que d'un mot pour avancer[38], j'y verrais au moins l'occasion d'aborder enfin de front une question que ceux-là mêmes qui, comme les anthropologues de la cité, parlent volontiers d'« imaginaire » ou de « symbolique » traitent trop souvent par prétérition.

C'est sur ce souhait que je m'arrêterai. Un souhait formulé, comme il se doit, au potentiel, lors même que je n'ai pas résisté à la tentation de parler, ici et là, au futur (de dire : il faudra).

Penser en anthropologue le politique grec : faire penser la cité, en s'interdisant d'isoler un discours, en prêtant l'oreille à la multiplicité des voix, en respectant le feuilletage des instances d'énonciation. Mais, pour cela, il aura fallu traiter en historien le modèle trop parfait : inquiéter les certitudes du *méson*, exposer la cité à ce qu'elle refuse sur le terrain de l'idéologie, mais vit dans le temps de l'événement. A ces forces de conflit qui fondent le politique au moins autant qu'elles le détruisent.

Pour clore ces réflexions en forme de plaidoyer pour un « réchauffement » de la cité grecque, le dernier mot reviendra à Lévi-Strauss, dans cette mise au point sur « Histoire et ethnologie » que l'on a citée en ouverture et souvent suivie pas à pas. « Le temps est venu pour l'ethnologie — disait Lévi-Strauss — de s'attaquer aux turbulences, non dans un esprit de contrition mais, au contraire, pour étendre et développer cette prospection des niveaux d'ordre qu'elle considère toujours comme sa mission[39] ».

Pour la cité grecque, vienne le temps des turbulences.

NICOLE LORAUX.

NOTES

1. Pour la situation en 1982, voir toutefois le rapport « La Recherche sur l'Antiquité classique en France », *in* M. GODELIER, ed., *Les Sciences de l'homme et de la société en France,* I, Paris, La Documentation française, 1982, notamment pp. 247-249. Faire un bilan d'ensemble à propos de l'anthropologie française de l'Antiquité en 1985, dans l'étendue et les (très réelles) limites de sa pénétration dans le milieu antiquisant supposerait, entre autres, un examen approfondi des méthodes et des questions retenues par les équipes « antiques » de l'ATP du CNRS « Les Polythéismes. Pour une anthropologie des sociétés anciennes et traditionnelles ».

2. C. Lévi-Strauss, « Histoire et ethnologie », *Annales. ESC*, 1983, 38, 1217-1231 ; citation p. 1217.

3. Voir N. Loraux, « L'Oubli dans la cité », *Le Temps de la Réflexion*, 1980, I, notamment pp. 214-219. Je serai également amenée à reprendre ou à résumer quelques-unes des remarques faites dans *Annales. ESC*, 1981, 36, 614-622 (« La Cité comme cuisine et comme partage », à propos de M. Detienne & J.-P. Vernant, eds., *La Cuisine du sacrifice en pays grec*, Paris, Gallimard, 1979, « Bibliothèque des Histoires ») et 1982, 37, 493-497 (compte rendu de F. Hartog, *Le Miroir d'Hérodote*, Paris, Gallimard, 1980, « Bibliothèque des Histoires »), enfin dans *L'Homme*, 1980, XX (I), 105-111 (« La Grèce hors d'elle », à propos de M. Detienne, *Dionysos mis à mort*, Paris, Gallimard, NRF, 1977, « Les Essais » CXCV).

4. Lévi-Strauss, « Histoire et ethnologie », *ibid. art. cit.*

5. Si légitime que soit l'effort de F. Hartog pour effacer une division que la tradition n'a cessé d'amplifier (voir par ex. *Le Miroir d'Hérodote, op. cit.*, 17-19, 55, 318-326), la bipartition entre la « Grèce du savoir partagé » et l'autre ne s'en reforme pas moins, plus forte peut-être encore d'avoir été pensée, à la lecture de son livre.

6. F. Hartog, « Histoire ancienne et histoire », *Annales. ESC*, 1982, 37, 692.

7. F. M. Cornford, *Thucydides Mythistoricus*, London, 1907. P. Vidal-Naquet, qui est un lecteur de Cornford (*cf. Le Chasseur noir*, Paris, Maspero, 1981, « Textes à l'Appui », 85 et 324), a naguère suggéré une lecture anthropologique d'un passage de Thucydide (*cf.* « Rites d'initiation et littérature », *Dossiers du Centre Thomas More. L'Initiation*, fév. 1977, 8-9) qui mériterait d'être reprise dans une perspective plus systématique.

8. La première liste est extraite de F. Lissarrague & A. Schnapp, « Imagerie des Grecs ou Grèce des imagiers ? », *Le Temps de la Réflexion*, 1981, 2, 275-297 (p. 283) ; la seconde figure dans l'Avant-propos du *Chasseur noir, op. cit.*, 16-17, mais P. Vidal-Naquet met les couples d'oppositions au compte d'une raison politique.

9. Voir M. Augé, *Théorie des pouvoirs et idéologie*, Paris, Hermann, 1975, 216, ainsi que *Pouvoirs de vie, pouvoirs de mort*, Paris, Flammarion, 1977, 100-102 (le « singulier-pluriel »).

10. Les types : Lissarrague & Schnapp, « Imagerie des Grecs... », *art. cit.*, 283. *La Cité des images* est le titre de l'ouvrage publié en 1984 par l'Institut d'archéologie et d'histoire ancienne de Lausanne et le Centre de recherches comparées sur les sociétés anciennes (Paris).

11. Platon, *Phèdre*, 275 d. *Zôgraphia* est la peinture en tant que dessin *(graphè)* des êtres vivants *(zôa)*.

12. Lissarrague & Schnapp, « Imagerie des Grecs..., *art. cit.*, 282-284.

13. Lorsque, pour figurer tel exploit de la geste de Thésée, les peintres athéniens s'inspirent du célèbre groupe statuaire qui, sur l'Agora, représentait les Tyrannoctones (les Tueurs de tyran), peut-on parler encore d'une censure du politique ? A vrai dire, il y a le choix des images, que redoublent et orchestrent des choix d'images.

14. « Fournir un accès » : LISSARRAGUE & SCHNAPP, « Imagerie des Grecs... », *art. cit.*, 282.

15. J.-P. VERNANT, Préface à *La Cité des images, op. cit.*, 5.

16. J'emprunte cette notion à C. LÉVI-STRAUSS, « Histoire et ethnologie », *art. cit.*, 1225, avec cette précision que « pas plus que n'existent des sociétés absolument 'froides', il n'en est d'absolument 'plates' ».

17. L. GERNET, *Les Grecs sans miracle.* Textes réunis par R. DI DONATO. Préface de J.-P. VERNANT. Postface de R. DI DONATO. Paris, La Découverte, Maspero, 1983, 23, avec la mise au point de la page 17.

18. Contrairement à ce que pourrait faire croire un titre en forme de manifeste, et malgré les justifications qui en sont données par J.-P. VERNANT (*op. cit.*, Préface, p. 9) et par R. DI DONATO (*op. cit.*, Postface, p. 417), L. Gernet, à la lecture de ces textes, n'apparaît pas comme un adversaire sans nuance de la notion d'humanisme, ni même de celle de « miracle grec » : voir par ex. pp. 21 et 348.

19. Sur l'œuvre et la méthode mêmes de Gernet, il existe d'excellentes études, écrites depuis un dehors plus ou moins proche par S. C. HUMPHREYS, *Anthropology and the Greeks,* London, Routledge & Kegan Paul, 1978, 76-106, A. MAFFI, *Quaderni di Storia,* 1981, 13, 3-54, et R. DI DONATO, *in Les Grecs sans miracle, op. cit.*, Postface, pp. 403-420.

20. Je résume ici à grands traits le chapitre IV (« L'univers spirituel de la *polis* ») du livre de J.-P. VERNANT, *Les Origines de la pensée grecque* (Paris, P.U.F., 1962, « Mythes et religions »), ainsi que les pages 82 à 93 des *Maîtres de vérité dans la Grèce archaïque* de M. DETIENNE (Paris, Maspero, 1967, « Textes à l'Appui »).

21. J.-P. VERNANT, Introduction à *Problèmes de la guerre en Grèce ancienne,* Paris-La Haye, Mouton, 1968, 17 (repris dans *Mythe et société en Grèce ancienne,* Paris, Maspero, 1974, « Textes à l'Appui », 40) : on notera que l'affirmation d'une indissociabilité de la paix et du conflit (« aux yeux des Grecs, on ne saurait [...] isoler les forces de conflit de celles de l'union » ; p. 12) concerne non la cité classique et l'univers politique, mais la pensée religieuse et les pratiques institutionnelles liées à la vengeance privée.

22. *Iliade,* XVIII, 497 : *neikos* ; la scène est sous le signe du deux (deux hommes, 498 ; deux camps, 502), tout comme elle le sera du côté de la cité en guerre (509, 510). Sur l'interprétation qu'il convient de donner de ce *neikos* au sein de l'*Iliade,* voir les remarques de G. NAGY, *The Best of the Achaeans,* Baltimore and London, The Johns Hopkins Univ. Press, 1979, 109 et 312.

23. Citation de VERNANT, *Les Origines de la pensée grecque, op. cit.*, 41.

24. Lieu vide est virtuellement le *méson*, parce qu'un pouvoir tout symbolique y prend place, sur le mode de la rotation des charges ; mais, lorsque le symbolique fait défaut, le *méson* devient un lieu à occuper effectivement, c'est-à-dire à conquérir : le pouvoir peut alors s'incarner

en un individu. Exemplaire est à cet égard l'histoire de Maiandros chez Hérodote (III, 142-143), rappelée par M. DETIENNE & J. SVENBRO, « Les Loups au festin ou la Cité impossible », *in La Cuisine du sacrifice..., op. cit.*, 220. La question du tyran est d'ailleurs l'une de celles qu'il faudrait réexaminer ; répéter le geste grec de la mise hors cité du tyran n'est pas satisfaisant, même si les Grecs ont cru à la nature non civique du personnage tyrannique : car il s'agit précisément d'une parade idéologique, par où est occultée la question du pouvoir.

25. Comme la Phéacie de l'*Odyssée,* dont P. VIDAL-NAQUET observe qu'elle est « une cité idéale et impossible », ajoutant que si « les Phéaciens ignorent la lutte physique, ils ignorent aussi, et complètement, la lutte politique » (*Le Chasseur noir, op. cit.*, 67).

26. LÉVI-STRAUSS, « Histoire et ethnologie », *art. cit.*, 1225.

27. Un peu comme F. FURET invitait naguère à « refroidir » l'objet « Révolution française » (*Penser la Révolution française,* Paris, Gallimard, 1978, « Bibliothèque des Histoires », 23-24).

28. AUGÉ, *Théorie des pouvoirs et idéologie, op. cit.*, 215.

29. Voir N. LORAUX, *L'Invention d'Athènes,* Paris-La Haye, Mouton - Paris, Éd. de l'EHESS, 1981, 336-339.

30. Je détourne au profit du conflit une phrase de Y. THOMAS au sujet de la vengeance, « qui n'a jamais été étudiée que comme présupposée de son dépassement par le droit » (« Se venger au forum », *in* R. VERDIER, J.-P. POLY, eds., *La Vengeance. Vengeance, pouvoirs et idéologies dans quelques civilisations de l'Antiquité,* Paris, Cujas, 1984, 65). Postuler que le conflit est toujours dépassé, car toujours avant, est un discours grec, depuis le chant XXIV de l'*Odyssée* : voir J. SVENBRO, « Vengeance et société en Grèce archaïque », *in La Vengeance...*, 47-63.

31. DETIENNE & SVENBRO, « Les Loups au festin ou la Cité impossible », *art. cit.*, 231.

32. Civique et non pas seulement « civilisée » (notion sur laquelle on consultera F. FRONTISI, « L'Homme, le cerf et le berger », *Le Temps de la Réflexion,* 1983, 4, 53-76). S'intéresser à la « civilité » conduit à étudier les remèdes préventifs inventés par les Grecs contre cette maladie qu'est le conflit : façon de rejeter le conflit dans le non-être, de le supposer dépassé ou à l'avance exorcisé.

33. Pour emprunter encore ces catégories à LÉVI-STRAUSS, « Histoire et ethnologie », *art. cit.*, 1218.

34. Voir les remarques de DETIENNE & SVENBRO, « Les Loups au festin ou la Cité impossible », *art. cit.*, 231 ; la citation à venir provient de la même page.

35. *Ibid.*, 231 et 234.

36. M. GODELIER, *L'Idéel et le matériel,* Paris, Fayard, 1984, 284 (« une société n'est pas un sujet »), avec les remarques de la p. 285.

37. AUGÉ, *Pouvoirs de vie, pouvoirs de mort, op. cit.*, 69.

38. Voir l'usage — certes peu prudent, mais qui donne infiniment à penser — qu'en fait P. Clastres pour nommer ce qui conduit des « sauvages » à refuser un pouvoir coercitif dont ils n'ont même pas la notion (*Chronique des Indiens Guayaki*, Paris, Plon, 1972 « Terre humaine », 80-81 ; *Recherches d'anthropologie politique*, Paris, Le Seuil, 1980, 154-155).

39. LÉVI-STRAUSS, « Histoire et ethnologie », *art. cit.*, 1231.

Retour du folklore

Comte, l'idéologie primitiviste, la fondation de la sociologie et l'ethnologie

Passé et avenir de l'exotisme

LE FOLKLORE REFOULÉ, OU LES DÉDUCTIONS DE L'ARCHAÏSME

Nicole Belmont

Aucun ethnologue contemporain n'oserait s'avouer folkloriste. C'est même avec difficulté que l'ethnologie française reconnaît le folklore comme une étape historique, un peu honteuse, de l'étude des sociétés et des cultures de l'Europe. Elle lui dénie toute valeur scientifique et se rallie à l'usage courant et péjoratif du terme. Le modèle reconnu, c'est l'ethnologie des populations « exotiques » non européennes, ex-primitives, sous tous ses avatars historiques, depuis l'école anthropologique anglaise jusqu'au structuralisme, sans oublier les nombreux travaux américains. De manière symétrique et inverse, le folklore comme discipline perdait de son crédit au fur et à mesure que l'ethnologie classique pénétrait en France[1]. Les années 50 marquent l'irréversibilité du processus.

Il n'est pas question ici de remettre en cause la validité de ce modèle. Il suffira simplement de rappeler les sentiments éprouvés — étonnement, admiration, adhésion intellectuelle, émulation — en prenant connaissance de la première monographie d'un village français, Nouville, pour ne pas avoir à justifier une méthode qui a fait suffisamment ses preuves[2]. On aimerait plutôt se demander, d'une part, pourquoi aucune critique de fond n'a été faite du folklore, condamné sans procès ; d'autre part, pourquoi les matériaux folkloriques émergent à nouveau dans de nombreux travaux, de valeur pour la plupart, concernant l'ethnologie de la France. Assistons-nous à un retour du refoulé ? La question peut se poser en ces termes, dans la mesure où l'évacuation du folklore s'est opérée dans la pratique, sans s'accompagner d'une réflexion critique, à propos notamment de l'idéologie qu'il véhiculait. En raison même de la façon dont il s'est effectué, ce rejet est gros de problèmes irrésolus qui pèsent sur les travaux d'ethnologie de la France. Certes les critiques à formuler contre le folklore comme discipline sont nombreuses et radicales : manque de rigueur et d'objectivité, absence presque totale de méthodologie et de théorisation. Mais, en l'espace de deux ou trois générations de chercheurs, un glissement s'est produit : le jugement négatif a affecté non seulement la discipline, mais aussi les matériaux de celle-ci devenus suspects et comme contaminés par elle. Seules étaient tolérées la collecte et la conservation muséologique, activités qui — remarquons-le — servaient déjà de justification (on dirait volontiers d'« alibi ») aux folkloristes du XIXe siècle[3]. Les modalités, encore moins les raisons véritables de ce rejet, n'ont pas été élucidées. On aimerait mettre au jour les causes de ce « non-dit » qui pèse sur l'ethnologie de la France.

Celle-ci, forte d'une double méthode — pratique du terrain d'une part, fonctionnalisme d'autre part (en donnant à ce terme une acception large et sans le rattacher à une école précise) —, s'est attaquée avec le succès que l'on sait au genre monographique. Il était possible aux ethnologues de postuler une cohérence dans l'organisation sociale qu'ils étudiaient, qu'il s'agisse d'un village, d'un terroir, d'une communauté, etc., cohérence vérifiée grâce à l'application de ce fonctionnalisme minimal ; mais devant les phénomènes qui relevaient du folklore — croyances, pratiques, rituels populaires —, ce dernier se cassait les dents. Pendant un certain temps, on a pu ignorer ces phénomènes ou leur accorder une place mineure et marginale. Il était certes facile de ne pas les voir, en raison des bouleversements de la France d'après-guerre qui balayaient apparemment les vestiges d'une pensée populaire préindustrielle. Mais parce qu'ils sont doués d'une grande persistance et d'un grand pouvoir de séduction, et aussi parce que la conjoncture sociale et culturelle s'y prêtait, ces matériaux folkloriques ont été réintégrés peu à peu dans un certain nombre de travaux, mais de façon presque subreptice, sans leur donner d'aveu ni leur accorder un statut véritable. Il paraît donc nécessaire de s'interroger sur leur nature et sur celle de la discipline, alors autonome, qui les prenait en compte.

L'histoire du folklore en tant que discipline commence en France au tout début du XIXe siècle ; un peu plus tôt, dans la seconde moitié du XVIIIe, en Angleterre, en Allemagne, en Suisse, en Italie. Sa naissance est donc tardive par rapport à celle de l'ethnologie, ou plus exactement de la « réflexion ethnologique », selon l'expression de C. Lévi-Strauss[4]. Celle-ci date de la découverte du Nouveau Monde qui révèle l'existence d'autres hommes dont les modes de vie et la pensée semblaient si étranges que la question s'est posée de leur appartenance à l'humanité. Mais cette étrangeté radicale a été comme tempérée par la distance géographique. L'altérité n'était supportable que lointaine et exotique. En revanche, lorsqu'aux XVIe, XVIIe et XVIIIe siècles les théologiens et les humanistes compilaient les coutumes et les croyances de leur propre société, sinon de leur propre classe sociale, c'était pour les rejeter, les condamner, leur refuser légitimité religieuse et existence selon la raison. Or, en 1805, les membres de l'Académie celtique, dont la première séance eut lieu le 30 mars, se donnent pour tâche de recueillir les usages locaux, les coutumes, les traditions, les mœurs, les dialectes et les patois des diverses régions de France[5]. Pourquoi, tout à coup, le regard porté sur ces productions bizarres, taxées le plus souvent de superstitions, se fait-il attentif ? Elles sortent alors de leur obscurité et sont même considérées comme dignes d'être étudiées, à condition toutefois de les éloigner, non plus dans l'espace comme les mœurs des sauvages « amériquains », mais dans le temps, de les faire reculer vers une histoire lointaine. Il suffit de dire que ces croyances et ces coutumes, qualifiées parfois dans les mémoires de « singulières », « bizarres », « absurdes », sinon « grotesques », sont des vestiges de l'antiquité de la France. Ce sont les survivances de la civilisation, de la culture, de la mythologie, de la législation des Gaulois. Considérées maintenant comme irrationnelles, ces pratiques sont les fragments d'un état social jadis conforme à la raison et à la sagesse. En posant cette thèse, les membres de l'Académie celtique rendaient acceptables l'étrangeté, voire l'absurdité qu'ils s'étaient donné pour tâche d'observer et de collecter. Mieux encore, ils en faisaient quelque chose de respectable, puisque c'étaient les vestiges des ancêtres de leur pays[6].

Mais cette ambivalence, cette oscillation entre égard et mépris rendaient difficile, impossible même, la poursuite de ces collectes. En 1815, la Société royale des Antiquaires succède à l'Académie celtique, attaquée explicitement pour sa celtomanie. Elle élimine peu à peu de la publication les mémoires qui portent sur les traditions populaires. Vers 1830, la place est libre pour l'histoire, l'archéologie et leurs disciplines annexes (numismatique, paléographie, etc.). Il faudra attendre la fondation de la Société des Traditions populaires en 1886 et celle de la *Revue des Traditions populaires* en 1888 pour que renaisse en France un mouvement national d'étude du folklore. Ni l'Allemagne ni l'Angleterre n'ont connu pareille éclipse. Dans ces pays, entre autres, le mouvement romantique a imprégné profondément les esprits, disposés dès lors à accepter plus facilement l'irrationnel, voire à s'y complaire. L'exigence rationaliste française eut pour conséquence l'éviction du folklore. Les productions folkloriques sont en effet très souvent dépourvues de sens apparent. A cet égard, elles sont comparables aux croyances et aux coutumes des « primitifs », à ceci près que ces derniers apparaissent comme radicalement autres : par le corps, le milieu physique, le climat. L'éloignement dans l'espace a tenu lieu de principe explicatif à cette étrangeté mais ne pouvait certes servir pour les paysans français sous le Premier Empire. On a donc éloigné dans le temps, sinon les paysans eux-mêmes, mais leurs mœurs et coutumes curieuses, dont l'origine fut renvoyée aux Celtes et aux Gaulois. Ce renvoi comportait cependant une trop grande part d'idéologie, nationaliste particulièrement, pour que puisse se développer une discipline à part entière.

Lors du renouveau de l'étude des traditions populaires en France, le terrain théorique est un peu plus solide. Grâce à l'école anthropologique anglaise, les folkloristes disposent d'une notion, celle de survivance, qui permet la collecte et l'étude éventuelle des productions populaires, sans culpabilité, gêne ou réticence. Tylor et ses disciples réussissent à théoriser la double exigence d'éloignement dans le temps et dans l'espace, nécessaire pour prendre en considération sans effroi l'altérité et l'étrangeté des primitifs comme des paysans européens. Les croyances absurdes, les coutumes insensées, les récits horribles sont les produits de l'humanité dans son enfance, dans la période de l'état sauvage de son intelligence. Il existe des survivances et des témoins contemporains de cet état premier de l'humanité : sous forme physique en la personne des lointains sauvages, plus loin de nous encore peut-être par le temps que par l'espace ; sous forme mentale dans les traditions populaires de notre propre société. Cette théorie, dont le lien avec le darwinisme est évident, est acceptée, implicitement le plus souvent, par les folkloristes français de la fin du XIXe et du début du XXe siècle. Elle permet la relance du mouvement dont l'essor avait été brisé vers 1830 tout en lui imposant des limites : elle autorise en effet la collecte et la conservation mais exclut la recherche de sens. Puisque les traditions populaires sont les survivances d'un état social et culturel depuis longtemps disparu, le sens qu'elles possédaient alors non seulement a disparu également, mais n'aurait pu subsister, faute de contexte ; par leur nature même de survivances, elles sont dépourvues de signification. On connaît dès lors la raison de leur irrationalité. Il vaut néanmoins la peine d'en faire la collecte, d'abord parce qu'elles vont disparaître avec le triomphe complet de la raison, ensuite parce qu'elles pourront servir à reconstituer l'archéologie mentale de nos ancêtres.

Le terme archéologie ne vient pas ici par hasard ; la métaphore apparaît chez tous les folkloristes français depuis le début du XIXe siècle, à travers un vocabulaire révélateur. Le terme le plus congru dans l'expression, le plus riche de sens, est utilisé par les membres de l'Académie celtique : c'est celui de *monument.* Il désigne non seulement les édifices ou les vestiges architecturaux, mais aussi les croyances, les usages, les traditions, les mœurs, les cérémonies et même le langage. « Il apparaîtra peut-être bizarre de présenter des mots comme des monuments antiques ; cependant les noms de lieux, les dialectes, le langage vulgaire qualifié de *patois* pour n'avoir rien de matériel, n'en sont pas moins de véritables restes, qui, autant que des ruines, déposent pour l'histoire d'un pays[7]. »

En latin, *monumentum* était d'abord tout ce qui rappelle quelqu'un ou quelque chose, tout ce qui perpétue le souvenir ; le mot s'est ensuite figé dans le sens restreint de monument architectural commémoratif. Formé sur le verbe *moneo,* « faire songer à quelque chose, faire souvenir et avertir, engager, donner des inspirations, instruire », le monument est pour les membres de l'Académie celtique la trace, matérielle ou mentale, verbale ou gestuelle, de ce qui est passé, de ce qui n'existe plus ; son sens étymologique est très proche de celui de « superstition » qui s'appliquait jusque-là aux croyances et aux pratiques populaires. Selon E. Benveniste, *superstitio* désigne une croyance qui a subsisté, qui a survécu, qui porte donc témoignage d'un état antérieur[8]. En 1871, Tylor proposera de remplacer le terme superstition, qui « aujourd'hui implique un reproche et quoiqu'il soit à bon droit permis de verser le blâme sur ces débris de civilisations mortes enclavées dans une civilisation vivante[9] », par celui de survivance, dont le sens est identique, mais la connotation honnête et pure.

Si le terme monument est aussi nouveau dans son emploi que bien formé étymologiquement, le vocabulaire métaphorique des folkloristes de la seconde moitié du XIXe siècle devient plus insistant et plus péjoratif. H. Hubert, dans un compte rendu d'ouvrages consacrés à l'Écosse, écrit : « Le folklore d'un peuple se compose en majeure partie des *résidus* de son passé, et des *reliques* de ses prédécesseurs, à divers degrés de *dessèchement* et de *décomposition*. Les pratiques et les croyances qu'on relève dans les recueils ne sont souvent que des *épaves*[10]. » A la même époque, dans l'Introduction de son livre, *Le Paganisme contemporain chez les peuples celto-latins*, P. Sébillot parle de « débris » et de « déformations[11] ». E. Burnouf, quant à lui, compare les traditions recueillies par les frères Grimm à des « blocs erratiques » qui, au milieu de terrains géologiquement différents, attestent un ancien état de choses dont ils sont parfois les uniques témoins[12]. C'est dire qu'on se représentait la collecte du folklore comme le travail de l'archéologue s'interrogeant sur l'ensemble architectural dont il a en main un morceau de colonne ou s'efforçant d'arracher à la terre des tessons de poterie, des fragments de sculpture, des monnaies frustes.

L'ethnologie française contemporaine qui réinsère les productions folkloriques dans ses travaux ne tente pas, bien sûr, de leur donner comme origine ces « civilisations mortes » dont parlait Tylor. Elle cherche à retrouver, avec souvent beaucoup de bonheur, leur cohérence, leur place dans l'organisation mentale de la société traditionnelle, leur sens. Cependant, elle est parfois prise dans une ambiguïté rarement aperçue : elle se veut contemporaine, mais se montre toujours séduite par la remontée dans le temps que lui offrent les informateurs les plus âgés[13]. Tout se passe comme s'il était impossible d'échapper à l'idéologie du « bon vieux temps » et à l'illusion que les productions populaires, de nos jours en miettes, étaient autrefois sans discontinuité, cohérentes et accessibles à l'interprétation. Cette « mémoire populaire », que l'anthropologie historique utilise comme ingrédient de beaucoup de sauces, aurait besoin d'être élucidée à la fois dans son mécanisme et dans ses emplois académiques.

Les productions folkloriques sont plutôt comparables aux souvenirs d'enfance de l'individu qui, discontinus, ne permettent pas de rétablir la totalité du vécu : ils émergent comme des îlots — ou des blocs erratiques — au milieu de la brume de l'oubli. Mais ils semblent aussi de portée dérisoire quand on les compare aux événements importants qui, eux, n'ont pas laissé de traces. Freud n'hésite pas à voir dans les représentations collectives populaires les traces mnésiques inconscientes des impressions de l'humanité primitive. C'est dans *Moïse et le monothéisme* qu'il pousse cette idée le plus loin, n'hésitant pas à affirmer que « les masses comme l'individu gardent sous forme de traces mnésiques inconscientes les impressions du passé[14] ». Il voit bien cependant que cette proposition va à l'encontre de la théorie darwinienne qui exclut de l'hérédité les caractères acquis. Mais il ne s'agit pas tant pour Freud de qualités acquises que « d'impressions du dehors, c'est-à-dire de quelque chose de presque concret [...]. En admettant que de semblables traces mnésiques subsistent dans notre hérédité archaïque, nous franchissons l'abîme qui sépare la psychologie individuelle de la psychologie collective et nous pouvons traiter les peuples de la même manière que l'individu névrosé[15] ».

Laissant provisoirement de côté les difficultés théoriques que soulèvent ces affirmations, on notera que, beaucoup plus tôt dans son œuvre, Freud avait comparé les symptômes des névrosés à des monuments qui commémoreraient certains événements traumatiques. « Ainsi à Londres, vous trouverez devant une des plus grandes gares de la ville une colonne gothique richement ornée : *Charing Cross.* Au XIIIe siècle, un des vieux rois Plantagenêt, qui faisait transporter à Westminster le corps de la reine Éléonore, éleva des croix gothiques à chacune des stations où le cercueil fut posé à terre [...]. Ces monuments sont des "symboles commémoratifs" comme les symptômes hystériques. Des habitants de Londres qui, de nos jours s'arrêteraient devant ces monuments et pleureraient au souvenir des événements qu'ils évoquent, se comporteraient comme ces névrosés qui sont affectivement fixés à une époque de leur passé au point de négliger la réalité et le présent[16]. »

Bien que les transposés au niveau de la psychopathologie individuelle, ces « monuments commémoratifs » des névrosés semblent avoir la même fonction que les traditions et les dialectes qualifiés également de monuments par les membres de l'Académie celtique — « véritables restes qui, autant que des ruines, déposent pour l'histoire d'un pays » — et que les survivances de l'école anthropologique anglaise, témoins actuels d'un passé révolu qui devraient permettre de le retrouver et d'en reprendre possession. Mais cette fonction participe d'une illusion qui fut partagée autant, sinon plus, par les folkloristes que par leurs « informateurs », adeptes de ces croyances et rituels populaires. Illusion semblable à celle qui nous fait croire que nos souvenirs d'enfance conservent la mémoire fidèle, bien que parcellaire, des événements du passé. En réalité, remarque Freud, ils n'ont pas *émergé*, mais ont été *formés* au moment de l'évocation, pour des motifs « dont la vérité historique est le dernier des soucis[17] ». De la même manière, les peuples ne conservent pas de façon ininterrompue la mémoire de leur histoire. A une époque où la nécessité s'en fait sentir, ils construisent celle qui répond à leurs opinions et leurs aspirations du moment[18].

Laissant encore une fois de côté les problèmes théoriques soulevés par ces textes de Freud, particulièrement celui du passage de l'individuel au collectif, on insistera sur la récurrence de cette représentation de l'archaïque présent au cœur de l'actuel. On la voit à la naissance du folklore comme discipline, à sa renaissance dans le dernier quart du XIXe siècle ; on la trouve dans les théories de l'école anthropologique anglaise ; on la retrouve chez Freud. Mais dans toutes ces occurrences, c'est une représentation entachée d'un certain mépris. Les membres de l'Académie celtique parlent de « bizarreries innocentes de l'esprit humain », de « restes de préjugés populaires qui enchaînent » ; Tylor avoue que les traditions populaires seraient à bon droit blâmables ; P. Sébillot considère, avec une certaine indulgence, les paysans européens de son siècle comme des « païens innocents ». Freud, quant à lui, l'associe à la névrose. De nos jours enfin, la reprise en compte des productions « folkloriques » dans les travaux des ethnologues de la France s'accompagne de justifications, explicites ou non selon le cas : nécessité de collecter ce qui va disparaître irrémédiablement, exigence scientifique de rétablir une continuité historique sans laquelle on ne pourrait rien comprendre. On invoque beaucoup moins, sinon jamais, la beauté de ces matériaux, la séduction qu'ils exercent, peut-être à cause de leur apparente irrationalité, la curiosité qu'ils éveillent et le désir qu'ils font naître d'y trouver du sens.

Si tous les caractères des matériaux folkloriques — éloignement dans le temps, bizarrerie, irrationalité, incohérence, nature dérisoire ou choquante — sont également ceux des souvenirs d'enfance, mais aussi des symptômes névrotiques et des rêves, on pourrait en dire autant des sentiments et des réactions qu'ils suscitent : étrangeté, incompréhension, gêne, curiosité, séduction. Or ces phénomènes ont pour trait commun d'être des « retours du refoulé » tentant de se frayer une voie d'accès dans des expressions qui ne peuvent alors qu'être déformées. De la même manière, les productions folkloriques sont à la fois actuelles et renvoyées dans un passé révolu ; elles sont irrationnelles parce que leur signification est dissociée de leur expression et dissimulée ; elles sont gênantes par ce qu'elles tentent de dire ce qui ne doit pas se dire clairement, et séduisantes pour la même raison ; elles possèdent enfin un dynamisme qui leur permet de réapparaître sous des formes diverses et d'imposer avec autorité leur pratique et leur durée.

Le rapprochement que nous faisons entre ces manifestations psychiques de l'individu — normales ou pathologiques, seul le mécanisme importe ici — et les productions qualifiées de folkloriques ne constitue pas une simple comparaison visant à mieux faire comprendre les caractères de ces dernières, caractères que l'on aimerait mettre en lumière. Nous pensons que ces matériaux émanent des mêmes sources psychiques, mais que certains, ayant été soumis à une projection destinée à accentuer plus encore l'illusion d'éloignement et d'extériorité, se manifestent sous une forme collective. Illusion tellement forte et tenace qu'elle a non seulement « contaminé » les matériaux mais aussi les chercheurs, qu'ils soient folkloristes, ethnologues, ou même psychanalystes. Dès lors, la question se pose de savoir s'il faut vraiment parler d'illusion : cette « illusion archaïque » constitue en effet la forme obligée des traditions populaires, qui s'expriment en quelque sorte *sous couvert* de l'archaïsme[19]. L'adhésion à cette illusion, qui serait le fait des sociétés traditionnelles, lui confère la fonction d'une mythologie ; elle devient idéologique lorsque la culture « savante » prend cet archaïsme pour argent comptant et le traite en anachronisme : en d'autres termes, lorsqu'elle ignore la composante actuelle de l'archaïsme.

Si l'on se souvient des étapes de la constitution, non seulement du folklore en tant que discipline, mais de l'ethnologie elle-même, on sera frappé par la permanence de la problématique du primitivisme et de l'archaïsme. Si l'on veut bien ne pas considérer cette histoire comme révolue et indigne d'attention, on y trouvera les indices de ce qui est peut-être la tâche première, fondamentale, essentielle de l'ethnologie : mettre au jour l'archaïsme qui est en nous et dans nos sociétés, y compris dans le plus actuel et le plus contemporain.

NICOLE BELMONT.

NOTES

1. Dans l'étude de ce mouvement, il faudrait élucider la place transitionnelle d'A. Van Gennep.

2. L. BERNOT & BLANCHARD, *Nouville, un village français*, Paris, Institut d'Ethnologie, 1953.

3. Les spécialistes de la littérature orale bénéficient encore, d'une plus grande tolerance — payée par une forte marginalisation — dans la mesure où la tendance formalisatrice de leurs travaux apaise l'exigence de scientificité.

4. C. Lévi-Strauss, « Les Trois sources de la réflexion ethnologique », *Revue de l'Enseignement supérieur* », 1960, I, (V), 43-50.

5. N. Belmont, *Paroles païennes* (à paraître).

6. L'Académie celtique est fondée à une époque de revendication nationaliste, composante présente dans toutes les émergences du folklore comme discipline.

7. L. F. Lemaistre, « Sur les Monuments celtiques ou romains du département de l'Aisne », *Mémoires de la Société des Antiquaires*, 1823, IV, 49.

8. E. Benvensite, *Le Vocabulaire des institutions indo-européennes*, Paris, Éd. de Minuit, 1929 (« Le Sens commun »).

9. E. B. Tylor, *La Civilisation primitive*, I, Paris, Reinwald, 1876, 83.

10. *L'Année sociologique*, 1900-1901, V, 219. (Mes italiques.)

11. P. Sébillot, *Le Paganisme contemporain chez le peuples celto-latins*, Paris, Doin, 1908.

12. E. Burnouf, *La Science des religions*, Paris, 1872. E. Burnouf, spécialiste des études indianistes, fut professeur au Collège de France.

13. Une autre attitude, réactionnelle celle-ci, consiste à ne vouloir prendre en considération que le contemporain, en particulier sous sa quintessence de l'urbain.

14. S. Freud, *Moïse et le monothéisme*, Paris, Gallimard, 1967 (« Idées »), 127.

15. *Ibid.*, 135.

16. S. Freud, *Cinq leçons sur la psychanalyse*, Paris, Payot, 1966, 15.

17. S. Freud, « Sur les souvenirs-écrans », *in Névrose, psychose et perversion*, Paris, P.U.F., 1973, 112-132. Le concept de souvenir-écran, « qui doit sa valeur pour la mémoire non à son contenu propre, mais à la relation entre ce contenu et un autre contenu réprimé », n'est pas indifférent à notre problématique.

18. S. Freud, *Un Souvenir d'enfance de Léonard de Vinci*, Paris, Gallimard, 1927, 69.

19. P. Coirault (*Notre Chanson folklorique*, Paris, Picard, 1941, 140) exprimait sans doute la même idée lorsqu'il déclarait : « A supputer séculaire l'ancienneté indispensable pour fonder la Tradition (et c'est un minimum), qui obtiendrait de son vivant l'ensemble des qualités nécessaires ? On ne sera pas folklorique autrement. »

A LA FONDATION DE LA SOCIOLOGIE : L'IDÉOLOGIE PRIMITIVISTE

Françoise Paul-Lévy

Le label anthropologique est à la mode dans l'ensemble des sciences humaines : historiens, économistes, philosophes, psychanalystes, sociologues s'en réclament au moins autant que les ethnologues. Chacun l'adopte dès qu'il veut exprimer la nécessité d'échapper aux limites jugées trop étroites de sa discipline ou dès qu'il s'agit d'élaborer un propos totalisant. La faveur contemporaine pour les interfaces disciplinaires, les bords à bords, la recherche de nouvelles frontières, le besoin d'importer et d'exporter les savoirs et les concepts d'une discipline à l'autre, d'une société à l'autre, se traduisent au moins provisoirement par un même recours à ce label comme si son usage témoignait d'une identité scientifique moderniste. Sorte de badge permettant de se reconnaître entre membres, de résumer du syncrétisme théorique. Avec, selon les cas, plus ou moins de bonheur, plus ou moins de rigueur. Dans le même temps, comme en parallèle, on entend dire dans les milieux journalistiques, « les 'sciences humaines' » ou « les 'sciences sociales', c'est fini ». Fini, au sens journalistique, cela veut dire démodé, « débranché », comme les années 60 et pour les mêmes raisons. Fini, comme un spectacle qui ne fait plus recette.

Il y a bien des raisons à ce désaveu : certaines tiennent à « l'insoutenable légèreté » de ceux qui font ou tentent de faire l'opinion intellectuelle et qui, comme poussés par une nature vibrionnaire, ont besoin d'une nouveauté par jour, d'une naissance ou d'une chute quotidiennes et fracassantes ; d'autres plus profondes tiennent à l'exigence dont les sciences humaines sont porteuses, parce qu'elles ne peuvent pas ne pas poser le problème des limites et des relations entre science, morale, politique, et que ce débat, d'autant plus difficile qu'il est honnête, décourage la plupart, y compris à l'intérieur des sciences humaines. A la prédiction de notre fin, il y a aussi des raisons qui tiennent à la conjoncture, une conjoncture de reformulation théorique qu'il est plus aisé de traduire par une annonce apocalyptique que par un effort d'analyse.

Dans l'ordre du désaveu, la sociologie est en première place et il est remarquable qu'un homme aussi fin que R. Thom semble chercher à lui régler son compte : « Certaines disciplines, surtout dans le cadre de ces sciences dites sciences de l'homme — je pense principalement à la sociologie — en sont encore à se demander quels sont les faits qui relèvent de leur domaine d'étude et n'ont pas encore réussi à en donner une description morphologique » (Thom, 1983, 5). Sans entrer dans une discussion détaillée, retenons que R. Thom mobilise ici deux types d'arguments : le questionnement quant aux objets, l'absence de description morphologique. Pour évaluer le second reproche, citons encore Thom qui donne en effet dans le même passage la définition de ce qu'il entend par description morphologique d'une science : « Les phénomènes qui sont l'objet d'une discipline scientifique donnée apparaissent comme des accidents de formes définies dans un espace donné que l'on pourrait appeler l'espace substrat de la morphologie étudiée. Dans les cas les plus généraux (physique, biologie, etc.) l'espace substrat est *tout simplement* l'espace-temps habituel » (*ibid.*, mes italiques).

S'il est possible que l'espace substrat soit « tout simplement » l'espace-temps habituel, on voit mal ce qui manque à la sociologie ou aux sciences de l'homme dont « l'espace-temps habituel » est bien évidemment l'espace substrat. Pourquoi alors ne pas lui reconnaître aussi spontanément qu'à la physique ou à la biologie au moins la dispositioin des conditions d'un « fonctionnement » scientifique ? Ce n'est certes pas à moi de répondre. Je suggère cependant que l'une des difficultés du dialogue entre sciences humaines et sciences naguère dites exactes tient à ce que les premières font entrer dans le champ de leur questionnement les « espaces substrats », ou encore assurent la relativité de ces espaces substrats à un temps donné et à une société donnée là où peut-être les secondes veulent plus d'absolu. C'est ainsi que du point de vue qui est le nôtre, le groupe « espace-temps » par exemple ne peut aller de soi : que l'on énonce en effet la relation entre l'espace et le temps sous la forme « l'espace-temps » ou sous la forme « l'espace, le temps », dépend de « l'accident » société, de sa forme, de la définition de sa forme de même qu'en dépend la prédominance accordée dans la relation soit à l'espace, soit au temps.

Lorsque dans une conférence de 1908 H. Minkowski déclare « désormais l'espace par lui-même et le temps par lui-même ne sont plus que des ombres condamnées à disparaître et seule une sorte d'union entre eux gardera une réalité indépendante » (cité *in* Lurçat, 1983, 18), il s'intéresse sans doute aux conséquences géométriques de la relativité mais en même temps il porte un jugement d'actualité (le changement), un jugement sur l'avenir — seule « une sorte d'union » entre l'espace et le temps aura « une réalité indépendante » —, et implicitement aussi un jugement sur le passé : dire en effet que « l'espace par lui-même, le temps par lui-même » n'ont plus d'efficience conceptuelle et notionnelle, c'est dire qu'ils en ont eu une. Cette séquence nous permet alors de concevoir que la facilité avec laquelle on utilise aujourd'hui le couple espace-temps ne va pas de soi mais qu'elle est tributaire d'un changement qui s'est offert à la fois aux usages physiques et métaphysiques, en entendant métaphysique en son sens le plus large. Il est probable que ce passage d'un état d'indépendance de l'espace et du temps à un état d'union se montrerait à l'analyse plutôt comme le passage d'un type de relation entre l'espace et le temps à un autre, que comme celui de l'absence d'union à sa présence[1], mais le changement qui s'y trouve indiqué suffit dans le champ qui nous occupe à guider la réflexion.

Nous avons en effet à prendre la mesure, dans les sciences humaines et pour nos sociétés, à la fois du genre d'existence et de signification que peut avoir l'« union » de l'espace et du temps en tant que « réalité indépendante[2] », du genre d'existence et de signification qu'ont pu avoir « l'espace par lui-même et le temps par lui-même » et de la nécessité où, par le biais de ces questions, nous nous trouvons de penser les relations entre sciences humaines et sciences que provisoirement nous dirons « non humaines ». Dans cet ensemble très vaste, on voudrait ici attirer l'attention sur un point très particulier. Il apparaît en effet que le « temps » en tant que « temps par lui-même » a joué un rôle déterminant dans les conditions de fondation de la sociologie en « fournissant » le moyen essentiel et privilégié de la prise d'écart entre les sociétés. C'est ce rôle que l'on souhaite faire apparaître en revenant au moment de la fondation de la discipline, et en montrant que ce moment engage des répartitions disciplinaires et des clivages entre sociétés qui sont peut-être ceux que nous voyons voler en éclats sous nos yeux. Plus précisément encore, on montrera comment la sociologie, lors de sa création, requiert la mise en place et le développement de ce qu'on me permettra d'appeler « l'idéologie primitiviste ».

Cette idéologie primitiviste est la chose des ethnologues plus que des sociologues, en raison du partage disciplinaire qui s'est opéré au début du XIXe siècle quand les « primitifs », et non plus seulement les « sauvages », sont devenus l'objet de la discipline particulière que constitue l'ethnologie, substituant aux débats sur l'état de société une problématique du classement hiérarchique des sociétés fondé sur une position par rapport au moment et à l'état de l'origine, et défini en termes de proximité ou d'éloignement par rapport à ce moment et à cet état. Cette idéologie a dans l'ethnologie une origine spécifique, une histoire propre avec ses crises, ses rebondissements théoriques, ses négociations. Ce n'est pas à l'histoire ethnologique de l'idéologie primitiviste que je m'intéresse ici, mais à la place que tient cette idéologie au moment et dans les conditions théoriques de la fondation de la sociologie par Auguste Comte.

La sociologie « naît » au XIXe siècle, et il est de tradition d'associer cette naissance aux bouleversements politiques et économiques liés à la Révolution de 1789 d'une part, à la révolution industrielle d'autre part. La description des coutumes, de l'organisation des sociétés, des régimes politiques, leur analyse, les comparaisons entre les systèmes ne datent pas, elles, du XIXe siècle, et compte tenu du développement ultérieur de la sociologie, il est possible d'inscrire dans sa généalogie Montaigne, Rousseau, Voltaire, Diderot, Montesquieu, Bonald, Maistre, etc., ou bien encore Aristote et Platon, Hérodote ou Vitruve, pour ne donner qu'une liste bien incomplète et sans ordre. Ce problème des précurseurs se pose quelle que soit la discipline concernée ; il appartient à l'histoire des sciences et renvoie à ce qu'on pourrait appeler une épistémologie de la datation.

La spécificité du XIXe siècle tient en ceci que, si la réflexion sur les sociétés ne s'y invente pas, le terme sociologie y apparaît comme une création nouvelle dont on peut supposer qu'elle signale celle d'une « chose » nouvelle ou, plus exactement, d'une « chose » relativement nouvelle, la nouveauté relative (et pourtant radicale) étant la seule façon pour une « chose » d'être nouvelle dès lors qu'on s'éloigne du temps de la genèse, du temps de l'origine ; dès lors qu'une « chose » a une histoire et peut donc être munie d'antécédents[3]. C'est à Comte que revient l'invention du terme « sociologie » et c'est donc à lui qu'il convient de revenir lorsqu'on cherche à penser les conditions de fondation de la science sociale. Ce retour s'accompagne alors du constat que la sociologie, au moment de sa fondation, a « besoin » de l'idéologie primitiviste pour se constituer. Établir ce point, comprendre en quoi la définition ou la « nature » de la discipline s'y trouvent engagées et quelles sont les conditions théoriques de cet engagement devient une nécessité.

Pour faire apparaître le rôle de l'idéologie primitiviste dans la constitution de la « science des phénomènes sociaux », de la « sociologie », il faut bien voir que Comte hésite entre deux définitions : l'une qui fait d'elle la science *des* sociétés, l'autre qui fait d'elle la science de la société moderne, de la société dernière-née de l'évolution. Examinons d'abord comment l'identification de la sociologie comme science de la société dernière-née se présente pour Comte. (On s'appuiera sur le *Cours de Philosophie positive,* IV, V, VI : *Physique sociale,* Leçons 46, 47, 48, 49). Il part d'un constat, celui de l'absence d'une science des phénomènes sociaux : « On remarque une lacune essentielle relative aux phénomènes sociaux qui bien que compris implicitement parmi les phénomènes physiologiques méritent soit par leur importance, soit par leurs difficultés propres de former une catégorie distincte. » Autrement dit, il existe une catégorie de phénomènes, les phénomènes sociaux, qui requièrent pour leur analyse, leur observation, leur compréhension, un savoir particulier et ce savoir n'existe pas ou, plus exactement, il commence seulement à exister à la fois parce que le moment est venu et que Comte va créer la sociologie. « Le siècle actuel » est ainsi « l'époque nécessaire de la formation de la science sociale ». Il apparaît donc que la science ne pouvait pas exister avant le XIXe siècle, avant l'époque scientifique et industrielle, avant l'époque contemporaine de Comte. Pour expliquer cette connivence entre le XIXe siècle et la science sociale, Comte fournira un certain nombre de raisons tenant à la science sociale mais, et c'est pour notre propos le plus important, tenant aussi aux phénomènes sociaux eux-mêmes. Les phénomènes sociaux, écrit-il, sont « les plus particuliers, les plus compliqués et les plus dépendants de tous les autres », de sorte que leur science « a dû nécessairement, par cela seul, se perfectionner plus lentement » que toutes les autres. Autrement dit, il a fallu que l'ensemble des connaissances et des facultés humaines progresse suffisamment pour que l'on dispose des moyens permettant de penser les phénomènes sociaux et de constituer scientifiquement leur étude. Il y a donc dans la naissance tardive de la science sociale quelque chose qui tient au mouvement et aux conditions propres de la science elle-même et quelque chose qui tient aux objets de la science sociale, soit la complexité des phénomènes sociaux.

Mais Comte va aller plus loin encore et suggérer que les objets de la science sociale eux-mêmes se sont développés au cours de l'histoire de sorte qu'« avant », la science sociale eût-elle pu se constituer, *elle n'aurait pas disposé de la matière nécessaire* : « Ces phénomènes [sociaux] [...] ont longtemps manqué de la plénitude et de la variété de développement indispensables à leur exploration scientifique. » Cette proposition passablement extraordinaire donne à penser en effet qu'au début de l'histoire les phénomènes sociaux sont en quelque sorte embryonnaires et qu'ils se développent peu à peu jusqu'à atteindre leur maturité et leur plénitude, si bien que le XIXe siècle n'est pas seulement le siècle de la science sociale mais également celui des phénomènes sociaux ; d'où suit que la sociologie est la science de la société dernière-née de l'évolution parce que les phénomènes sociaux sont les phénomènes de la société dernière-née de l'évolution. L'idée de société, le savoir, la morale qui se trouvent associés à cette idée et à son développement sont un produit de l'évolution historique : « Si l'idée de société semble encore une abstration de notre intelligence, c'est surtout en vertu de l'ancien régime philosophique » : avec le nouveau régime philosophique, avec la philosophie positive, l'idée de société cessera d'être une abstraction et deviendra concrète. Or pour Comte, la philosophie positive constitue le régime de pensée requis par son temps, par « l'époque scientifique et industrielle », par les lois de l'évolution et l'état de modernité. Autrement dit encore, la société comme réalité concrète est un effet de « l'époque scientifique et industrielle » et un fait adéquat au temps nouveau dont Comte est le contemporain.

Dans cette perspective, la sociologie est non pas le discours et la science de toutes les sociétés ou de n'importe laquelle d'entre elles, mais le discours et la science adéquats à « l'époque scientifique et industrielle » pour laquelle la société n'est plus une abstraction. La sociologie est donc un corps de connaissances associé à une époque nouvelle, au temps présent, à la modernité, qui institue « la religion de l'humanité » dira Comte, lorsque, avec le *Système de politique positive,* il aura décidé d'intégrer à la science sociale le cœur et le sentiment comme instruments conceptuels. Le XIXe siècle est ainsi le moment où, par suite d'un développement suffisant des connaissances scientifiques générales, la science sociale peut à son tour se développer, mais également celui où les phénomènes sociaux eux-mêmes ont atteint une « plénitude » suffisante pour devenir objets d'une science. Si donc la science sociale était, selon Comte, impossible à constituer précédemment, c'est en raison d'un état des connaissances, mais également en raison d'*un état de la réalité.*

Faut-il alors comprendre que dans le premier état, l'état théologique, il n'y a pas ou quasi pas de phénomènes sociaux et faut-il aussi entendre qu'il n'y a pas ou quasi pas de société ? S'il en est ainsi, cela veut dire que la société progresse d'un état à l'autre pour atteindre un développement suffisant dans le troisième état, l'état industriel et scientifique. Il y a donc des sociétés où le caractère de société est quasi nul et des sociétés où il a atteint un quasi-développement. J'ai écrit « quasi nul » et l'on peut se demander pourquoi, pourquoi pas « nul » seulement. En effet, et c'est déterminant, le quasi, l'ε de société ne peut pas ne pas se penser et s'écrire. Si on le supprime, le premier état n'appartient pas à la même série que les autres. Or Comte met les trois états en série ; par conséquent, aussi peu développés que soient les phénomènes sociaux dans le premier, ils sont non nuls. La loi des trois états propose donc, et on pourrait dire d'abord, le principe d'une succession et d'un développement qui, par une autre étape du raisonnement, est identifié au perfectionnement.

Comte n'ignore pas cependant le reproche qu'on pourrait lui faire d'introduire par la notion de progrès un jugement de valeur, et c'est en cela que sa démonstration est particulièrement intéressante. Il commence par assurer que la pensée « d'un développement continu de la nature humaine envisagé sous tous les divers aspects essentiels, suivant une harmonie constante et d'après des *lois invariables d'évolution* » est à la fois une « idée fondamentale » et une pensée « éminemment scientifique » (mes italiques). Une fois posé que le développement est un fait incontestable et sa notion une nécessité scientifique n'entraînant aucune appréciation « morale », Comte tente de prouver que pour ce qui est des êtres humains et des sociétés, « développement est égal à progrès » : « Toute la question philosophique, pour motiver l'équivalence finale entre les deux idées de développement et de perfectionnement [...] se réduit donc à prononcer si le développement évident doit être regardé comme nécessairement accompagné, en réalité, d'une amélioration correspondante ou d'un progrès proprement dit. Or, quoique la science pût vivement s'abstenir de résoudre directement un tel doute pratique [...] je ne dois pas cependant hésiter à déclarer ici de la manière la plus explicite que cette amélioration continue, ce progrès constant me semblent aussi irrécusables que le développement même d'où ils dérivent : pourvu toutefois qu'on ne cesse de les concevoir, ainsi que ce développement, comme inévitablement assujettis, sous chaque aspect quelconque, à des limites fondamentales, les unes générales, les autres spéciales, que la science pourra ultérieurement caractériser » (Comte, *ibid.*, 48e leçon, 128).

S'étant prononcé sur l'équivalence du développement et du progrès, il va ensuite justifier le parti qu'il prend. Son argumentation se développe à plusieurs niveaux : au niveau de l'histoire des sciences (les sciences se développent et font des progrès), mais aussi à celui de la nature humaine : « Le développement humain me semble en effet entraîner constamment sous tous les divers aspects principaux de *notre nature,* une double amélioration croissante non seulement dans la condition fondamentale de l'homme [...] mais même aussi [...] dans nos *facultés correspondantes* » (*ibid.,* mes italiques). Et Comte ajoute que « le terme propre de perfectionnement convient surtout » au développement-amélioration de la nature humaine.

Pour défendre cette idée, il s'appuie sur Lamarck, à qui l'on doit une théorie de l'évolution contestée mais qui, en raison du rôle qu'elle donne à l'influence du milieu et du mode de vie sur les transformations organiques et aussi parce qu'elle est une *morphogenèse,* ne laisse pas de fournir un recours pour la pensée : « Quant [...] à une certaine amélioration graduelle et fort lente de la nature humaine, entre des limites très étroites mais ultérieurement appréciables quoique peu connues jusqu'à présent, il me semble rationnellement impossible, du point de vue de la vraie philosophie biologique, de ne point admettre ici, jusqu'à un certain degré, le principe irrécusable de l'illustre Lamarck, malgré ses immenses et évidentes exagérations, sur l'influence nécessaire d'un exercice homogène et continu pour produire dans tout organisme animal et surtout chez l'homme un perfectionnement organique susceptible d'être graduellement fixé dans la race, après une persistance suffisamment prolongée. En considérant surtout, pour une question aussi délicate, le cas le mieux caractérisé, c'est-à-dire celui du développement intellectuel, on ne peut, ce me semble, refuser d'admettre, sans que toutefois l'expérience ait encore suffisamment prononcé, une plus grande aptitude naturelle aux combinaisons d'esprit chez les peuples très civilisés, indépendamment de toute culture quelconque, ou, ce qui est équivalent, une moindre aptitude chez les nations peu avancées » (*ibid.,* 128-129). Ce passage est important parce qu'il soulève la question de la nature de la nature ; qu'il montre qu'on ne peut s'interroger sur les phénomènes sociaux sans « remonter » jusqu'à la nature de la nature, c'est-à-dire sans demander raison aux sciences ayant pour objet les organismes vivants et peut-être même la matière ; et parce que pour penser nos sociétés, il pose les « autres sociétés » comme référent nécessaire mais aussi comme nécessairement inférieures en nature et en culture, au titre de l'antériorité temporelle.

Voyons maintenant comment, et pour quels résultats, Comte énonce le principe qu'il emprunte à Lamarck :

1) « Il me semble [...] impossible de ne point admettre [...] le principe irrécusable de l'illustre Lamarck [...]
2) Sur l'influence nécessaire d'un exercice homogène et continu pour produire dans tout organisme et surtout chez l'homme un perfectionnement organique
3) Susceptible d'être graduellement fixé dans la race, après une persistance suffisamment prolongée. »

Le fragment de phrase (3) reprend la thèse de l'hérédité des caractères acquis. Le fragment (2) reprend la notion d'« influence » et d'« exercice continu », mais la présence de « pour » introduit la possibilité d'un double sens : au constat, à la description du processus — si par un exercice homogène et continu une influence s'exerce, alors l'organisme se transforme (ici se perfectionne) — se trouve associée l'indication d'un mode d'action volontaire ; si l'on veut obtenir un perfectionnement organique, il faut avoir recours à l'influence d'un exercice homogène et continu. Il semblerait donc que quelque chose de l'ordre de la pression éducative est suggéré. Cependant l'interprétation du fragment (2) doit tenir compte de l'absence de complément à « exercice homogène et continu ». Exercice de quoi ? La chose reste imprécisée, pour des raisons de fond mais aussi à cause de l'exemple que Comte invoque dans la dernière phrase du passage cité et qui est celui du « développement intellectuel ». Non sans réserve et précaution d'usage, il propose en effet de lire la loi d'évolution-perfectionnement dans l'écart qui, en matière de développement intellectuel, sépare « les peuples très civilisés » des « nations peu avancées ». La question est alors la suivante : qu'est-ce qui s'exerce de façon continue et homogène et peut avoir un effet différentiel dans le développement des « aptitudes intellectuelles » ? A cette question qui, dans les conditions où elle est posée, résume la difficulté majeure et presque insoluble de la pensée de la relation nature/culture et des différences entre les sociétés, on comprend que Comte ne réponde pas et se contente d'une position floue qui en biaise et à la fois en signale le parcours tout en en posant le résultat comme un acquis : il y a un écart de développement, de progrès entre sociétés peu avancées et sociétés civilisées, et cet écart est aussi celui d'une différence dans les aptitudes intellectuelles.

Cette proposition à laquelle semble aboutir logiquement le lamarckisme sociologique de Comte ordonne les sociétés humaines sur un continuum de civilisation et de progrès qui induit un classement hiérarchique des aptitudes intellectuelles, en même temps qu'un classement hiérarchique en nature (dont la « nature » cependant demeure imprécisée si ce n'est a posteriori), puisque l'amélioration des facultés intellectuelles se fixe inégalement dans la race. La distinction avancement/non-avancement a de nombreux équivalents : civilisé/non ou peu civilisé, moderne/archaïque, évolué/non ou peu évolué, industriel et scientifique/non industriel, non scientifique. Mais ce qui commande la série des oppositions, c'est d'abord une position sur le vecteur du temps. Les sociétés avancées sont loin de l'origine, les sociétés non avancées en sont proches. *Et ce, quel que soit le nombre des années qui sépare quantitativement les sociétés non avancées de leur origine ;* comme si, pour compter, le passage des années requérait non seulement du nombre mais une qualité particulière du temps.

L'opposition entre sociétés non avancées et sociétés avancées suppose que sur le vecteur du temps les unes soient antérieures et les autres postérieures, l'antériorité valant proximité (plus ou moins grande) à l'origine, la postériorité valant éloignement (plus ou moins grand) de l'origine. Plus on recule dans le temps et plus les sociétés sont primitives, mais aussi plus les sociétés sont jugées primitives et plus elles témoignent de l'état originaire des sociétés et de l'humanité. Cette opposition n'assure pas seulement en effet le classement des sociétés le long d'une chronologie, elle permet, à un moment donné du temps — aujourd'hui par exemple —, d'imputer aux différentes sociétés observables des positions temporelles différentes, ce qui, on en conviendra, est passablement étonnant. C'est ainsi que les sociétés non industrialisées, dès lors qu'elles sont dites et considérées comme non avancées, se trouvent constituées comme *antérieures* aux sociétés industrialisées, de sorte que les unes et les autres ont beau coexister, être contemporaines, certaines n'en sont pas moins plus proches que d'autres ou encore toujours proches de l'origine.

Sans cette mise à l'équivalence d'un état social et d'un état historique, rendue possible grâce au montage d'une théorie particulière du processus évolutif, la notion de « sociétés primitives » demeurerait incompréhensible de même que l'intérêt qu'y ont porté des sociologues français comme Durkheim et Mauss, héritiers parfois malgré eux du comtisme et des problématiques associées aux conditions constitutives de la sociologie.

Les sociétés « primitives » sont ainsi dites, indépendamment du nombre des années qui les sépare effectivement du moment de leur propre fondation. C'est leur état social qui les date, non la durée de leur histoire. Or rien ne prouve que ces sociétés que nous disons primitives n'ont pas elles aussi « vu passer le temps » et connu un processus évolutif qui tout en les faisant différentes des nôtres les a faites différentes des sociétés du début de l'histoire. La logique, en l'attente de confirmations empiriques, engage plutôt à admettre l'existence de principe du processus évolutif, l'existence de l'effet-temps, et à penser la différence entre sociétés dans les effets variables du temps qui passe, et non dans sa présence ou son absence. Nous avons beaucoup de mal à accepter que les sociétés primitives ne représentent pas l'état social originaire des sociétés. Pour deux raisons au moins : d'une part parce que si nous renonçons à en faire l'image de l'origine, nous ne savons plus comment penser la ou les différences entre ces sociétés et la nôtre ; d'autre part parce que, grâce à cette image qu'offriraient les sociétés primitives, nous croyons pouvoir penser notre propre histoire. La notion de société primitive nous est utile. Constituer certaines sociétés contemporaines comme primitives, c'est se donner les moyens de leur demander raison — comme aux primates supérieurs et parfois en rassemblant les uns et les autres dans le même proche voisinage — des origines des sociétés humaines, et, par comparaison entre elles et avec les sociétés évoluées, tenter de rendre compte de l'évolution et de ses étapes. Les conditions d'expérimentation de la profondeur historique se trouvent ainsi réunies *in vivo*, ce qui, quoique contraire aux règles du genre et contradictoire dans les termes, n'en demeure pas moins fascinant, au point, pourrait-on dire, de rendre la contradiction invisible.

La prise d'écart sur le vecteur du temps n'a pas seulement permis d'assigner certaines sociétés à représenter l'état d'origine dont elles seraient les plus proches, elle a globalement offert le moyen de ranger les états sociaux selon l'ordre d'une succession hiérarchisée. La périodisation proposée par Marx selon les différents modes de production en donne un exemple de tout premier plan, de même que la controverse provoquée par l'ouvrage de Wittfogel sur le despotisme oriental témoigne et des difficultés rencontrées par la généralisation du modèle et des manières dont elles furent alors traitées. L'histoire du modèle que la sociologie a fait naître reste à faire, mais pour situer l'un des aspects de la polémique que cette histoire peut susciter on me permettra de prendre un exemple dans l'œuvre immense de Marc Bloch.

Lorsque celui-ci entend mettre en évidence la structure de la société féodale, il considère cette structure comme l'expression d'un « stade » dans l'évolution des sociétés. Le débat qu'il engage alors avec Montesquieu est particulièrement intéressant car il suggère que sa thèse historique n'est pas indépendante du modèle temporel élaboré avec et dans la sociologie. Dans son Introduction à *La Société féodale*, il reconnaît à Montesquieu le mérite d'avoir « incontestablement [...] au public cultivé de son temps imposé la conviction que les lois féodales caractérisèrent un moment de l'histoire » (p. 12), mais dans le livre troisième, celui des conclusions, il marque qu'il se sépare de Montesquieu et si l'on analyse comment, on observe que la notion de stade joue un rôle décisif. En effet, alors que Montesquieu estime que les « lois féodales » ont constitué « un événement arrivé une fois dans le monde et qui n'arrivera peut-être plus jamais » (p. 603), M. Bloch juge, certes avec prudence, que la féodalité n'a pas été un « événement » unique et il ajoute : « Il n'est pas impossible, en soi, que des civilisations différentes de la nôtre n'aient traversé un stade approximativement analogue à celui qui vient d'être défini. Si cela est, elles mériteront durant cette phase le nom de féodales » (p. 610), et, considérant que la tâche comparative excède les forces d'un seul homme, M. Bloch ne donne qu'un exemple, celui du Japon.

Pour penser son objet M. Bloch accepte au moins trois notions : celles de société féodale, de stade ou de phase, et d'évolution. « La féodalité européenne [...] serait inintelligible sans le grand bouleversement des invasions germaniques qui, forçant à se fusionner deux sociétés originellement placées *à des stades très différents de l'évolution,* rompit les cadres de l'une et de l'autre » (p. 606 ; mes italiques). Sans doute les processus évolutifs que M. Bloch envisage n'ont-ils pas le caractère systématique de la loi des trois états[4], mais le principe de l'évolution et des sociétés comme stades de cette évolution est admis. Or ce principe met l'accent, dans la relation entre un espace et un temps, sur le référent temporel. Lorsque Montesquieu juge que les lois féodales constituent un événement unique, il juge nécessairement qu'elles sont l'effet de la combinaison d'*un* moment de l'histoire et d'*un* lieu, d'un espace particulier, celui de l'Europe. Dans cette perspective, on peut dire que sans l'Europe, quel qu'ait été le « moment » de l'histoire, il n'y aurait pas eu de lois féodales. M. Bloch, s'il considère que « la structure sociale ainsi caractérisée porte certainement l'empreinte originale d'un temps et d'un milieu » (p. 610), pense cependant que cette empreinte originale n'empêche pas qu'en un *autre lieu* la société considérée n'ait connu un même stade ou au moins un stade comparable.

Autrement dit, dans cette configuration théorique qui est aussi celle de la sociologie lors de sa fondation, c'est le référent temporel plus que le référent spatial qui permet de situer les sociétés à distance ou à proximité l'une de l'autre. Sans doute les ethnologues européens sont-ils allés au loin mener leurs recherches, mais la distance spatiale ne suffit pas à rendre compte de leurs décisions puisque pour un même lointain ils avaient, pourrait-on dire, le choix entre la ou les « sociétés primitives » et celles qui, à cette même distance, ne l'étaient pas. Ce qui *au bout du voyage* guidait les ethnologues, c'était ainsi la recherche, la quête d'un autre temps, la quête des sociétés d'un autre temps, du temps le plus distant de celui qui semblait le nôtre, du temps le plus proche de l'origine, du temps disparu et en quelque sorte miraculeusement conservé par quelques groupes témoins préservés à la fois de l'évolution et de la civilisation. Au loin de l'espace l'autre mais le plus autre, c'est au loin du temps qu'on le cherche et c'est par lui le loin du temps que l'on cherche à trouver.

Les sociétés dites primitives ont été également dites sans histoire et l'on comprend bien pourquoi ; il fallait en effet concilier leur existence contemporaine et leur « primitivisme » ; si en effet, malgré le passage incontestable des années ces sociétés étaient toujours à proximité de l'origine, c'est que quelque chose avait manqué au temps des années pour que, comme dans les sociétés industrialisées, l'éloignement, la distance par rapport à l'origine se fassent : ce quelque chose qui leur a manqué pour s'éloigner de l'origine, c'est l'histoire entendue dès lors non pas comme succession temporelle d'événements mais comme progression dans et par le temps, soit une définition comtiste de l'histoire que l'on peut dire encore progressive-progressiste et linéaire.

L'évolutionnisme de Comte a donné lieu à de nombreuses critiques, à commencer par celle de Durkheim, de même que la conception progressive-progressiste linéaire de l'histoire et celle de société sans histoire. C'est ainsi que C. Lévi-Strauss a, comme on le sait, proposé de distinguer histoire cumulative et histoire stationnaire. Cette distinction, qui sans doute maintient le temps de l'histoire comme principe de différenciation entre « le nôtre » et « l'autre », remet cependant en cause le primitivisme, explicitement pour une part et au-delà même des intentions déclarées pour une autre part. En effet, s'il y a de l'histoire, même stationnaire, cela veut dire que le chasseur-cueilleur observable aujourd'hui est un fruit de cette histoire ; il se situe non pas hors du temps qui passe ou avant le temps qui passe, mais dans et *après* le temps qui passe. Or, dire cela c'est s'obliger à prendre en compte le *nombre* des années qui sépare le chasseur-cueilleur d'aujourd'hui du temps ou du moment de son origine, et c'est du même coup s'obliger à *démontrer* que ce chasseur-cueilleur est identique à celui de l'origine.

Ainsi, par exemple, si féconde que soit la réévaluation menée par M. Sahlins concernant les sociétés de chasseurs-cueilleurs, elle se situe à l'intérieur de l'idéologie primitiviste. Si, dit-il, traiter les « chasseurs modernes » en « représentants d'un point de départ de l'évolution » est une « liberté qu'on ne saurait s'accorder à la légère » (1976, 80), c'est pour s'interroger sur la qualité des candidatures à la position de primitif — « Des chasseurs marginaux, comme les Bochimans du Kalahari, sont-ils vraiment plus représentatifs des conditions de vie du Paléolithique que les Indiens de Californie ou de la côte nord-ouest ? Rien de moins sûr » *(ibid.)* —, non pour remettre en cause la notion même de « primitif ». Cette absence de remise en cause s'analyse encore dans son propos sur les chasseurs-collecteurs survivants lorsqu'il déclare qu'ils donnent à voir la société primitive non dans sa globalité mais dans son roc : « Tout se passe comme si les superstructures de ces sociétés ayant été érodées [sans remplacement], seul demeure le roc des activités de subsistance » (*ibid.*, 81). Du voyage du temps les chasseurs-collecteurs sortent identiques à l'état d'origine, sauf en ce qui concerne les « bagages culturels » qu'ils ont — auraient — laissés en route. Il y a bien aujourd'hui un état d'origine, un noyau dur, irréductible de cet état, qui serait, à suivre Sahlins, l'infrastructure, l'économique. Si quelque chose a changé, c'est dans ce qui a été perdu, non dans ce qui subsiste ! On voit donc à quelle tâche nous sommes immédiatement appelés : démontrer et non plus poser l'équivalence entre certains états présents et l'état d'origine avec à l'horizon la nécessité de rouvrir le débat sur l'état d'origine d'une part, sur le rapport entre temps et histoire d'autre part. La démonstration d'équivalence, difficile à mener dès lors qu'elle ne se contente pas par exemple de la permanence de l'arc ou tout autre critère ou batterie de critères « primaires », se heurte également à un obstacle conceptuel, car si la quantité des années dénombrables depuis l'origine n'a aucun effet de changement, qu'est-ce que le nombre, qu'est-ce que la succession et l'addition des unités de temps, qu'est-ce que la flèche du temps, qu'est-ce que son irréversibilité ?

Examinons par exemple la notion d'histoire stationnaire ; dès que l'on admet l'écoulement du nombre des années, ou de tout autre unité de temps nombrable et dénombrable, dès que l'on admet de la distance temporelle entre l'origine et l'état présent des sociétés ex-primitives, il apparaît que le temps n'est pas, ne peut pas être stationnaire si l'histoire peut l'être, ce qui impose de distinguer entre comput du temps et histoire. Cette distinction opérée, comment définir l'histoire comme stationnaire ? Qu'est-ce qui stationne ? A partir de quand telle ou telle société se met-elle à stationner ? Quels sont les critères du stationnement ? Comment penser la relation entre la succession des unités de temps et l'histoire stationnaire, entre cette même succession et l'histoire cumulative ? Qu'est-ce que l'histoire dès lors qu'il faut la distinguer du comput quantitatif du temps ? Un récit du temps ? Mais alors est-ce l'histoire qui stationne ou cumule, ou est-ce la représentation que nous nous faisons de ce qui est histoire ? Si l'on dit que c'est la représentation, atteignons-nous par la notion du seul mouvement du récit le genre de réalité que l'on cherche à appréhender en distinguant, par un discours d'histoire, sociétés autres et sociétés nôtres ? Nous sentons bien qu'il y a là une aventure des « choses » et non seulement des « mots » qui interdit de réduire la problématique de l'histoire à celle de la seule représentation. Et si l'on devait dire que c'est l'histoire, qu'est-ce qui stationne et cumule dès lors que ce ne peut être le temps nombrable et dénombrable puisque de ce point de vue nos sociétés et les sociétés ex-dites primitives sont également à distance de l'origine ?

Si l'on objectait qu'en matière de temps des sociétés il faut tenir compte pour chaque société de sa ou ses propre(s) conception(s) du temps, alors ce sont ces conceptions dont il faut faire la description, l'analyse, l'histoire ou les histoires, et c'est aussi l'histoire, la conception que nous en avons, les conceptions que d'autres en ont, les manières particulières dont chacune enregistre le temps, corrèle le temps et les histoires, corrèle les temps et l'histoire, qui demandent une nouvelle définition. Cette redéfinition concerne aussi et même au premier chef la sociologie. En effet, la définition de la sociologie comme science de la société dernière-née continue à être admise par de nombreux sociologues et également par la plupart des ethnologues. Or cette définition de la sociologie vaut d'elle-même conception progressive-progessiste de l'histoire et adhésion à l'idéologie primitiviste. La question est alors de savoir si l'on maintient ou non cette adhésion. Si l'on juge qu'il existe de bonnes raisons, scientifiques et non scientifiques, de renoncer à l'idéologie primitiviste, alors, quelle que soit la forme du renoncement, c'est nécessairement renoncer à définir la sociologie comme science de la société moderne et revenir à l'autre définition de la sociologie, celle que Comte propose implicitement et qui fait de la sociologie la science des sociétés, ce qui suppose de reconnaître le point où la sociologie touche à, est une anthropologie.

Car si Comte classe les sociétés selon l'avant/après congruent à l'arché de son siècle, la loi des trois états qui soutient ce classement comporte également et remarquablement les éléments de définition de la sociologie comme science des sociétés. En effet, si chaque état se caractérise différemment sur le plan des « idées », des « relations sociales », de « l'activité de la société », les plans eux-mêmes se retrouvent d'un état à l'autre ; il en va de même de la notion d'état ; cette permanence signifie que dans tous les états il y a « de la société ». La société est donc conçue comme un « universal ». Ceci qui peut nous paraître d'évidence n'est rien d'autre qu'une habitude de penser née au siècle dernier et que la création de la sociologie fonde en même temps qu'elle-même. Sous cet aspect, la sociologie est la science des sociétés, non celle de la société dernière-née, et c'est sous cet aspect encore que l'on peut comprendre le recours contemporain au label anthropologique et le rapprochement entre l'ethnologie et la sociologie. Cependant cet universal de la société ne peut apparaître comme tel que si les sociétés sont différentes les unes des autres, ou encore, c'est parce que les sociétés apparaissent comme différentes qu'elles manifestent la constante société. Il faut donc nécessairement quelque chose qui permette la prise d'écart : le temps au XIXe siècle sous sa forme d'histoire progressiste-progressive ; autre chose aujourd'hui ou dès lors que le vecteur du temps cesse d'être conçu comme site légitime de la prise d'écart entre sociétés.

On peut considérer que le rapatriement égotique des ethnologues, le développement d'une ethnologie des sociétés « occidentales », l'indécision sinon nouvelle du moins renouvelée entre ce qui est objet de la sociologie et ce qui est objet de l'ethnologie expriment à la fois ce que l'on peut appeler une crise de la distance entre les sociétés et une crise du mode de la prise d'écart. La question est alors celle-ci : quel sera, quel est le moyen le plus légitme et/ou le plus congruent à l'état de la réalité sociale contemporaine permettant la prise d'écart entre les sociétés ? Comment s'y jouera la question de la distance ?

Enfin, puisque Comte fonde la sociologie comme science de la société dernière-née tout en créant les conditions, *mais à l'arrière-plan,* de sa définition comme science des sociétés, et puisque l'affirmation de l'universal-société accompagne chez lui une prise d'écart sur le vecteur du temps, doit-on concevoir que l'affirmation d'un universal-société reste tributaire du classement par avant/après ou doit-on concevoir qu'elle puisse en être indépendante ? Ou encore, quel est l'avenir de la science des sociétés lorsque change le référent, le moyen de la prise d'écart ?

Et finalement, comment penser la modernité, l'évolution, le progrès lorsqu'on renonce au secours de l'idéologie primitiviste, lorsqu'on tient compte des effets théoriques de sa critique et qu'on ne s'abandonne pas à la facilité de liquider par la seule dénégation les questions que ces objets continuent de poser ?

FRANÇOISE PAUL-LÉVY.

NOTES

1. « Pour le physicien, cela fait déjà un bon moment que l'espace et le temps sont mélangés [...] ce qu'apporte Einstein [...] c'est plutôt l'idée plus fine, plus subtile, que la façon dont l'espace et le temps ont à voir l'un avec l'autre n'est pas ce qu'on croyait » (LÉVY-LEBLOND, 1983).

2. Si l'on suit Granet, il semble que l'idée d'une « union de l'espace et du temps » soit indispensable à la compréhension du calendrier et de l'organisation spatiale de la Chine, que donc cette idée, liée dans notre société à la théorie de la relativité, a trouvé ailleurs d'autres moyens d'expression et de cheminement.

3. Sur ce point, voir F. PAUL-LÉVY (1983).

4. Pour bien juger de la systématisation de Comte, il faut se rappeler que tous les niveaux d'un même état ne sont pas nécessairement au même stade du développement à tel moment du temps, mais que tous passent nécessairement par les trois stades. L'évolutionnisme de Comte n'est pas sans finesse ni complexité, mais ce procédé structural n'empêche pas qu'au bout du compte, la loi des trois états répartisse les différentes sociétés le « long » d'un vecteur temporel hiérarchisé.

BIBLIOGRAPHIE

BLOCH, M.

1978 *La Société féodale*. Paris, Albin Michel. (1re éd. 1939.)

COMTE, A.

1975 *Cours de Philosophie positive*, IV, V, VI : *Physique sociale*. Présentation et notes par Jean-Paul Enthoven. Paris, Hermann.

GRANET, M.

1934 *La Pensée chinoise*. Paris, La Renaissance du Livre (« L'Évolution de l'Humanité »).

KREMER-MARIETTI, A.

1983 *Le Concept de science positive*. Paris, Klincksieck, novembre.

LÉVI-STRAUSS, C.

1973 *Anthropologie structurale deux*. Paris, Plon.

LÉVY-LEBLOND, J.-M.

1983 « La Structure de l'espace-temps », *in L'Espace et le temps aujourd'hui*. Paris, Le Seuil.

LURÇAT, F.

1983 « La Physique et l'espace-temps », *in Au Temps de l'espace*. Paris, Centre Georges-Pompidou, Centre de Création industrielle.

PAUL-LÉVY, F.

1983a *La Ville en croix*. Paris, Librairie des Méridiens.

1983b *Cours de sociologie générale*. Besançon, Faculté des Lettres et Sciences humaines, Centre de Télé-enseignement, septembre, ronéo.

SAHLINS, M.

1976 *Age de pierre, âge d'abondance. L'économie des sociétés primitives*. Traduit de l'anglais par Tina Jolas. Préface de Pierre Clastres. Paris, Gallimard (« Bibliothèque des Sciences humaines »).

THOM, R.

1983 *Paraboles et catastrophes*. Paris, Flammarion.

WITTFOGEL, K. A.

1964-1977 *Le Despotisme oriental. Étude comparative du pouvoir total*. Traduit de l'anglais par Micheline Pouteau. Paris, Éd. de Minuit (« Arguments »).

UNE VALEUR SÛRE : L'EXOTISME

Michel Panoff

« J'ai souvent éprouvé un sentiment d'inquiétude à des carrefours. Il me semble dans ces moments qu'en ce lieu ou presque : là, à deux pas sur la voie que je n'ai pas prise et dont déjà je m'éloigne, oui, c'est là que s'ouvrait un pays d'essence plus haute, où j'aurais pu aller vivre et que désormais j'ai perdu... Moi, cependant, si un hasard m'ouvrait cette voie je saurais peut-être comprendre. »

Cette expérience dite par Bonnefoy (1972, 9, 14) avec des mots qui n'appartiennent qu'à lui, qui de nous, s'il interroge sa mémoire, ne l'a vécue à son tour ? Et l'ethnologue ne serait-il pas justement cet homme singulier qui, au moment où les autres soupirent et vont de l'avant, prend au sérieux l'appel de la rêverie et refuse d'oublier qu'une autre voie s'offrait aussi à lui. N'y a-t-il pas le déclic, mieux, le pari superstitieux du joueur voulant forcer le destin qui décide d'une vocation dans les années flottantes ? Il est permis de l'imaginer une fois qu'a été pleinement reconnue la force d'inspiration que les chercheurs les plus désenchantés continuent de puiser dans l'exotisme. Un tour d'horizon de ces dernières décennies le confirme et suggère, en outre, que l'anthropologie elle-même, comme discipline intellectuelle, ne parvient guère à s'en passer malgré ses vertueuses dénégations. Malgré, surtout, ce beau nom nouveau d'*anthropologie* dont elle pare et ses démarches et ses visées. Pour parler bref, il est tentant de rechercher si l'exotisme ne serait pas l'une des choses qui réunissent encore les praticiens et préservent de l'éclatement leur entreprise partagée entre diverses spécialités ombrageuses et entre plusieurs orientations idéologiques inconciliables.

Et pourtant n'aurait-on pas juré que l'exotisme était condamné sans recours lorsque l'ethnologie française commença de se remettre en question sous l'influence de celui qui l'appelait à devenir « anthropologie » ? Non qu'elle dût s'émouvoir beaucoup de l'apostrophe fameuse de 1955 : « Je hais les voyages et les explorateurs », mais parce qu'elle semblait engagée, dès 1962, dans une évolution irréversible avec *La Pensée sauvage* et le programme qui s'y trouvait illustré. Lui était promise, en effet, la même unification radicale que Malraux avait accomplie dans *Le Musée imaginaire* (1947). Comme les œuvres d'art de tous les temps et de tous les pays pouvaient être réunies désormais sous un même regard, bientôt les cultures les plus diverses relèveraient également d'un mode unique d'analyse. De même que, par l'artifice de la photographie, la pièce de monnaie gauloise, la tête d'une statue bouddhique et le tableau de chevalet s'affranchissaient de leurs dimensions propres et de leur support matériel pour voisiner ensemble et se prêter à une confrontation inattendue, de même il devenait possible et fécond d'éclairer l'un par l'autre le système de classification du prêtre omaha et celui du botaniste occidental. Pour Lévi-Strauss comme pour Malraux, l'échelle des entités ainsi rapprochées cessait, à la limite, d'être pertinente, et les trois survivants d'une communauté fuégienne méritaient donc autant d'intérêt que plusieurs centaines de millions de Chinois, et certaines caricatures françaises du XIXe siècle se révélaient tout aussi riches de sens que le totémisme australien. Enfin, à la manière de crucifix roman ou de la statue grecque qui ne deviennent œuvres d'art que vidés de leur fonction initiale et arrachés à leur contexte affectif premier, l'objet de l'anthropologie, nul ne l'avait démontré mieux que Lévi-Strauss, était le produit d'un travail qui, d'une gangue de couleur locale, devait extraire les systèmes de différences à comparer. Même si ce n'était pas la première fois que tombaient les barrières entre « primitifs » et « civilisés » — et l'on pense évidemment à Durkheim, Mauss et aux tentatives de l'analyse componentielle —, jamais cependant n'avait été conduite à son terme la logique inhérente à pareille démarche. Elle le fut alors, et la rigueur et la cohérence qu'elle exigeait de ses adeptes ne pouvaient s'accommoder d'aucune rechute dans l'exotisme.

On voit aujourd'hui que ces prévisions ne se réalisèrent pas. Au lieu de l'anthropologie annoncée par Lévi-Strauss et dont il avait donné l'exemple, c'est l'ethnographie, une ethnographie admirable de soin et de minutie le plus souvent, qui devait attirer et retenir la majorité des chercheurs français. Faut-il s'étonner dès lors si le respect des particularismes locaux et, corrélativement, la crainte d'ennuyer par une hyperspécialisation finissent par marquer les hommes et leurs écrits ? En témoigne notamment le désir de *vulgariser*, devenu discours lancinant et répétitif chez nous, tandis que la vulgarisation se fait dans les autres pays sans qu'il soit besoin d'en parler. Pour en sortir ou, du moins, s'en consoler, peu de voies s'ouvrent à l'anthropologue. L'une d'elles pourrait consister à suivre l'actualité de près et à profiter de l'intérêt qu'elle suscite infailliblement dans un large public. Elle a été explorée à plusieurs reprises, mais le rendement paraît faible. En tout cas il est rare que ces tentatives donnent satisfaction à leurs auteurs ou à ceux avec lesquels ils espéraient communiquer. En faisant abstraction des manifestes et pétitions dont il ne peut être question ici, il est possible de se faire une opinion sur quelques exemples de publications anthropologiques : celles que suscitèrent tour à tour la famine au Sahel, les mutilations génitales en Afrique noire ou les spoliations foncières en Nouvelle-Calédonie. Au mieux, leur succès a été modéré ; au pire, leurs auteurs risquent d'en garder une réputation équivoque dans le milieu professionnel.

Une autre manière d'échapper de temps en temps au vertigineux tête-à-tête avec l'ethnie que l'on étudie depuis dix ou vingt ans, c'est d'y choisir un comportement ou une institution que l'on mettra en valeur pour en faire un repoussoir dans une critique préméditée de notre propre société. L'expérience ethnographique s'anéantit alors dans une opération de « cannibalisme intellectuel » dont l'Occident est coutumier. Un ou deux anthropologues par génération, pas davantage, peuvent jouer ce rôle, l'air du temps se saturant vite, et le débouché reste donc étroit.

Reste enfin l'exotisme. Bien que le mot ne soit attesté dans notre langue qu'à partir de 1866, ou 1845, la chose elle-même a une histoire beaucoup plus longue et ses avatars successifs ne sont pas moins révélateurs que les besoins changeants qu'il s'agissait de satisfaire. L'innocence des origines et donc le retour à une sagesse oubliée, le refus du train-train quotidien dans le monde calfeutré de la bourgeoisie, la quête du bonheur sensuel ou l'épanchement de sentiments libertaires : voilà quelques-uns seulement des thèmes qui, à un moment ou à un autre, furent synonymes d'exotisme. Il suffit de le rappeler sèchement pour concevoir que l'anthropologie ne pouvait se permettre officiellement aucune indulgence pour des penchants aussi troubles. Il y allait de sa responsabilité comme science en train de se constituer. Et ses protestations ou ses dédains muets sont à la mesure des tentations auxquelles elle aurait pu succomber, comme si elle devait faire oublier un passé de mauvaises fréquentations. En dépit ou à cause de ses outrances le catalogue de tous les griefs contre les amateurs d'exotisme que présente Amselle (1979) témoigne utilement de ce malaise latent — et peut-être consubstantiel à la discipline. Mais, du même coup, il devient plus difficile d'en parler, comme il arrive toujours quand un sujet tombe dans « le bruit et la fureur ». Essayons pourtant en nous aidant de cette phrase de Lévi-Strauss (1962, 277) : « La fascination qu'exercent sur nous des coutumes, en apparence très éloignées des nôtres, le sentiment contradictoire de présence et d'étrangeté dont elles nous affectent, ne tiennent-ils pas à ce que ces coutumes sont beaucoup plus proches qu'il ne semble de nos propres usages, dont elles présentent une image énigmatique et qui demande à être décryptée ? » En bref et au prix d'une simplification, un certain type d'amateur d'exotisme serait essentiellement à la recherche de soi-même. Et par « soi-même » entendons ici les *usages* qu'il faut reconnaître d'un œil neuf, et non pas les phantasmes individuels qu'il serait possible de mettre en scène. C'est bien là une autre façon de formuler le « projet » anthropologique, encore et toujours.

Ainsi précisée en même temps qu'épurée, cette sorte d'exotisme serait probablement jugée acceptable par de nombreux chercheurs aujourd'hui ; elle a d'ailleurs été acceptée largement hier. En effet, le relativisme culturel et la réfutation du racisme peuvent y trouver leur compte, les spécialistes d'une région ou d'une ethnie y voient leur étroite érudition justifiée par la nécessité générale du « décryptage », et le grand public lui-même ne refuse pas son soutien à qui entretient sa « fascination ». Nul doute qu'il y ait là une explication de l'immense influence exercée par Lévi-Strauss. Mais cette heureuse rencontre ne dura pas. D'abord parce qu'il y fallait une qualité de talent que les deux cents ou trois cents anthropologues recensés en France n'avaient pas reçue en partage. En second lieu, le passage du temps avait graduellement émoussé la « fascination » et affadi le « décryptage ». Cet exotisme-là ne suffisait plus : à coups de *charters* aériens et autres *trekkings* c'est en *live* que tout un chacun avait eu la possibilité de connaître des coutumes très éloignées des nôtres, et c'est tous les soirs que la télévision nous apportait maintenant ces images énigmatiques dont l'anthropologie proposait naguère l'interprétation. Bien entendu, l'éloignement de soi à l'autre n'avait nullement diminué dans l'intervalle, ni la compréhension gagné un pouce de terrain, comme le prouve la montée ininterrompue du racisme et de la xénophobie. Mais chacun désormais croyait connaitre les cultures africaines, océaniennes ou asiatiques, et avoir pénétré les hommes qui en sont les dépositaires (d'ailleurs, ne côtoyait-on pas tous les jours des travailleurs immigrés ?) : voilà qui était nouveau. Or c'est justement cette nouveauté, ce demi-savoir et cette fausse compréhension qui aujourd'hui s'opposent le plus fort à la diffusion de ce que l'anthropologie aurait à dire.

Quand le lecteur cultivé d'Occident, client habituel de l'anthropologue, ne peut plus vivre que *shooté* à l'exceptionnel, il faut augmenter la dose d'exotisme ou se résoudre aux plaisirs modestes de la tour d'ivoire. Bien souvent c'est la première option qui est retenue, et le bizarre, l'inouï, voire le révoltant reçoivent une lumière privilégiée dans les monographies aussi bien que dans les publications collectives réunies autour d'un thème déterminé. Non certes que l'anthropologie doive taire pudiquement tel ou tel aspect du monde « exotique » comme le souhaiteraient les dirigeants de plusieurs pays récemment décolonisés qui confondent dignité et censure, mais elle est en droit de veiller aux dosages sans être pour autant bégueule. Or, dans les œuvres de l'anthropologie traditionnelle[1], les dosages sont tels qu'il ne peut s'agir d'un phénomène fortuit. Récapitulons donc : le chamanisme, les cas de possession et d'extase, la sexualité, etc. Qui plus est, ce sont là des productions dont on parle et dans lesquelles iront puiser inspiration ou stimulation les spécialistes des disciplines voisines, les historiens notamment, qui se déclarent particulièrement réceptifs au rayonnement de l'anthropologie. N'est-il pas remarquable, du reste, qu'après une longue réflexion épistémologique sur le marxisme et le structuralisme M. Godelier se soit tourné vers la Nouvelle-Guinée, qu'il ait choisi d'y étudier l'un des groupes les moins influencés par la colonisation, et que son livre de 1982 donne tant d'importance aux rites d'initiation, aux pratiques de fellation et au « langage du sperme » ? N'est-il pas frappant que la première exposition itinérante organisée par des anthropologues à l'intention de spectateurs populaires (écoles, « maisons de jeunes », etc.) ait donné la vedette aux Pygmées[2], à coup sûr l'une des populations les plus éloignées des Français d'aujourd'hui ? N'est-il pas troublant de constater que l'anthropologie des campagnes[3] françaises soit mieux connue, du grand public *et* des professionnels, par ses travaux sur la sorcellerie que par ses contributions à l'intelligence de l'exode rural ou des querelles d'héritage ?

Non seulement la vie quotidienne, les incessantes rivalités au sein des communautés étudiées et les phénomènes les plus discrets de contact culturel risquent, à la longue, de passer pour secondaires, mais il semble que ne soit pas pour demain cette anthropologie de l'*endotique* dont, sous des noms divers, on parle tant depuis quelques années. Paradoxalement les programmes abondent, et les professions de foi ; des secteurs stratégiques sont désignés, et alignés sur les échéanciers les « créneaux » prometteurs, si bien que l'on croirait déjà en marche cette nouvelle anthropologie qui, seule, peut achever le projet anthropologique, faute de quoi on en restera toujours à l'ethnologie. Que voyons-nous en effet ? Avec un courage admirable et peu de réel soutien quelques individus s'efforcent d'orienter les recherches et la curiosité scientifiques vers le fait urbain. De manière plus décisive et plus risquée aussi, ils voudraient créer une anthropologie urbaine en France, mais ils n'en sont qu'aux débuts et il faut bien se demander s'ils seront suivis, car il est vital d'atteindre une certaine masse critique. L'avenir est-il mieux assuré du côté de l'anthropologie du milieu industriel, deuxième tête de pont de la prospective scientifique ? Cette anthropologie n'existe pas dans notre pays et ce ne sont pas quelques propositions intéressantes qui peuvent en tenir lieu. Elle pourrait commencer par une anthropologie du travail, la suggestion en a été faite plusieurs fois, mais il est important de souligner que, jusqu'ici, toutes les contributions à cette recherche portent sur des sociétés anciennes ou « exotiques[4] ». N'y a-t-il pas là matière à réflexion ? Et pareil jugement s'imposerait sans doute aussi dans le cas de l'anthropologie des sexes, vaste sujet qui se disputent l'inventivité scientifique et la combativité idéologique.

Plus généralement et plus profondément, ce que révèle un tour d'horizon des publications récentes, c'est la totale absence d'une réhabilitation du banal et du familier dont la possibilité devrait hanter pourtant notre discipline. Les gestes les plus communs de nos voisins — et pas seulement ceux du forgeron ou du tonnelier chassés par le progrès technique —, les objets les plus humbles de la cuisine au grenier, ceux que nous procure la fabrication industrielle de série, les poètes nous ont montré quelles richesses inépuisables une certaine qualité d'attention peut y trouver. Relisons Jean Follain, Francis Ponge ou Gustave Roud par exemple. Dans le registre qui est le sien, avec ses moyens qui évidemment sont autres, pourquoi l'anthropologie ne tenterait-elle pas de nous faire découvrir, au plus près de nos travaux et de nos jours, ce que demandent notre sensibilité et notre intelligence ? Après tout, n'est-ce pas aussi à ce besoin que répondait la grande anthropologie « exotique », et n'était-ce pas l'une de ses justifications ? On objectera inévitablement que la célébration du quotidien à quoi se vouent ces écrivains fait jouer le ressort esthétique, opération inhabituelle dans la démarche scientifique. Il est vrai, mais ce n'est pas à ce stade que se place la difficulté ; c'est au moment de l'observation, dans l'acte préliminaire d'attention que doit s'accomplir une reconversion. Au reste, cela est bien assez connu. Lévi-Strauss (1958, 416) ne parle pas du coup de cymbale ni de *scoop* quand il écrit : « il [l'anthropologue] pourra aussi être appelé à fournir sa contribution [...] à l'étude de phénomènes intérieurs, cette fois, à sa propre société mais qui se manifestent avec le même caractère de distanciation » ou un peu plus loin : « l'anthropologie est aujourd'hui la seule discipline de la distanciation sociale ». Il suffit de passer à l'acte. Plusieurs films documentaires et certaine émission télévisée, faite d'entretiens et de reportages sous le titre « Provinciales », y ont réussi parfaitement ; des anthropologues professionnels peuvent en faire autant.

Pour aspirer à la pauvreté il faut être riche, très riche. L'anthropologie l'est-elle assez ? Car se convertir à l'« endotique » signifie choisir le dépouillement. Or la mathématique et les sciences physiques ignorent l'anthropologie en toute innocence ; de son côté, la philosophie la morigène fraternellement avec des mots où l'on croit entendre le discours du diamant au charbon : « Pourquoi si faible ? ne sommes-nous pas de même origine ? » En bref, malgré ses nombreux acquis sur le plan scientifique, malgré sa popularité, l'anthropologie ne se sent pas encore sûre d'elle et hésite devant ce travail de soi sur soi qu'est avant tout la « distanciation ». La plupart du temps elle préfère un objet dont l'éloignement est déjà donné. Ainsi l'anthropologie urbaine elle-même, dont la vocation pourtant est « endotique » par excellence (les chercheurs et leurs lecteurs étant tous des citadins), semble toujours plus à l'aise devant une réalité exotique. Inaugurée par l'étude de cités africaines (Mercier, 1954 ; Bernus, 1968 ; Meillassoux, 1968), elle a vraiment obtenu ses lettres de noblesse avec les deux livres de J. Gutwirth (1970) et C. Pétonnet (1979) qui, de ce fait, ont valeur d'exemple. Or le premier traite d'une communauté traditionaliste et mystique survivant au sein d'un groupe religieux lui-même minoritaire, et le second montre comment les travailleurs immigrés assument leur déracinement dans l'univers des banlieues. On conviendra que Lévi-Strauss (1958, 416) était plus près de l'« endotique » quand il proposait d'étudier comment l'ensemble de notre société résiste à des changements alimentaires ou hygiéniques ! Certes, des monographies plus récentes s'attachent aussi, en milieu urbain banal, au citadin « moyen », mais justement elles font moins parler d'elles, voire pas du tout, comme si confrères ou lecteurs ne pouvaient se passer complètement du piment de l'étrangeté.

Peut-être donc, au bout du compte, est-il sage d'avancer à petits pas suivant l'exemple de l'anthropologie urbaine et de réduire progressivement la dose d'exotisme comme dans une cure de désintoxication, avant de songer à réaliser le dessein anthropologique. Pour les chercheurs qui se sont toujours nourris de « primitivisme » une étape intermédiaire pourrait consister, par enquête directe et travail historique, à étudier planteurs et petits colons *dans* leurs rapports avec les colonisés en Papouasie-Nouvelle-Guinée, lieu le plus propre à tenter ce renversement de perspectives en raison de sa fonction symbolique dans l'imaginaire occidental (Panoff, 1984). En attendant, l'exotisme continuera de fournir un terrain d'entente aux anthropologues et à leurs lecteurs, tous d'accord sans le savoir avec Needham (1973, 123) quand il expliquait pourquoi il consacrait sa vie à la science chinoise : « Seul ce qui est totalement *autre* inspire l'amour le plus profond, avec le désir le plus puissant de connaître. »

MICHEL PANOFF.

NOTES

1. Par « anthropologie traditionnelle » j'entends ici l'anthropologie qui ne s'occupe pas à titre prioritaire des contacts culturels et des changements sociaux.

2. Exposition « Les Observateurs de l'Homme » organisée en 1981 sous le patronage de l'Association française des Anthropologues et dont la première présentation eut lieu à Vénissieux.

3. A l'exception toutefois du beau livre de Y. VERDIER (1979) qui jouit d'une grande et juste notoriété.

4. Voir, par exemple, l'ouvrage collectif édité par CARTIER (1984).

BIBLIOGRAPHIE

AMSELLE, J.-L., ed.
1979 *Le Sauvage à la mode*. Paris, Le Sycomore.

BERNUS, S.
1968 *Particularismes ethniques en milieu urbain*. Paris, Institut d'Ethnologie.

BONNEFOY, Y.
1972 *L'Arrière-pays*. Genève, Albert Skira.

CARTIER, M., ed

1984 *Le Travail et ses représentations.* Paris, Éd. des Archives contemporaines.

GODELIER, M.

1982 *La Production des Grands Hommes. Pouvoir et domination masculine chez les Baruya de Nouvelle-Guinée.* Paris, Fayard (« L'Espace du Politique »).

GUTWIRTH, J.

1970 *Vie juive traditionnelle.* Paris, Éd. de Minuit.

LÉVI-SRAUSS, C.

1955 *Tristes tropiques.* Paris, Plon (« Terre humaine »).

1958 *Anthropologie structurale.* Paris, Plon.

1962 *La Pensée sauvage.* Paris, Plon.

MALRAUX, A.

1947 *Le Musée imaginaire.* Paris, Gallimard.

MEILLASSOUX, C.

1968 *Urbanization of an African Community.* Seattle, University of Washington Press.

MERCIER, P.

1954 *L'Agglomération dakaroise,* Dakar, IFAN.

NEEDHAM, J.

1973 *La Science chinoise et l'Occident.* Paris, Le Seuil.

PANOFF, M.

1984 « Une Nouvelle-Guinée sans exotisme », *Le Temps de la Réflexion,* 5, 472-478.

PÉTONNET, C.

1979 *On est tous dans le brouillard.* Paris, Galilée.

VERDIER, Y.

1979 *Façon de dire, façon de faire. La laveuse, la couturière, la cuisinière.* Paris, Gallimard (« Bibliothèque des Sciences humaines »).

(Re) partir

Problèmes anciens revisités

Une question renouvelée

Le numéro bouclé
mais l'anthropologie ouverte

REPRENDRE A ZÉRO

Paul Jorion

Reprendre à zéro, parce qu'on ne peut pas continuer comme cela. Depuis longtemps il ne s'est rien passé en anthropologie. Il y avait vers 1870 un programme, celui d'une science de l'Homme construite à partir de l'étude des autres : Sauvages, Barbares et Paysans. Il y eut un début, avec maintes réponses, certaines, prématurées et irrécupérables, d'autres qui demeurent géniales ; mais au moins posait-on des questions et essayait-on d'y répondre. Puis il y eut à partir des années 20 une morne parenthèse de trente ans durant laquelle les anthropologues s'évertuèrent à convaincre les administrations coloniales que les Sauvages n'étaient pas aussi stupides qu'ils en avaient l'air. A ce discours lesdites administrations ne pouvaient rien entendre, et n'entendirent rien. L'anthropologie non plus n'avait rien à gagner, à preuve que les jeunes nations indépendantes érigèrent l'anthropologue en symbole de la colonisation passée. Il y eut ensuite dix années de structuralisme au cours desquelles on reprit l'anthropologie là où elle s'était arrêtée en 1920. Et depuis, plus rien. Plus de réponses, surtout, plus de questions.

L'anthropologie va à vau-l'eau. Elle n'intéresse plus

que quelques personnes, les anthropologues eux-mêmes. Pour une science de l'Homme, cela ne suffit pas. Toute science doit correspondre à une demande sociale. Et cela vaut davantage encore pour les sciences de l'Homme qui ont repris le flambeau des sciences morales d'antan. Ce qu'on leur demande, c'est de dire des choses qui puissent servir ici et maintenant.

Serait-ce que les Sauvages n'ont plus rien à nous apprendre ? Ce n'est apparemment pas l'opinion des jeunes qui profitent des voyages dits d'aventure pour leur rendre visite. Et qui, de cette manière, font leur propre anthropologie, sans passer par nos livres dont le caractère laborieux rend la lecture pénible. Ils vont voir les Sauvages dans ce même mouvement de sympathie spontanée pour ce qui vit qui les conduit aussi vers les grands mammifères, baleines, gorilles, dauphins. Ils confirment ainsi le message de Lévi-Strauss, le respect des autres cultures comme cas particulier du respect de la vie.

Autrefois, les intellectuels s'intéressaient aux Sauvages. Aujourd'hui, de façon plus corporatiste, ils s'intéressent surtout aux périodes qui furent fastes aux intellectuels : la Grèce antique et le XIXe siècle. Ils n'ont pas tout à fait tort ; c'est en Grèce que furent posées toutes les questions qui méritaient de l'être, et que furent données toutes les réponses qui méritaient d'être faites. Quant au XIXe siècle, ce fut pour les intellectuels le modèle de la facilité : ils découvraient sans même vraiment chercher, et ils marchaient comme un seul homme vers un avenir que la technologie allait rendre radieux.

Mais si les intellectuels ont abandonné le Sauvage parce qu'incapable de suggérer des réponses aux questions qui se posent ici et maintenant, la faute en est avant tout aux anthropologues. Ils ont coulé leur discours dans le moule objectiviste qui conduit à étiqueter comme faux tout ce qui n'est pas connu. A force, il devint évident que les Sauvages n'avaient rien à nous apprendre.

Pour Tylor, l'anthropologie devait être la science du *réformateur*, elle devait nous aider à repérer la superstition afin d'en débarrasser le monde. De ce point de vue, le programme fut réalisé. On peut même dire que, emportés par leur élan, les anthropologues ont désigné comme superstition *tout* ce qu'ils ont trouvé dans la vie des Sauvages : croyances, magie, fétichisme, mythes. Rien qui puisse nous apporter quoi que ce soit, si ce n'est la confirmation indéfinie que l'erreur est humaine.

Ce que les anthropologues auraient pu nous apprendre, c'est comment nous pensons. Lévy-Bruhl avait commencé le travail. Mal lui en prit, ce qu'il avait à dire ne convenait pas du tout. Ce qu'il fallait dire aux administrateurs coloniaux c'était que, mine de rien, les Sauvages pensaient exactement comme nous — en faisant simplement tout le temps des erreurs. Leur dire que les Sauvages ne pensaient pas comme nous, c'était les enfoncer davantage dans leurs préjugés d'administrateurs. Car l'anthropologie, comme l'enfer, a toujours été pavée de bonnes intentions.

On aurait pu apprendre énormément de la querelle du totémisme. Le débat faisait rage, des chercheurs quittèrent en masse leurs domaines de recherche pour se faire anthropologues : Wundt le devint à cette occasion, et Frazer, et Durkheim et Freud. Ils nous dirent des choses fascinantes sur la nature du sacré, sur l'origine du tabou, sur la fonction du sacrifice. Et tout cela — on ne s'en étonne pas assez — n'eut aucune influence sur l'anthropologie. L'explication qu'on nous donne, c'est que ces gens n'étaient pas anthropologues. Ce qui est vrai. Mais ce qu'il faut entendre, c'est que l'anthropologie s'était construite autour du principe que les Sauvages n'ont rien à nous apprendre. Ce que l'anthropologie allait expliquer, ce n'était pas comment il peut y avoir plusieurs façons de concevoir le monde — dont la nôtre est une variété —, mais pourquoi les Sauvages, pensant exactement comme nous, pouvaient néanmoins être constamment dans l'erreur.

Une école anthropologique, le « fonctionnalisme », s'est entièrement consacrée à expliquer les erreurs des Sauvages. Et la méthode qu'elle utilisa fut de dire que toutes ces erreurs étaient, d'un certain point de vue, parfaitement *raisonnables*. Radcliffe-Brown montra que beaucoup d'erreurs *individuelles* ont des conséquences *collectives* tout à fait bénéfiques, ce qui les rend fort excusables. Quant à Malinowski, il soutint que le raisonnement qui préside à beaucoup d'erreurs des Sauvages *aurait été* très raisonnable dans un contexte *légèrement* différent (c'est l'explication « expressive » qu'il utilise, par exemple, à propos de la magie), ce qui rend ces erreurs aussi extrêmement excusables. Cela ressemble fort à du Piaget, et ce n'est pas par hasard, cela date de la même époque et part du même bon sentiment : montrer que Sauvages et enfants sont, quand même, dans la bonne voie. On avait beaucoup reproché aux évolutionnistes de dire que les Sauvages étaient dans l'Histoire du Monde *comme* des enfants. Les fonctionnalistes firent beaucoup mieux en démontrant que les Sauvages *étaient* des enfants.

Avec *La Pensée sauvage,* Lévi-Strauss posa à nouveau le problème de la pensée différente, mettant fin au paternalisme charitable du fonctionnalisme. Il voulut prouver que la pensée des Sauvages est aussi la nôtre, comme fonds archaïque et comme alternative toujours présente. Ce qu'il disait là était vrai : il y a une façon de prendre le monde à sa « surface », de manière non conceptuelle, de travailler sur de pures corrélations visuelles, sur des co-occurrences temporelles et spatiales. Et cette façon de faire est commune aux Sauvages et à nous, même si sa spécificité se distingue mieux dans la pratique des savoirs empiriques. Seulement voilà, si Lévy-Bruhl parlait bien de la « pensée sauvage » au sens de Lévi-Strauss quand il parlait de « mentalité primitive », il parlait aussi d'autre chose, de la pensée qu'il faut bien appeler « totémique » faute de mieux. Et la pensée totémique, on aura beau chercher dans les coins et les recoins de notre propre pensée, on ne la trouvera pas. Il y a bien quelques brefs passages chez Empédocle qui évoquent le découpage purement géométrique du monde propre à la pensée totémique, mais c'est absolument tout. Nous avons bien, dans le passé de notre propre culture, chez Paracelse par exemple, une façon de catégoriser le monde qui privilégie les affinités essentielles et invisibles — comme le fait la pensée totémique — par rapport aux ressemblances contingentes et visibles que privilégie notre pensée moderne. Mais, même chez Paracelse, l'existence de sympathies sous-jacentes ne remet pas en cause les grandes catégorisations fondées sur les ressemblances et qui distinguent, à la façon de la Genèse, les plantes et les arbres, les animaux qui marchent, ceux qui volent, ceux qui rampent et ceux qui nagent.

Dans la pensée totémique, rien de tout cela : l'univers tout entier est découpé en deux, en quatre ou en huit, « à travers tout ». Si bien que les hommes ne se trouvent pas dans un quartier, les animaux dans un autre, et les plantes dans un troisième. Non, il y a des hommes dans chacun des quartiers, et aussi des animaux, et aussi des plantes, et des points cardinaux, et des phénomènes météorologiques, et dans tel quartier on trouvera l'opossum, et dans tel autre le vomi, et dans un troisième les bébés. Je défie qui que ce soit de montrer que nous avons quelque chose de semblable dans le passé de notre pensée occidentale.

Ce qui ne veut pas dire que la pensée totémique soit une pensée de ploucs. On aura reconnu la pensée australienne, et l'on sait qu'elle conçut le mariage selon cette logique totémique. Il en allait de même du mariage chinois : la pensée traditionnelle chinoise était totémique aussi bien que l'australienne. On en retrouve la trace dans la géomancie, et ses découpages géométriques « à travers tout ». Et si l'on doute encore de ce que j'avance, on se posera la question de savoir pourquoi la « classification chinoise » de Borges, où Foucault voit le « lieu de naissance » de son livre *Les Mots et les Choses*[1], nous était aussi immanquablement « chinoise » ? Pensée totémique, et qui nous est entièrement étrangère. Mais oui, *entièrement*. Dommage que l'anthropologie ne nous en ait jamais rien dit.

Tout occupée qu'elle était à dire — pareille au Schtroumpf à lunettes — que les Sauvages n'étaient pas scientifiques et que ce n'était vraiment pas bien, l'anthropologie a raté une excellente occasion de montrer ce qu'elle pouvait faire. Pendant donc qu'elle rabâchait, au nom de la science, que les Sauvages ne faisaient que dire des bêtises, les historiens et les philosophes des sciences avaient enlevé à la Science sa tête pour voir comment elle fonctionnait à l'intérieur. Et ils s'apercevaient, ô surprise, qu'à l'intérieur de la Science on trouvait un peu n'importe quoi, que c'était du bricolage et pas toujours très propre.

Ce qui est triste pour les anthropologues, c'est qu'ils avaient tous les éléments en mains pour découvrir cela longtemps avant tout le monde : ils avaient tous les modes de pensée, là, devant leurs yeux, il aurait suffi de les comparer. Mais non, ils étaient si bien occupés à faire les bons élèves, à dire que les autres étaient bêtes mais que nous étions très intelligents, que les éléments d'une métathéorie qui permettrait une critique de la science comme discours de savoir, ce furent les philosophes qui les mirent en place. Et ce qui est encore plus triste, mais pas surprenant, c'est que l'anthropologie se trouve encore à la remorque du débat. Ce n'est que dans les toutes dernières années que les anthropologues britanniques se sont décidés à intervenir. En France, sur la science, les anthropologues n'ont toujours rien à dire.

Autre chose que l'anthropologie aurait dû faire depuis longtemps : se donner une théorie digne de ce nom. Je ne veux pas dire que l'anthropologie devrait avoir à l'heure qu'il est une théorie tout achevée, mais elle pourrait au moins disposer d'une *approche* qui lui serait propre. Or on constate que les anthropologues se satisfont, pour définir leur domaine, de l'exotisme de leur objet (Sauvages, Barbares et Paysans) alors que, par ailleurs, ils sont prêts à appréhender cet objet n'importe comment.

On a parfois la chance de rencontrer un anthropologue qui tienne une ligne cohérente, c'est-à-dire qui en adopte une soit purement *psychologique* (comme Malinowski, qui ne voit que l'individu et considère toute structure comme une illusion d'optique, donc comme un phénomène relevant de la psychologie ; il nie par exemple qu'il y ait de la parenté classificatoire), soit purement *sociologique* (comme Dumont qui voit au contraire la catégorie de l'« individu » émerger dans un certain contexte social, et qui l'explique donc en termes de structures). Mais la plupart des anthropologues n'ont aucune tenue, mélangeant de manière électique approche psychologique et approche sociologique. Ce sont les « théorisations » de ce type, faites de bric et de broc, qui soulignent cruellement l'absence d'une théorie anthropologique digne de ce nom.

Certains ont perçu ce problème et ont essayé de le résoudre. C'est le cas de l'école « Culture et personnalité ». Il faut saluer leur tentative sympathique, même si le résultat n'est pas très convaincant. Malgré leurs gros sabots, les culturalistes ont vu qu'il y avait une difficulté sérieuse là où la majorité des anthropologues ne voyaient rien du tout. Que disent-ils ? Que les hommes ont des besoins, et que ces besoins sécrètent — au cours des âges — des institutions pour se satisfaire. Ces institutions produisent à leur tour des hommes qui trouvent ces institutions fort à leur goût : ils présentent la « personnalité de base » qui correspond à celles-ci. L'argument est bien sûr circulaire : A détermine B qui détermine A. Encore que des opérateurs de ce type-là, cela existe : on constate des phénomènes de ce genre dans la formation des prix, par exemple.

Ce qui ne va évidemment pas, c'est que les besoins humains étant nécessairement les mêmes au départ, on ne parvient pas à expliquer pourquoi les institutions prennent la variété des formes qu'on leur connaît. Alors on introduit un *deus ex machina* qu'on peut désigner du nom qu'on lui donne aujourd'hui : l'écologie. On dit que, les conditions écologiques étant différentes au départ, les mêmes besoins sécrètent les mêmes institutions mais sous des formes différentes. Pourquoi pas après tout ? On réintroduit ainsi le *climat* dans le rôle qu'on lui faisait jouer à l'origine des cultures aux XVIIᵉ et XVIIIᵉ siècles. Seulement, ça ne marche pas. Parce qu'il faudrait expliquer, par exemple, premièrement, pourquoi le même système de parenté — isomorphe au *Vierergruppe* de Klein — à mariage préférentiel avec la cousine croisée bilatérale existe simultanément au cap de Bonne-Espérance, au cœur de la forêt amazonienne et sur la côte Nord-Ouest de l'Australie ; deuxièmement, pourquoi des voisins parfois immédiats ont des systèmes de parenté tout à fait différents alors qu'ils vivent dans le même milieu écologique.

On a assisté à d'autres tentatives malheureuses de synthèse des approches psychologique et sociologique, pas nécessairement toutes en anthropologie d'ailleurs. Ce sont par exemple celles de type « freudo-marxiste », qui combinent généralement des versions aplaties tant du marxisme que de la métapsychologie freudienne, et qui réussissent du coup le tour de force de mettre sur pied une « théorie » qui soit à la fois éclectique *et* dogmatique.

Lévi-Strauss a proposé, lui aussi, une solution, mais beaucoup plus subtile. C'est une solution *cartésienne* (au sens technique) qui considère les structures sociales et culturelles comme projections des structures de l'esprit dans le monde. Sociologie et psychologie sont donc dans un rapport spéculaire ; l'objet miré, c'est l'esprit humain, et son reflet, c'est la structure sociale ou culturelle. Mais ici aussi on rencontre des difficultés insurmontables.

D'abord, est-ce que la structure de l'esprit peut vraiment rendre compte des structures sociales ? La nature du social est d'être intersubjective et on voit mal comment l'esprit pourrait être autre que monadique. Il est possible que pour Lévi-Strauss l'esprit ne rende compte que des structures culturelles, mais d'où viennent alors les structures sociales ? La deuxième difficulté, c'est qu'à chaque type de production culturelle (et sociale ?), il faut découvrir un *organe* correspondant. On se souvient que Chomsky a échoué à décrire un système cognitif suffisamment complexe alors qu'il n'entendait rendre compte que du *seul* langage.

A l'inverse du culturalisme, la solution lévi-straussienne ne manque pas d'élégance, mais elle est dispendieuse. A la limite, le microcosme de l'esprit devrait présenter la même complexité que le macrocosme de la culture humaine. Ce qui n'est pas vraisemblable, car on sait par ailleurs que des contraintes s'exercent sur le culturel, qui n'ont rien à voir avec le psychologique, étant d'ordre soit purement physique, ou au point de rencontre du physique et du social. Ainsi, le fait qu'il existe dix-sept motifs de base pour décorer un mur n'a rien à voir avec l'esprit humain, c'est une simple conséquence des propriétés topologiques d'un espace à deux dimensions.

Quant aux contraintes sur le culturel qui s'exerceraient au point de rencontre du physique et du social, on en trouve un bel exemple chez les abeilles. L'hypothèse cartésienne voudrait sans doute que, d'une certaine façon, la forme hexagonale qui caractérise l'alvéole relève de la « culture » des abeilles, qu'il y ait quelque part dans l'esprit « apien » quelque chose d'« hexagonal ». En fait, pas du tout. La forme hexagonale résulte uniquement de la combinaison de contraintes purement physiques et de contraintes sociales. C'est parce qu'un essaim d'abeilles construisant *simultanément* chacun un alvéole (d'une forme quelconque), *tous* ces alvéoles auront la même forme hexagonale en vertu d'un principe morphogénétique inéluctable (qui s'exerce de la même façon pour donner la forme hexagonale aux cellules de Bénard d'un liquide en ébullition sur une surface uniformément chauffée).

Comment donc devrait procéder l'anthropologie pour mettre en place les conditions d'une théorie anthropologique digne de ce nom, c'est-à-dire pour élaborer une approche proprement anthropologique ? Il lui faut dépasser l'aporie sociologie *ou* psychologie, car l'une et l'autre sont partielles, et la cacophonie sociologie *et* psychologie, car elles sont contradictoires.

Il reste une dernière possibilité qui, sans être la bonne, va nous mettre sur la voie d'une solution. Il s'agit d'une hypothèse, elle aussi *cartésienne* — mais différente de celle de Lévi-Strauss —, consistant à considérer les domaines du sociologique et du psychologique comme distincts, mais possédant un point d'articulation, une *glande pinéale*. On découvre soit un lieu pour le sociologique au sein du psychologique, la structure à l'intérieur de l'individu ; soit, à l'inverse, un lieu pour le psychologique au sein du sociologique, l'individu à l'intérieur de la structure. La première option est celle que choisit Freud avec le « complexe d'Œdipe », lequel n'est rien d'autre que la *transsubstantiation* de la structure de parenté en sentiment à l'intérieur de l'individu. La deuxième option est centrale dans la « psychologie des foules » de Le Bon (qui est, bien sûr, une sociologie), sa notion de « suggestion mutuelle » renvoie à l'individu comme facteur de « contagion psychique » au cœur de la foule en tant que structure (peu structurée dans l'émeute, très structurée dans l'armée ou l'Église).

L'écart minime, qui existe entre la « suggestion » comme foule dans l'individu et la « suggestion mutuelle » comme individu dans la foule, indique qu'il n'y a pas pour le sociologique et le psychologique deux domaines distincts articulés en un point, mais tout simplement un même réel (phénoménal) envisagé sous deux perspectives. Deux éclairages, deux « modalités » au sens spinoziste d'une même substance. A ne détermine pas B qui détermine A mais, plus simplement, A = B. Le sentiment, c'est la structure localisée dans l'individu comme contrainte incontournable, comme *passion*. La structure, c'est la passion envisagée comme phénomène collectif, sous sa forme statistique.

Ce qui s'est passé historiquement, c'est la même chose que lorsque la mécanique ondulatoire et la mécanique corpusculaire se sont retrouvées sur les « faits » quantiques, avec chacune sa bonne explication. D'où le débat onde ou corpuscule ? Alors que *ni* l'onde *ni* le corpuscule ne sont bien sûr des objets réels, mais des modélisations concurrentes au sein du monde (fictif) de la Réalité objective. Il en va de même pour le sociologique et le psychologique qui sont tous deux des discours (historiques) ayant produit (indépendamment) leurs modélisations.

Maintenant que c'est dit, certains s'exclameront : « C'est évident qu'il s'agit du même réel sous deux éclairages différents. Tout le monde a toujours su cela ! » Mais si on le savait, que ne l'a-t-on dit ? Au lieu de quoi on nous disait que l'individu existe et que la structure n'est qu'illusion, ou l'inverse, ou bien encore qu'ils se déterminent l'un l'autre, ou finalement qu'il s'agit de trouver leur point d'articulation. Ce qui est quand même tout à fait différent, puisqu'il y aurait donc deux choses et non une seule.

Si maintenant cela paraît évident, ce n'est donc pas parce qu'on le savait déjà, mais parce qu'on se rend compte soudain que les choses sont bien ainsi. Prenons un exemple, la prohibition de l'inceste, dont Lévi-Strauss dit qu'elle est *à la fois* naturelle, puisque universelle, et culturelle, puisque énoncée comme loi. Comment est-il possible qu'il y ait *à la fois* prohibition explicite et horreur spontanée ? Parce que c'est la même chose, parce que l'horreur c'est la structure comme sentiment, comme *passion*, et que la règle c'est le sentiment collectif comme (représentation de) la structure. Ce qui est bizarre ici, c'est que la règle soit apparue nécessaire, alors que la passion suffisait amplement. On peut dire que deux précautions valaient mieux qu'une. Mais s'il y a *représentation* de la structure, c'est parce qu'ici la structure est simple et qu'on la voit facilement. Quand les prohibitions qui portent sur l'alliance sont à ce point complexes qu'il devient plus simple de dire avec qui il faut se marier qu'avec qui on ne le peut pas (mariage prescriptif ou préférentiel), il y a toujours une règle, mais qui ne couvre plus l'ensemble de la structure, parce que celle-ci est trop complexe pour être vue dans sa totalité ; et il faut plusieurs générations d'anthropologues pour en trouver une représentation (en l'occurrence, mathématique). Pendant ce temps-là, les gens, qui vivent à l'intérieur de cette structure, continuent de la vivre comme passion, trouvant spontanément les partenaires permis(es), avenant(e)s et joli(e)s.

Ce n'est pas fini, nous n'avons présenté ici qu'un programme, il va falloir inventer un langage pour exprimer cette approche authentiquement anthropologique. Ce qu'il fallait souligner, c'est que deux dangers guettent l'anthropologie : le premier consiste à prendre le ronron pour un signe de bonne santé, alors qu'il révèle en fait un état précomateux ; le second conduit à dire, comme c'est, paraît-il, la mode : « Oui, ce que nous avons fait n'est pas très bon, cela ressemble davantage à de la mauvaise littérature qu'à une authentique science de l'Homme, mais nous en avons tiré les leçons, désormais nous écrirons de la bonne littérature. » Quelle capitulation ! C'est comme s'ils disaient : « Oui, nous nous sommes conduits comme des imbéciles. Mais demain ça change : dorénavant nous ferons les imbéciles délibérément ! » Triste consolation. Ah ! le chemin qui mène à une science de l'Homme est ardu, et bien des efforts paraissent avoir été vains, mais tout découragement est prématuré. Il nous faut convaincre à nouveau les intellectuels que nous avons quelque chose à leur dire à partir des Sauvages, Barbares, Paysans et, demain, Robots. La tentation est grande de s'écrier : « Anthropologues debout ! la moisson est proche. »

PAUL JORION.

NOTE

1. « ... 'une certaine encyclopédie chinoise' où il est écrit que 'les animaux se divisent en a) appartenant à l'empereur, b) embaumés, c) apprivoisés, d) cochons de lait, e) sirènes, f) fabuleux, g) chiens en liberté, h) inclus dans la présente classification, i) qui s'agitent comme des fous, j) innombrables, k) dessinés avec un pinceau très fin en poils de chameau, l) *et caetera,* m) qui viennent de casser la cruche, n) qui de loin semblent des mouches'. »

TRADITION ET VÉRITÉ

Pascal Boyer

On tient généralement pour acquis, en anthropologie, que des phénomènes traditionnels comme la récitation d'un mythe ou l'accomplissement d'un rituel ne peuvent être réduits à une série d'*affirmations* sur le monde ; il est donc oiseux, lorsqu'on les étudie, d'en évaluer ou d'en discuter la *véracité*, du point de vue des sociétés concernées comme de celui de l'anthropologue. Rien, après tout, n'est censé être *vrai* ou *faux* dans les mythes ou autres phénomènes traditionnels du même ordre. L'anthropologie culturelle trouve aujourd'hui plus vraisemblable, et sans doute aussi plus rentable, de voir dans ces faits culturels des « commentaires pertinents », une « expression symbolique », etc. Si l'on étudiait le vocabulaire des ouvrages d'anthropologie, on constaterait sans doute que des termes comme « significatif », « expressif », « symbolique », etc., y sont couramment utilisés pour décrire les faits de tradition, et ont presque totalement évincé les termes « vrai » et « faux ».

Ces remarques peuvent paraître étranges, tant l'usage ethnographique semble banal et légitime à la fois : si les anthropologues n'emploient pas les termes « vrai » et « faux », c'est qu'ils n'ont simplement pas à se soucier de la véracité des énoncés traditionnels ; qu'un mythe dise vrai ou non — si cette question a même un sens — n'est pas leur affaire. La neutralité scientifique et une vague éthique de « tolérance » vis-à-vis de croyances exotiques se rejoignent donc pour légitimer une telle attitude.

Cette indifférence pour les questions de vérité est tout de même gênante, car elle semble à l'exact opposé des préoccupations des sociétés étudiées. En effet, la plupart des phénomènes traditionnels sont évalués par les acteurs et participants en fonction des vérités qu'ils mettent en jeu ou permettent d'engendrer. Il y a donc des « problèmes de véracité » dans les manifestations de la tradition, et ce n'est pas là, tant s'en faut, un aspect secondaire. Dans beaucoup de contextes traditionnels, atteindre et exprimer des vérités est en fait la véritable *raison d'être* de ces actions et énoncés qu'étudient les ethnographes. Le cas de la divination vient immédiatement à l'esprit ; malgré tout ce que disent les anthropologues sur les « élaborations secondaires », les paroles du devin sont censées exprimer des vérités et sont évaluées et discutées comme telles.

Cet intérêt pour la vérité ne se limite pas aux prédictions, et la plupart des ethnographes ont rencontré des informateurs leur déclarant qu'un certain mythe est « vrai » tandis qu'une autre version est « fausse », que certaines personnes connaissent la « vérité » au sujet des fantômes ou des esprits tandis que d'autres « se trompent » ou « mentent », etc. Rares sont les ethnographes qui mentionnent ces questions, car cet usage des valeurs de vérité semble souvent aboutir à des contradictions ou des paradoxes. Celui qui tenait le mythe X pour « vrai », Y étant déclaré « faux », admet souvent la « vérité » d'un troisième mythe Z dont le contenu contredit celui de X. Sans entrer d'emblée dans un débat théorique dont on verra plus loin qu'il est en grande partie mal formulé, remarquons que l'ethnographe confronté à une situation de ce genre peut trouver réconfort dans trois types d'explications :

1. Les informateurs utilisent sérieusement[1] les prédicats « vrai » et « faux » ; si la contradiction ne les effraie pas, c'est que « la pensée primitive ne respecte pas la loi

de contradiction ». Cette hypothèse a connu un certain succès dans le passé, mais l'invraisemblance psychologique de ses conséquences lui ôte beaucoup de son intérêt.

2. Les locuteurs n'utilisent pas les prédicats « vrai » et « faux » d'une manière sérieuse. Ce qu'ils veulent dire, en fait, c'est que les mythes X et Y sont extrêmement suggestifs, révélateurs, évocateurs, etc. Ils parlent donc de la « vérité » des mythes de la même manière que nous évoquons les « vérités » censément contenues dans les ouvrages de Tolstoï ou Shakespeare. Cette position de « juste milieu », adoptée implicitement par nombre d'ethnographes, est problématique. Son principal défaut est d'aboutir à éliminer purement et simplement le problème embarrassant. On décide en effet, sans guère de justification, que les informateurs ne parlent pas littéralement lorsqu'ils emploient les prédicats de vérité. Mais c'est là une attitude assez paradoxale de la part des ethnographes qui, dans les autres domaines de discours, sont fort soucieux de respecter la lettre de ce que disent les informateurs et d'en tirer la substance de leurs hypothèses. On ne peut donc abandonner ce respect des énoncés littéraux lorsqu'il s'agit d'une question aussi cruciale que celle de la vérité ; on ne peut du moins le faire sans justification théorique.

3. Les locuteurs utilisent sérieusement les termes « vrai » et « faux », mais leur usage n'est pas celui que nous supposons implicitement ; il est notamment différent de notre usage « informel » de ces termes. Cette hypothèse me paraît la seule qui prenne en compte les deux aspects du problème, à savoir : a) que les gens utilisent effectivement, pour juger de phénomènes traditionnels, les termes « vrai » et « faux », et non des expressions comme « révélateur » ou « pertinent » ; b) que cet usage ne peut être assimilé à notre utilisation ordinaire de ces prédicats et n'aboutit pas aux mêmes résultats. C'est la combinaison de ces deux faits qui pose des problèmes théoriques ; voilà pourquoi la plupart des théories anthropologiques « résolvent » la question en éliminant ou réduisant l'importance de l'un d'entre eux.

Dire qu'un certain usage des prédicats de vérité est « différent du nôtre » est une affirmation des plus vagues. Il pourrait s'agir d'une pétition de principe relativiste, selon laquelle les acteurs d'une autre culture vivent dans un univers particulier où les valeurs de vérité ne peuvent être réduites à nos « vrai » et « faux ». On pourrait aussi voir dans cette situation le résultat d'un problème de traduction : les ethnographes traduisent peut-être par « vrai »/« faux » une pluralité de termes employés dans des contextes singuliers pour évoquer divers aspects de divers genres d'affirmations, etc. Peut-être certaines langues n'ont-elles pas de mots pour dire « vrai » et « faux », ou — plus vraisemblablement — pas d'autres termes que des métaphores lexicalisées (le mot pour « vrai » étant aussi utilisé pour signifier « clair », « simple » ou « intelligible », etc.).

On aura remarqué l'abondance des « peut-être », indice de la quasi-absence de données empiriques, l'aspect le plus étonnant de cette question. Les monographies consacrées au « symbolisme » de telle ou telle société abondent en affirmations détaillées sur leurs croyances ; mais on n'y trouvera guère de réponse à ces questions simples : qui dit quoi à propos de ces « symboles » ? Lorsque sont proférés des énoncés touchant ce domaine, comment sont-ils rapportés ? Quels sont les termes employés et les arguments avancés pour défendre la véracité de ces assertions ? A quelques brillantes et célèbres exceptions près, les monographies ethnographiques laissent ces questions dans l'ombre. En effet, on admet généralement que le travail de l'ethnographe consiste, entre autres tâches, à présenter une version cohérente d'un univers intellectuel, à en décrire l'organisation plutôt que d'en explorer l'utilisation quotidienne, confuse et contradictoire, dans les discours des informateurs.

Cette question est également négligée dans les ouvrages théoriques. Les théories anthropologiques ne l'abordent que dans le cadre plus global des « théories de la croyance[2] ». Les discussions sont alors centrées sur la nature ou le statut logique des croyances traditionnelles, sur leur rationalité, sur le phénomène psychologique de la croyance, etc. Ces débats n'apportent guère de conclusions ni même un cadre théorique adéquat pour la question qui nous occupe ici. La raison en est fort simple. Lorsqu'on parle de croyance, on suppose nécessairement que certaines personnes tiennent certaines propositions pour vraies[3]. Lorsqu'ils proposent des « théories de la croyance » sans jamais mentionner les problèmes de vérité, les anthropologues supposent donc par défaut que l'usage traditionnel des prédicats de vérité ne pose pas de problèmes spécifiques, qu'il est essentiellement semblable à l'usage de ces termes dans des contextes non traditionnels. Mais c'est là justement, j'essaierai de le montrer dans les pages qui suivent, une hypothèse hasardeuse.

La « tradition » est-elle l'origine de la « vérité » ?

L'association des deux termes « vérité » et « tradition » pourrait suggérer au lecteur une image assez familière du climat intellectuel des sociétés traditionnelles, selon laquelle les membres de certaines sociétés pensent trouver dans la « tradition », c'est-à-dire dans un ensemble de paroles et d'actions indéfiniment répétées, une série de « vérités » fondamentales sur le monde. Or cette image familière est fondée sur une définition confuse de la tradition.

Bien que les anthropologues travaillent sur des données traditionnelles, la question générale de la caractérisation de la tradition est négligée dans les théories anthropologiques. En effet, le terme même de « tradition » est considéré comme trop banalement évident pour donner lieu à discussion théorique. La tradition est conçue d'abord comme un ensemble de pratiques, d'actes ou d'énoncés (on parlera ainsi de « tradition sisala » ou de « tradition kpelle »), mais aussi comme une propriété commune à ces actes ou énoncés, à savoir qu'ils sont transmis de génération en génération. Ces deux définitions sont généralement tenues pour coextensives : les objets culturels « traditionnels » se trouvent être précisément ceux qui sont préservés de génération en génération.

Il est admis que l'on n'observe pas directement une tradition, mais toutes sortes d'actes et d'énoncés singuliers qui peuvent être dits « traditionnels » dans la mesure où ils *expriment*, *présupposent* ou *transmettent* une « conception » ou « vision du monde », ou encore un ensemble de « conceptions » ou de « théories » qui reste substantiellement identique de génération en génération (ou du moins que les acteurs essaient de préserver le plus possible). Or cette vision « conservatrice » est soit empiriquement fausse, soit trop vague pour signifier quoi que ce soit. Si on veut la justifier théoriquement, il est nécessaire de donner un contenu précis à ses deux implications fondamentales, à savoir : a) que certains objets culturels sont effectivement conservés et constituent donc la tradition ; b) que ces objets sont conservés du fait de la tendance des sociétés concernées à éviter le changement[4].

L'hypothèse essentielle, celle de la « conservation », est aussi la plus difficile à préciser. On ne peut affirmer que les objets culturels conservés d'une génération à l'autre sont par là même traditionnels : la syntaxe ou le vocabulaire d'une langue sont fortement préservés, et nul ethnographe ne songerait à y voir un fait de tradition. On peut évidemment considérer que seuls comptent ces faits sociaux qui participent à la conservation d'une certaine « vision du monde ». Des faits culturels comme la récitation de mythes ou l'accomplissement de certains rituels seraient alors typiquement traditionnels. Mais toutes les études empiriques menées sur ces objets montrent qu'ils subissent d'importantes variations. L'idée de mesurer et de pondérer les tendances opposées du changement et de la préservation étant parfaitement absurde, la plupart des ethnographes, même convaincus de l'équation « tradition = conservation », se gardent bien d'affirmer qu'il y a préservation « littérale » de ces objets, estimant donc que l'objet préservé est en fait une série de *propositions* ou d'*idées* qui sont présupposées dans les actes concrets, les énoncés mythiques ou les rituels : on en revient à cette notion d'une « vision du monde » ou encore d'un certain « code » culturel sous-jacent dans les phénomènes traditionnels. Mais c'est là une hypothèse des plus floues. En quoi peut-on dire qu'une construction intellectuelle comme une « conception du monde » — si tant est qu'une telle chose existe — est « conservée » ?

Ces problèmes conduisent bien souvent les tenants de cette conception à préciser qu'en fait l'essentiel de la tradition réside moins dans la conservation effective des objets culturels que dans les efforts déployés pour y parvenir (*cf.*, par ex., Horton, 1982, 238). Ainsi, les sociétés traditionnelles sont caractérisées par leur *conservatisme* ; à première vue cette conception correspond à ce que rapportent les ethnographes. Les sociétés traditionnelles sont par excellence ces endroits où l'on justifie nombre d'actions par des assertions du type : « Nous avons toujours fait ainsi », « C'est ainsi qu'agissaient nos ancêtres », etc. Pourtant, il n'est pas possible de définir la *tradition,* caractéristique de certaines sociétés, par le *traditionalisme,* disposition psychologique. Même si celle-ci était décrite précisément — ce qui n'est jamais le cas — il resterait très douteux que le traditionalisme puisse être considéré comme la *cause* de la tradition. Car ces deux ordres de faits, loin d'être congruents, sont à peu près incompatibles[5]. Le traditionalisme suppose une certaine représentation de ce que l'on veut conserver (et de ce qui pourrait le remplacer) qui est absente des contextes traditionnels. Aussi une littérature peut être dite traditionnelle sans que personne ne puisse se former une représentation quelconque de ce qui est transmis : est-ce le contenu des énoncés particuliers, les intrigues des récits, la thématique, un ensemble de personnages, le contexte d'énonciation ? Nul ne le sait et nul ne s'en préoccupe, alors que c'est là le souci premier du traditionalisme. Pour résumer, il est très difficile de concilier le traditionalisme, qui préfère ce qu'il juge ancien, et la tradition, qui semble juger ancien ce qu'elle aurait recommandé de toute manière.

La tradition ne peut donc être conçue comme un « stock » de propositions sur le monde dont les acteurs pourraient se servir comme étalon de la vérité. Nous devons donc examiner les procédures effectives employées par ceux-ci pour décider que certains énoncés sont vrais. On ne peut, en ce domaine, se contenter de discuter à nouveau les sempiternels exemples sur lesquels sont fondées les « théories de la croyance ». Les débats théoriques sur la pensée traditionnelle mentionnent le plus souvent des cas célèbres comme ceux des jumeaux nuer assimilés à des oiseaux, ou de la substitution d'un concombre à un taureau, etc. ; mais ces exemples sont particulièrement inadéquats. Pour décrire l'usage traditionnel des prédicats de vérité et le comparer à d'autres usages, il convient d'examiner des énoncés qui sont dits vrais dans l'un de ces contextes et *ne pourraient pas* être perçus comme tels dans l'autre. En ce sens, les exemples du type « jumeaux-oiseaux » ne sont pas un très bon choix. La culture d'où vient l'ethnologue, comme toutes les cultures du monde, abonde en substitutions et équivalences « symboliques » du même genre. Autrement dit, ces cas classiques ont pour défaut, lorsqu'on veut parler des questions de valeurs de vérité, d'être *trop acceptables* pour être vraiment pertinents. Ce dont nous avons besoin, c'est d'exemples d'énoncés véritablement *inacceptables.* C'est pourquoi j'ai choisi d'aborder cette question en considérant deux situations symétriques : certains énoncés qui pour l'ethnographe sont *nécessairement vrais* ne semblent pas tenus pour tels dans la plupart des sociétés traditionnelles ; d'autre part, une procédure traditionnelle engendre des vérités qui pour la plupart des anthropologues sont *nécessairement fausses.*

Une vérité logique « inacceptable »

L'étude transculturelle des mécanismes de raisonnement date de plusieurs décennies, et depuis ses débuts une part notable des efforts de recherche a été consacrée à l'examen des déductions syllogistiques. Le but était évident : les syllogismes étant considérés comme un des fondements de la pensée rationnelle, le fait qu'ils ne soient pas « compris » ou « admis » dans des contextes traditionnels démontrerait la nature radicalement différente des mécanismes cognitifs mis en œuvre dans ces sociétés.

Le développement le plus marquant de ces études a commencé dans les années 30 avec les travaux du psychologue soviétique A. L. Luria auprès de villageois ouzbeks (Luria, 1976). Elles ont été poursuivies, avec plus de rigueur expérimentale et un appareil théorique plus sophistiqué, par plusieurs équipes de psychologues, notamment celles de M. Cole et S. Scribner, plus soucieux que Luria d'accompagner leurs expériences cognitives d'études ethnographiques poussées (Cole & Scribner, 1974 ; Sharp & Cole, 1975 ; Scribner, 1975, 1977). Leur premier résultat est la mise en évidence de l'étonnante uniformité, au-delà des différences culturelles, des « performances » traditionnelles face aux problèmes syllogistiques, mais aussi du contenu des réponses fournies et de leur mode de justification ; ainsi, les réponses de villageois mexicains à ces problèmes sont très proches des conversations rapportées par Luria (Sharp & Cole, 1975). En voici un exemple typique :

> Tous les Kpelle cultivent le riz.
> M. Smith ne cultive pas le riz.
> *Question.* — M. Smith est-il un Kpelle ?

Le dialogue s'engage entre le sujet et l'expérimentateur :

> S. — « Je ne connais pas cette personne. Je ne l'ai jamais vue.
> E. — Mais pensez à l'énoncé.
> S. — Si je le connaissais, je pourrais répondre à votre question, mais je ne le connais pas. »

Comparons avec les réactions des villageois ouzbeks :

> Là où il y a de la neige, les ours sont blancs.
> A Nova Zemlya, il y a toujours de la neige.
> *Question.* — De quelle couleur sont les ours à Nova Zemlya ?
> « — Oui, il y a toutes sortes d'ours. »

« — Je ne sais pas. J'ai déjà vu des ours bruns, je n'en ai jamais vu d'une autre couleur... Chaque endroit a ses animaux. Un endroit blanc a des animaux blancs, un endroit jaune des animaux jaunes. »
« — On ne peut parler que de ce qu'on connaît, on ne parle pas de ce qu'on n'a pas vu » (Luria, 1976, 114-115).

Selon Scribner, ces recherches parallèles aboutissent à trois conclusions : a) dans toutes les cultures, les sujets vivant dans un contexte traditionnel ont une performance qui ne dépasse pas un résultat aléatoire ; b) dans chaque culture on trouve un écart important entre sujets scolarisés et non scolarisés : les performances des sujets s'améliorent brusquement lorsqu'ils ont été scolarisés pendant deux ans ou plus ; c) si l'on ne considère que les sujets ayant été scolarisés, les différences interculturelles sont négligeables (Scribner, 1977, 486).

Au contraire de Luria, Scribner et Cole considèrent que la faible performance en contexte traditionnel ne peut pas s'expliquer par l'incapacité supposée des sujets à mener la déduction élémentaire mise en jeu dans le problème syllogistique. Elle n'est pas affaire de capacité de déduction, mais résulte de ce que le problème lui-même n'a pas été représenté par les sujets de la manière prévue par l'expérimentateur. Ce point est confirmé par le fait que les sujets, lorsqu'on leur demande de répéter l'énoncé du problème, le transforment de telle sorte que les deux prémisses sont combinées en une phrase, la question finale devenant une simple demande d'information supplémentaire et n'ayant plus de rapport d'implication avec ce qui précède (Scribner, 1975). La conclusion principale est que la représentation du problème en tant qu'énigme à résoudre à partir des énoncés mêmes n'est en aucune façon une procédure « naturelle » ; elle appartient à un genre de discours particulier que Scribner appelle le « genre logique », sur lequel sont fondés la plupart des exercices scolaires, ce qui explique la meilleure performance des sujets scolariés (Scribner, 1977, 497-500).

Les conclusions de Scribner ont l'avantage de mettre l'accent sur le caractère particulier et artificiel de l'exercice syllogistique, aspect qui pour des expérimentateurs formés au « genre logique » peut passer inaperçu. Mais cette hypothèse, si elle est conforme à l'ensemble des données sur la question, n'en épuise pas la substance. En effet, en supposant que les sujets « traditionnels » ne pratiquent pas l'exercice pragmatique paradoxal du « genre logique », on explique fort bien *ce qu'ils ne font pas* et pourquoi ils ne résolvent pas le problème comme l'expérimentateur pourrait s'y attendre. Cette *absence* d'une réponse souvent jugée « naturelle » dans notre culture étant pour le psychologue le phénomène à élucider, on comprend que l'hypothèse donne entière satisfaction. Mais on peut être tenté de voir les choses dans l'autre sens et se demander pourquoi les sujets répondent de cette manière particulière, en utilisant les mêmes arguments et les mêmes justifications dans des sociétés extrêmement différentes. L'hypothèse du « genre logique » consiste à décrire le « jeu » que constitue le problème syllogistique et à en mettre en évidence le caractère original ; des sujets qui ne connaissent pas les règles n'ont donc aucune chance de les découvrir spontanément. La théorie nous dit *quel jeu les sujets ne jouent pas* ; mais l'uniformité de leurs réponses donne à penser que les sujets sont pour ainsi dire en train de *jouer un autre jeu*, que l'expérimentateur ne leur a pas proposé mais dont ils appliquent spontanément les règles à cette situation inédite. Et pour l'anthropologue, il est nécessaire de comprendre ces « règles » implicites qui régissent l'application des prédicats de vérité dans un contexte traditionnel.

Vérité et positions d'énonciation

Les réponses des sujets « traditionnels » semblent se résumer à quelques phrases types : « Je ne connais pas les choses dont vous parlez », « Qui suis-je pour trancher de ces choses ? », « Vous devez bien le savoir puisque c'est vous qui en parlez », etc. On peut concevoir l'agacement de l'expérimentateur confronté à des sujets qui toujours dévient la conversation. Mais ils la dévient toujours dans la même direction, à savoir une appréciation, non du contenu des prémisses ni des réponses éventuelles, mais des genres de *positions* que l'on devrait occuper pour pouvoir les énoncer. L'énoncé du problème ou de la solution comporte, comme tout énoncé, des implications de divers ordres. Sans vouloir entrer dans une description linguistique qui exigerait des catégories analytiques plus raffinées, distinguons simplement deux types d'inférences que l'on peut tirer de ces énoncés. Les unes concernent l'état du monde, imaginaire ou réel, décrit par l'énoncé et ses diverses conséquences. Ainsi, dans le problème syllogistique de Luria, les auditeurs sont invités à se représenter un monde imaginaire ou réel dans lequel les ours sont tous blancs et dans lequel l'expérimentateur a rencontré un ours. On peut tirer de ces propositions des inférences multiples quant à l'existence des ours, à leurs couleurs, au fait que l'expérimentateur a rencontré quelque chose, etc. ; on peut surtout en déduire que l'ours rencontré était, dans le monde décrit, nécessairement blanc. C'est évidemment dans cette série d'inférences que réside la solution au problème proposé.

Mais tout énoncé, dans une conversation quelconque, suggère également des inférences d'un autre ordre, touchant notamment au « rôle » que l'on joue, ou à la position que l'on occupe ou prétend occuper du fait même que l'on profère les énoncés en question. Ainsi, communiquer des informations sur les ours sibériens donne à penser que l'on a un accès privilégié aux informations utilisées. Or les interlocuteurs de Luria ne se considèrent pas comme placés dans cette situation, et leurs remarques sont tout à fait explicites à cet égard. Ils vont même parfois jusqu'à imaginer une personne qui pourrait asserter la bonne réponse, tout en se distinguant immédiatement de ce personnage imaginaire : « Si un homme de soixante ou quatre-vingts ans avait vu un ours blanc, et le disait, on pourrait le croire. Mais je n'en ai pas vu et donc je ne peux rien dire » (Luria, 1976, 109). C'est pourquoi ce genre de réaction est particulièrement troublant pour l'expérimentateur : le *contenu* même de l'énoncé n'est apparemment pas pris en compte pour décider de sa véracité.

Ces remarques peuvent sembler triviales ; car chacun sait que l'évaluation des positions d'énonciation est l'objet de discours constants dans une société traditionnelle. On dit de telle personne qu'elle « connaît les affaires des ancêtres », de telle autre que sa parole est « lourde » de sens dans tel domaine spécifique, etc. Inversement, sans porter une grande attention au contenu, on rejette les énoncés de certaines personnes qui n'ont pas subi telle initiation ou simplement n'appartiennent pas à la catégorie des connaisseurs dans le domaine considéré. Certaines positions sont donc porteuses d'*autorité* au sens fort du terme, elles changent la qualité des discours proférés par quiconque les occupe. Si c'est là un constat banal en ethnographie, il reste que cette manière d'évaluer les énoncés n'a pas fait l'objet de descriptions théoriques, car elle aboutit à un dilemme qui, à mon sens, est à l'origine de l'indifférence ou de l'incertitude de la plupart des ethnographes quant à l'évaluation traditionnelle de la véracité des énoncés. Il apparaît que ceux-ci ne sont pas jugés en fonction de leur seul contenu : si c'était le cas, les réactions traditionnelles aux problèmes cognitifs simples seraient les mêmes que celles des sujets scolarisés. Dans un contexte traditionnel, l'estimation de la position d'énonciation semble cruciale. D'autre part, ce constat pourrait donner à penser que l'univers intellectuel traditionnel est « autoritaire » au sens vulgaire, c'est-à-dire qu'il suffit d'y occuper une certaine position pour que tout énoncé proféré soit tenu pour vrai ; et, dans ce cas, la véracité est décidée a priori. Tout ethnographe ressent l'absurdité d'une telle description, qui pourtant est une conséquence inévitable de la conception de « positions » mises en œuvre dans l'évaluation des discours.

Il peut exister, bien entendu, de nombreuses attitudes mentales intermédiaires entre ces deux pôles que constituent la simple *représentation* d'une proposition et son *assertion* (Nuchelmans, 1973, 3). Or la plupart des interlocuteurs de l'expérimentateur, comme de l'ethnographe, n'occupent pas une position d'où ils pourraient asserter quoi que ce soit concernant le domaine de réalité concerné. Mais l'assertion n'est pas la seule manière d'exprimer des propositions, et ces locuteurs *mentionnent* généralement les énoncés qu'ils profèrent. En pratique, cela signifie qu'ils « citent » un locuteur réel ou imaginaire qui asserterait la proposition, ce qui leur permet de l'exprimer sans s'engager quant à sa véracité.

Les problèmes syllogistiques, dans leur simplicité, révèlent donc que les énoncés sont évalués en mettant en jeu une position d'énonciation, c'est-à-dire en imaginant comment certaines personnes pourraient *asserter* des propositions concernant certains objets, tandis que d'autres ne peuvent que les *citer*. Cette évaluation des énoncés suppose donc : a) que soit identifié le domaine de réalité visé par l'énoncé ; b) que soit supposé un « lien spécial » entre ce domaine de réalité et l'énonciateur. Pour comprendre la nature de ce lien, et comment il est établi, il faut abandonner les raisonnements syllogistiques, par trop « artificiels » et en tous cas exogènes, et passer à un exemple de vérité authentiquement traditionnelle.

Une vérité traditionnelle « impossible »

La divination paraît le domaine par excellence où la tradition fait nécessairement usage de prédicats de vérité[6]. Les énoncés du devin expriment des vérités sur le monde. Cet aspect de la divination est bien souvent minimisé dans les comptes rendus ethnographiques, où l'on insiste sur l'ingéniosité déployée par les devins et leur public pour s'accommoder de l'éventuelle réfutation des prédictions par l'expérience. Mais on doit faire à ce propos deux remarques de bon sens. Si les clients d'un devin mettent parfois tant d'ardeur à « rationaliser » ses erreurs dans la prédiction, c'est bien une preuve que celle-ci est considérée comme l'expression potentielle de *vérités,* et non comme un « commentaire intéressant » sur la situation considérée. En outre, cette manière d'aborder la divination suggère qu'une proposition peut être tenue pour vraie uniquement parce que sa réfutation empirique est « bloquée » ; mais, en fait, le problème essentiel est de comprendre en premier lieu comment et pourquoi l'on adhère à ces propositions, avant de les défendre contre la réfutation.

Ces questions seront examinées ici à propos d'exemples particuliers, et il est nécessaire de préciser d'emblée que l'argument qui suit ne concerne pas la divination en général et n'a pour ambition que de décrire une procédure très particulière d'engendrement de vérités et d'en évaluer les effets cognitifs. L'intérêt de cette procédure est qu'elle aboutit à des déductions considérées par les acteurs comme parfaitement valides, mais qui se réduisent à des cercles vicieux du point de vue de l'usage logique des prédicats de vérité. Il s'agit donc là d'un cas symétrique de celui des syllogismes : une procédure traditionnelle produit des vérités qui ne *peuvent pas* être tenues pour telles par un logicien.

Le premier exemple est tiré de la description du système de divination mundang par A. Adler et A. Zempléni (1972). Les Mundang consultent leurs devins notamment pour connaître la position à leur égard d'entités telles que les *cox sinri,* esprits de la terre, ou les *mozumri,* ancêtres. Les réponses sont fournies par la disposition de pierres jetées sur le sol par le devin ; ces résultats sont intégrés en structures typiques qui finissent par donner une réponse univoque aux nombreuses questions que pose le devin. Une séance de divination consiste en une longue série de questions/réponses dont l'ordre et le contenu sont stéréotypés. Les éléments de la situation du client sont représentés par plusieurs centaines de cailloux disposés en cercles concentriques devant le devin, les pierres représentant par exemple les parties du corps du client, les membres de sa famille, les murs de sa maison, les heures du jour, les saisons, etc.

Ces diagnostics sont formulés dans un ordre immuable. Sont d'abord posées quatre « questions » fondamentales concernant l'« état de véracité » du devin lui-même, c'est-à-dire sa capacité à mener une séance divinatoire valide. Si les résultats sont positifs, elle aboutira à une description vraie de la situation ; s'ils sont négatifs, on peut repartir à zéro ou décider d'interrompre la session. Ces questions introductives permettent aux clients du devin et aux autres participants de mémoriser non seulement le « résultat » de la consultation, c'est-à-dire une certaine description de la situation, mais aussi un certain commentaire sur cette description. La divination aboutit ici à fournir au consultant deux propositions, à savoir : a) que la situation est *x* ; b) que cette description est véridique. Autrement dit, l'énoncé divinatoire est accompagné — précédé en l'occurrence — d'un autre énoncé qui en garantit la véracité. Comme cet énoncé supplémentaire est obtenu par divination, par la configuration des pierres jetées par le devin, et qu'il fait référence à la divination, je le qualifierai ici de « métadivinatoire ».

On observe une procédure analogue chez les Sisala du Ghana (Mendonsa, 1976). La divination dite « traditionnelle » (opposée aux techniques censément importées, telle la divination par les cauris) est utilisée à titre d'ordalie dans des occasions rituelles comme les funérailles, mais aussi à propos de toute décision importante ou de tout événement lié aux ancêtres. Les devins, *vugura*, ont accès au monde « caché », *fafa* : la divination est le seul mécanisme légitime par lequel les Sisala puissent recevoir des messages des ancêtres (*ibid.*, 191).

Les Sisala admettent explicitement que la divination est faillible, que les énoncés divinatoires ne sauraient être considérés comme nécessairement vrais. La faillibilité des opérations mantiques a plusieurs causes dont, bien sûr, le désir des devins de satisfaire leur clientèle par un diagnostic complaisant. Mais ce sont surtout les ancêtres qui en troubleront les résultats si le devin ne leur sacrifie pas. Enfin, il est généralement reconnu que la « capacité divinatoire » varie selon les spécialistes ; la probabilité d'obtenir des énoncés véridiques varie donc selon le devin consulté.

La faillibilité de la divination est d'autant plus facilement admise que les Sisala ont recours à une procédure appelée *dachevung* qui leur permet d'évaluer la véracité des énoncés divinatoires. Pour s'assurer du bien-fondé du diagnostic établi par un devin, ils demandent à un autre devin de procéder au *dachevung,* version réduite de la divination traditionnelle. Le client trace devant le spécialiste plusieurs traits dans le sable, certains d'entre eux étant censés représenter les énoncés à vérifier. Le devin en connaît le contenu, mais ignore quels traits les représentent ; il « choisit » certains traits avec son bâton divinatoire, et s'il choisit les traits « significatifs » les assertions sont confirmées.

Il s'agit là encore d'une « méta-divination », de l'évaluation d'une divination par une autre. Mais le cas sisala est plus simple et frappant dans la mesure où divination et méta-divination sont nettement séparées. Sans négliger les différences formelles entre ces deux exemples, notons que dans les deux cas la véracité d'énoncés ou de séries d'énoncés est représentée *explicitement.* C'est là tout l'intérêt de ces exemples ; la discussion des valeurs de vérité n'est pas ici le fait de l'ethnographe, mais des acteurs concernés, qui accomplissent une opération dans le but délibéré de décider de la véracité de certaines assertions.

On aura bien sûr remarqué le caractère circulaire de cette opération qui, pour apporter une preuve de la validité de la technique divinatoire, a recours... à la même technique. Cette circularité est évidente dans le cas mundang, où l'opération méta-divinatoire est *exactement* semblable à la divination, et en fait partie. On croit le devin mundang, qui dit être dans un « état de véracité » satisfaisant, parce que ce sont les pierres qui viennent de le déclarer tel. Mais c'est admettre que les pierres, ici et maintenant, sont en train de dire la vérité ; or c'est justement cela qu'il s'agissait de démontrer. Dans le cas sisala la circularité, si elle est moins évidente, n'en est pas moins un caractère essentiel du *dachevung.* La véracité de la divination résulte de la relation spéciale établie entre le devin et les ancêtres ; et ce principe est valable pour toutes les divinations, qu'il s'agisse d'un rituel « du premier ordre » ou du *dachevung*. La véracité de la divination est donc là encore garantie par un rituel qui produit des vérités selon la même procédure.

La divination garantie par méta-divination pose donc un problème logique et anthropologique : comment peut-on démontrer la véracité de certains énoncés par une procédure circulaire ? Ce rituel comporte certainement des effets cognitifs, sans lesquels les devins ou leurs clients n'auraient pas besoin de l'accomplir ou n'en tireraient pas de conviction supplémentaire. Toute personne engagée dans des activités relevant du « style logique » décrit par S. Scribner trouvera certainement la valeur argumentative de la méta-divination pratiquement nulle, puisque pour y recourir il faut déjà avoir admis ce que l'on veut tester. Le cercle est inévitable, et la méta-divination ne fait qu'engendrer indéfiniment un résultat déjà acquis. C'est par là justement qu'elle prend valeur de contre-exemple et nous permet de décrire plus précisément certains principes d'application des prédicats de vérité.

La vérité et son explication causale

La méta-divination est certes une procédure inutile si l'on considère le *contenu* des énoncés proférés. Mais l'exemple des raisonnements syllogistiques nous a montré que le contenu ne pouvait être évalué sans mettre en œuvre une représentation des positions d'énonciation. En outre, nous avons supposé que cette représentation combinait une évaluation du domaine de réalité que vise l'énoncé et un « certain lien » entre la personne de l'énonciateur et le domaine de réalité visé. Dans le cas de la méta-divination, notons que ce lien prend la forme d'un rapport *causal* : ce sont les entités mêmes dont parle le devin qui autorisent son discours et en déterminent le contenu. Lorsque le devin parle des ancêtres ou des esprits, il n'est pas simplement en train de « parler de ce qu'il connaît » ; il produit des discours dont la possibilité même est donnée par les ancêtres ou les esprits.

Ainsi le rapport entre les entités décrites et le discours qui les vise n'est pas seulement un rapport de « représentation » au sens courant, c'est aussi un rapport de cause à conséquence. Le discours sur les ancêtres est une des conséquences de leur existence. C'est pourquoi le fait d'occuper une position traditionnelle n'a rien de commun, contrairement à ce que l'on suppose parfois, avec l'exercice d'une *compétence.* Être compétent, c'est posséder une masse d'informations censées être une représentation exacte du domaine de réalité considéré. Occuper une position traditionnelle, c'est proférer une série de discours qui sont en outre une *conséquence* de cette réalité.

Ces deux aspects sont illustrés de manière spectaculaire par le cas de la méta-divination. Car la circularité de la procédure en ferait une démarche parfaitement irrationnelle s'il n'existait une distinction implicite, mais cruciale pour les auditeurs, entre rapport causal et rapport représentatif. En procédant à la méta-divination, le devin modifie les rapports entre les énoncés proférés et leur objet, puisque les entités dont il propose une certaine description, ancêtres et esprits, sont présentés comme des garants de ce discours. Que signifie ce terme de « garant » ? Il ne renvoie qu'à un fait très simple, à savoir que l'existence et l'état particulier des ancêtres conditionnent les énoncés du devin. La méta-divination modifie donc le statut logique de l'objet « ancêtres » ; si l'on pouvait tout d'abord considérer les énoncés divinatoires comme une simple *représentation* des ancêtres, une fois la méta-divination accomplie ils deviennent une *conséquence* de leur existence et de leur état. La méta-divination nous paraît circulaire puisque les ancêtres sont l'objet d'un discours garanti par les ancêtres. Elle ne l'est pas si l'on tient compte de ce que ces deux rapports du discours à l'objet sont totalement différents. Lorsque les ancêtres sont mentionnés dans la parole « normale », ils y sont représentés ; on dresse un tableau du monde qui attribue aux ancêtres certaines caractéristiques. Dans la méta-divination, ils sont la cause du discours : on dresse un tableau du monde qu'ils ont provoqué.

Cet exemple est dans doute exceptionnel et, comme je l'ai déjà dit, il ne s'agit pas ici de présenter des hypothèses générales à propos de la divination qui, d'ailleurs, quelle que soit son importance, n'est qu'un secteur limité des énonciations traditionnelles. Mais la rareté du phénomène n'entre pas en ligne de compte puisqu'il est pris ici comme *contre-exemple*. Il s'agit seulement de montrer en quoi certaines conceptions courantes de la « véracité » des énoncés traditionnels sont problématiques. On croit souvent que les auditeurs comparent les énoncés traditionnels à un stock de croyances sur le monde, et les jugent « vrais » du fait de leur compatibilité avec ces croyances. Cette simple procédure est impossible dans le cas de la méta-divination, et pourtant la méta-divination est l'un de ces discours où l'on déclare explicitement que certaines propositions sont vraies. Il nous faut donc admettre que la décision quant à la véracité de l'énoncé fait intervenir non seulement les croyances sur le monde, mais aussi certains critères de véracité indépendants de ces croyances.

Cette conception est fondée sur l'hypothèse psychologique peu aventureuse selon laquelle les êtres humains sont tous capables de distinguer un rapport représentatif d'un rapport causal. Ces termes peuvent sembler des abstractions philosophiques subtiles, mais la distinction est en fait essentielle à l'appréhension du monde par le sens commun. Nous savons fort bien qu'il existe un certain rapport entre le fait d'appuyer sur un interrupteur et le fait que la lumière s'allume, tandis qu'un autre rapport unit la lumière et l'expression « la lumière ». Dans la plupart des situations quotidiennes, nous n'envisageons que le deuxième genre de rapport (représentatif) lorsque nous évaluons la véracité des énoncés. Mais, et c'est là mon hypothèse, dans la situation très particulière que constitue un discours traditionnel (formalisé, ritualisé, etc.), les auditeurs sont amenés à établir un rapport du premier genre (causal) entre le discours et son objet.

Avant d'évaluer la portée de ces hypothèses en ce qui concerne les rapports entre les vérités et la tradition, il convient d'insister sur une distinction fondamentale quant à l'objet même que nous décrivons lorsque nous observons les réactions traditionnelles à certains problèmes cognitifs ou la vérification des énoncés divinatoires. Il est tentant de voir dans ce type de données l'expression de « conceptions » ou « théories » de la vérité fort différentes de ce qu'admet ou recommande la rationalité scientifique. Ce serait une erreur, car les données présentées ici permettent de résoudre des questions sans doute moins grandioses, mais d'un intérêt direct pour l'étude ethnographique de la tradition. Les « conceptions de la vérité » comme les « conceptions du monde » appartiennent à un vocabulaire flou dont il faut se garder si l'on veut aboutir à des hypothèses significatives. Une « conception » de la vérité est à proprement parler une construction philosophique, un ensemble de propositions explicites justifiées par des hypothèses sur l'organisation du langage et du monde et leurs rapports ; or ce genre de construction théorique est tout à fait étranger au climat intellectuel des sociétés traditionnelles.

L'usage des prédicats de vérité et les jugements de véracité ne sont pas nécessairement déterminés par une « conception de la vérité », que ce soit dans une société traditionnelle ou dans une société moderne ; en fait, il est bien rare que l'on ait recours à une théorie de la vérité pour décider de la véracité d'une proposition quelconque. Autrement dit, il convient de ne pas confondre les théories sur la vérité, objet philosophique, et les critères employés pour décider de la véracité des propositions, qui peuvent être étudiés empiriquement par les anthropologues ou les psychologues. C'est sur le choix et l'utilisation de ces critères que nos exemples peuvent donner lieu à quelques hypothèses.

Le fait de laisser de côté les *conceptions* de la vérité pour étudier les *critères* de vérité implique que l'on étudie des discours concrets et non des ensembles d'idées. Il s'agit donc de comprendre les raisons de l'usage effectif des prédicats de vérité dans des situations concrètes de discours. Ce point de départ nous impose d'insister sur une seconde distinction, entre paroles ou énoncés quotidiens et discours formalisés. La plupart des assertions quotidiennes ne font l'objet d'aucun jugement explicite, parce qu'elles se ramènent à des constats d'évidence ou encore parce que leur véracité ou fausseté ne porte guère à conséquence. Par contre, certains discours font très souvent l'objet de tels jugements pour des raisons inverses : parce qu'ils transmettent autre chose que des évidences et parce que leur véracité ou fausseté porte à conséquence. C'est notamment le cas des énoncés théoriques ou scientifiques dans les sociétés modernes, et des énoncés mythiques, divinatoires, « religieux », etc., dans les sociétés traditionnelles. Ces genres de discours sont donc nettement séparés de la parole quotidienne par leur importance et leur richesse en information ; il est probable qu'ils en diffèrent également par les critères de véracité qu'on leur applique. Les hypothèses tirées de ce type de données ne concernent donc que l'application de prédicats de vérité à certains domaines limités de discours. Les données sur les syllogismes ou la méta-divination peuvent nous faire comprendre comment les Kpelle, Ouzbek ou Mundang traitent les assertions dans des contextes traditionnels particuliers. Mais leur univers intellectuel ne se limite pas à la tradition, pas plus que celui des Occidentaux ne se borne à la rationalité scientifique. Et dans l'immense domaine des énoncés quotidiens ou triviaux, les critères de véracité du sens commun sont certainement différents de ceux de la tradition ou de la rationalité scientifique.

Revenons-en à notre hypothèse principale : la véracité des énoncés traditionnels est fonction de positions d'énonciations fondées sur un rapport *causal* entre un certain domaine de réalité et le discours qui le vise. Cette hypothèse fait de la vérité une qualité, non des discours ni de leur rapport avec le monde, mais du rapport entre la personne de l'énonciateur et le monde. Il n'est donc pas étonnant qu'avant même de proférer un énoncé quelconque, certaines personnes puissent être considérées comme porteuses de vérité plus que d'autres. C'est là une manière de voir assez étrange pour notre univers intellectuel fondé sur l'idée que la vérité consiste en une correspondance entre ce qui est dit et ce qui est. Mais la conception « causale », implicite dans la tradition, semble pourtant avoir donné naissance à la conception philosophique explicite. Ainsi, dans un ouvrage consacré aux conceptions grecques *archaïques* (pré-« philosophiques ») de la vérité, M. Detienne présente *alètheia* comme une qualité attachée aux discours de trois personnages : l'aède, le « roi de justice » et le devin (Detienne, 1967, *passim*). On peut être tenté de voir là une figure intermédiaire entre notre conception « philosophique » de la vérité et un usage traditionnel dans lequel la vérité est implicitement comprise comme provenant d'un rapport causal entre le monde réel et certaines personnes.

Dans beaucoup d'ouvrages anthropologiques il est admis que la tradition est constituée d'objets culturels stables (conceptions du monde, « théories », etc.) « au-delà » des phénomènes concrets observés par les ethnographes. Cette conception aboutit à décrire ainsi le cycle de raisonnements par lequel, dans un contexte traditionnel, on jugerait de la véracité des énoncés :

1. Les énoncés seraient comparés à une « vision du monde » globale ;
2. ils confirmeraient certains principes fondamentaux des croyances des auditeurs, et seraient donc considérés comme « traditionnels », et par conséquent
3. comme l'expression de « vérités ».

Mais cette explication ne convient pas vraiment. Nombre d'énoncés traditionnels, incompatibles avec certaines croyances répandues, sont pourtant jugés vrais ; et souvent on les déclare vrais sans qu'il soit conceptuellement possible de les comparer à quoi que ce soit. Il est donc plus vraisemblable de supposer que l'énoncé

1. est confronté à une position d'énonciation, et par conséquent
2. jugé « vrai », ce qui fait qu'il est
3. intégré dans le domaine de la « tradition ».

Cette hypothèse entraîne un changement fondamental de point de vue en ce qui concerne les rapports entre tradition et vérité. On conçoit communément la tradition comme une sorte de ressassement qui garantit la véracité des énoncés conformes. Or c'est là mettre les phénomènes à l'envers. Dans une société traditionnelle, on ne juge pas un énoncé vrai parce qu'il est conforme à une routine de la pensée ; au contraire, il est dit traditionnel parce qu'on l'a jugé vrai en fonction d'autres critères. Contrairement à ce que l'on suppose souvent en anthropologie, la tradition ne peut être conçue comme l'origine des « croyances » : elle se constitue et se renouvelle perpétuellement par l'accumulation des vérités.

PASCAL BOYER.

NOTES

1. Par utilisation « sérieuse » des prédicats, j'entends une utilisation qui engage les locuteurs quant à la véracité des énoncés proférés. Cette distinction est expliquée avec plus de détails par J. SEARLE (1979, 234).

2. *Cf.* tout de même GELLNER (1979) qui aborde le problème des croyances traditionnelles comme un problème dans l'attribution de valeurs de vérité à des énoncés.

3. On peut facilement définir la croyance comme une variété d'« attitude propositionnelle », de relation entre un sujet et une proposition. En ce sens, croire que « p » consiste à entretenir deux propositions, « p » et «'p' est vraie ». Il n'est pas possible de s'étendre ici sur les problèmes liés à ce genre de définition. Remarquons simplement qu'il est courant de proposer une définition non circulaire de la croyance en utilisant les prédicats de vérité. La démarche inverse, à quoi aboutissent les théories de la vérité comme « redondance », pose de difficiles problèmes conceptuels (STRAWSON, 1949, 83-84).

4. Le passage qui suit ne contient qu'une exposition et une discussion nécessairement très brèves des théories de la tradition. Ces questions, et notamment les implications psychologiques des conceptions « néo-intellectualistes » de R. Horton et J. Skorupski, sont abordées en détail dans un autre article (BOYER, 1986).

5. Cette distinction formelle de la tradition et du traditionalisme est inspirée des remarques d'ÉRIC WEIL (1971, *passim*).

6. Dans ma discussion sur la divination, j'ai été fortement influencé par diverses remarques et suggestions d'Andras Zempléni, notamment quant à l'impossibilité d'éviter la question de la véracité des énoncés divinatoires, quels que soient les détours empruntés par la plupart des anthropologues.

BIBLIOGRAPHIE

ADLER, A. & ZEMPLÉNI, A.

1972 *Le Bâton de l'aveugle.* Paris, Hermann (« Savoir »).

BOYER, P.

1986 « The Stuff 'Traditions' are Made of. On the Ontology of an Ethnographic Category », *Philosophy of the Social Siences.*

COLE, M. & SCRIBNER, S.

1974 *Culture and Thought. A Psychological Introduction.* New York, John Wiley & Sons.

DETIENNE, M.

1967 *Les Maitres de vérité dans la Grèce archaïque.* Paris, François Maspero.

GELLNER, E.

1979 « Options of Belief », *in* E. G., *Spectacles and Predicaments : Essays in Social Theory.* Cambridge, Cambridge University Press.

HORTON, R.

1982 « Tradition and Modernity Revisited », *in* M. HOLLIS & S. LUKES, eds., *Rationality and Relativism.* Oxford, Basil Blackwell.

LURIA, A. L.

1976 *Cognitive Development. Its Cultural and Social Foundations.* Cambridge, Mass., Harvard University Press.

MENDONSA

1976 « Characteristics of Sisala Diviners », *in* A. BHARATI, ed., *The Realm of the Extra-Human. Agents and Audiences.* Paris-La Haye, Mouton (« World Anthropology »).

NUCHELMANS, G.

1973 *Theories of the Proposition. Ancient and Medieval Conceptions of the Bearers of Truth and Falsity.* Amsterdam, North-Holland Publishing Company.

SCRIBNER, S.

1975 « Recall of Classical Syllogisms. A Cross-Cultural Investigation of Error on Logical Problems », *in* R. J. FALMAGNE, ed., *Reasoning : Representation and Process.* Hillsdale, NJ, Lawrence Erlbaum Associates.

1977 « Modes of Thinking and Ways of Speaking. Culture and Logic Reconsidered », *in* P. N. JOHNSON-LAIRD & P. C. WASON, eds., *Thinking, Readings in Cognitive Science.* Cambridge, Cambridge University Press.

SEARLE, J.

1979 « The Logical Status of Fictional Discourse », *in* P. A. FRENCH, T. E. UEHLING & H. K. WETTSTEIN, eds., *Contemporary Perspectives in the Philosophy of Language.* Minneapolis, University of Minnesota Press.

SHARP, D. W. & COLE, M.

1971 *The Influence of Educational Experience on the Development of Cognitive Skills.* Final Report to Office of Education. New York, Rockefeller University.

STRAWSON, P. F.

1949 « Truth », *Analysis,* IX, 83-97.

WEIL, E.

1971 « Tradition et traditionalisme », *in* E. W., *Essais et conférences,* I. Paris, Plon.

LE SOUCI ANTHROPOLOGIQUE

Pierre Smith

L'année de naissance de la revue *L'Homme* fut aussi celle où je décidai de devenir ethnologue. Cette époque marqua, comme la création de la revue devait en témoigner, un nouvel essor de l'anthropologie française, dû notamment à l'influence devenue prépondérante de l'œuvre et de l'enseignement de Claude Lévi-Strauss qui venait d'être nommé au Collège de France. De vastes perspectives s'ouvraient alors à la recherche et à la réflexion, et nous étions animés de certitudes neuves. L'occasion de cet anniversaire engage à faire le point, brièvement et de façon nécessairement subjective, sur certains aspects d'un champ qui aujourd'hui, pour emprunter à Rodney Needham le titre de sa conférence inaugurale à la chaire d'Oxford, paraît plutôt hérissé de « perplexités essentielles[1] ».

Dans un article, publié dans *L'Homme* en 1978, Louis Dumont écrivait : « De l'alternance de phases que Thomas Kuhn a trouvée dans l'histoire des sciences, l'une, la 'révolution structurale', semble constante chez nous, tandis qu'il reste peu de place pour la phase moins ambitieuse et plus calme vouée à la solution de problèmes limités *(puzzle solving)* dans un cadre sur lequel tous sont d'accord entre deux révolutions[2]. » Actuellement, pourtant, c'est cette dernière qu'apparemment nous vivons, encore que son « cadre » paraisse flou, contesté ou absent, ou du moins guère définissable en termes explicites propres à susciter un très large accord. On peut se demander si celui-ci est possible dans une discipline qui, comme la nôtre, se voue simultanément à défricher et à déchiffrer au plus loin et au plus près, dans un domaine qui n'a d'autres limites que celles de l'univers de l'expérience humaine acquise, reconstituée ou imaginée selon certaines normes qui en sont issues et qui sont sans cesse soumises à de nouvelles évaluations subjectives. Qu'en est-il, par exemple, de notre arrimage à l'idée que nous nous faisons de la science ?

En entendant, il y a vingt-cinq ans, C. Lévi-Strauss définir, de façon étincelante, l'anthropologie comme « l'astronomie des sciences humaines » et parler de l'expérience du terrain comme du « laboratoire » où s'entretient le noyau fondamental de notre activité, nous découvrions comment nous allions devenir des savants voués à une aventure intellectuelle et physique nécessaire. L'optimisme méthodologique du premier recueil intitulé *Anthropologie structurale* était de mise et le caractère scientifique du modèle proposé n'était guère contesté par ceux qui le faisaient leur. Aujourd'hui, l'analogie avec l'astronomie qui scrute des réalités de plus en plus lointaines et évanescentes, et prend en compte de façon essentielle la position de l'observateur, reste fondée eu égard aux ambitions qui permettent à l'anthropologie de conserver une conception de son unité et de son identité, mais nous comprenons mieux que l'instrument décisif des mathématiques dans le laboratoire n'est pas vraiment à notre portée. Si le propre d'une démarche scientifique est de formuler des hypothèses vérifiables, nous n'avons, pour nous départager quant à ce qui est arbitraire ou non dans les vérifications éventuelles elles-mêmes, rien d'autre qu'une intime conviction reposant sur les intuitions d'une sensibilité anthropologique affinée par notre expérience du terrain et nos lectures. Ce sont des critères plus moraux que scientifiques qui emportent l'adhésion nécessaire des uns aux travaux des autres selon l'idée que nous nous faisons du respect d'un idéal jamais atteint.

L'ethnologie a accompli un pas capital dans la connaissance précise d'une masse de faits exemplaires qui ne pouvaient être saisis, à une époque donnée, que par elle, et en multipliant les questions qui se posent à partir d'eux ; mais cela acquis, sa revendication d'un statut plus scientifique que ceux de l'histoire ou de la philosophie, par exemple, repose plus sur le souci qu'il en soit ainsi que sur le caractère inéluctable d'un développement *sui generis* de la raison scientifique armée d'instruments et de méthodes qui lui imposent un itinéraire finalement exact. Nous découvrons pas à pas comment les faits se prêtent le mieux aux analyses, mais celles-ci reposent toujours sur des présupposés ambiants que rien ne vérifie de façon décisive. Les rejets successifs, sur des bases objectives, de présupposés antérieurs déblaient peu à peu l'horizon sans que des découvertes incontestables imposent un consensus positif sur la façon de faire progresser l'explication de faits mieux compris.

Servir la connaissance des sociétés concrètes, de l'étendue et des limites de l'expérience humaine vue à travers les configurations sociales et culturelles, est une tâche passionnante qui ne sera jamais épuisée ; quant à la faire servir, de façon constamment renouvelée, à une connaissance plus fondamentale et générale, il est permis de se demander si l'intérêt en soutiendra indéfiniment le projet sans s'émousser. L'histoire des idées connaît de tels hiatus. Seul l'aiguillon d'une exigence insatisfaite peut finalement nous éviter le piège d'un scepticisme démobilisateur.

Le refus d'asservir l'anthropologie à une idéologie quelconque et la reconnaissance de la nécessité d'une aspiration scientifique, pourtant encore hors de portée, sont susceptibles de susciter un large accord. Cela ne peut suffire, cependant, pour éviter le danger de voir le projet anthropologique se diluer dans les constantes remises en cause de tout apport constructif, se désintégrer dans une multitude d'orientations hasardeuses ou s'estomper dans la brume des utopies délaissées. Il est clair que ce projet doit aussi reposer sur des conceptions propres, suffisamment partagées et adaptées à l'ampleur du champ de la recherche, aux voies permettant de la maîtriser, à la diversité de ses objets et de ses méthodes, au souci de l'objectivité et du progrès de la connaissance, aux limitations, enfin, qui lui sont imposées. Celles-ci apparaissent aujourd'hui plus nettement que jamais et la multiplication vertigineuse, depuis vingt-cinq ans, des recherches de tous ordres, confrontée au lent effacement des sociétés qui constituaient notre « laboratoire », ne fait que les souligner davantage. Elles imposent que nous ayons une conscience suffisamment claire de ce que nous prétendons faire.

Les vastes conceptions de C. Lévi-Strauss, ses hypothèses argumentées, ses analyses particulières nous proposent un cadre, des orientations et des modèles qui, pris dans leur ensemble, n'ont été remplacés par rien de plus satisfaisant ou cohérent. Cet héritage ne peut être contourné sans que l'anthropologie française paraisse renoncer à sa mission collective face à la notion même d'un projet qui n'a jamais été formulé de façon plus raisonnée et plus complète. Il est, certes, bien des façons d'en tenir compte, y compris celle qui consiste à proposer mieux ou autre chose, fût-ce dans un cadre plus restreint, mais le projet anthropologique ne saurait consister à refléter simplement le puzzle désordonné des réalités multiples que nous étudions. Préfaçant *Le Regard éloigné*, Lévi-Strauss écrivait, en 1983, à propos du titre donné à *Anthropologie structurale deux* (1973) : « Le titre du livre de 1958 avait valeur de manifeste ; quinze ans plus tard, le structuralisme ayant passé de mode, il était opportun que je m'affirme fidèle aux principes et à la méthode qui n'ont cessé de me guider. » La mise en ordre de notre activité exige au moins que nous prenions position par rapport à ce legs qui nous domine. Or il est frappant de constater que, bientôt quinze ans après la parution du dernier volume des *Mythologiques*, cette somme, couronnement de l'œuvre, qui semblait, comme naguère l'ouvrage sur la parenté, inviter à une gigantesque partie de *puzzle solving*, continue de laisser quasi interdite la communauté anthropologique. Sans doute cela tient-il, pour une part, à la présentation et à la difficulté de l'œuvre elle-même, qui portent à s'arrêter de façon critique sur certains aspects formels de la démonstration sans guère en discuter les principes, et à s'en servir plutôt comme d'un index où puiser des intuitions neuves sans trop se préoccuper de ce qui les a rendues possibles. Mais cela tient, pour une autre part, au fait que la profession ne s'organise pas spontanément autour du schéma, retenu par Lévi-Strauss lui-même, qui distingue trois niveaux d'élaboration superposés et imbriqués, correspondant à la triade terminologique : ethnographie, ethnologie, anthropologie. Il ne s'agit pas, bien sûr, d'attendre des ethnologues qu'ils se mobilisent sur le thème des mythes, mais les *Mythologiques* portent d'abord sur la conception même de l'étude des cultures à des fins de généralisation, et notre pratique ne peut se désintéresser de ce qui est censé la légitimer.

La triade terminologique n'a vraiment paru fonctionner qu'un temps. Elle recouvre cependant aussi un chevauchement historique au cours duquel le deuxième puis le troisième terme en sont venus à se substituer de plus en plus fréquemment au premier pour désigner les travaux et les chercheurs d'une même lignée sans que, dans la plupart des cas, le niveau d'élaboration en cause le justifie vraiment.

Il est bon de se souvenir, me semble-t-il, que les premiers de nos prédécesseurs sur le terrain se dénommaient, en France, ethnographes et trouvaient dans la modestie de cette appellation une légitime fierté associée à la grandeur des commencements. Les mêmes ou leurs élèves sont devenus ethnologues à la faveur de l'essor institutionnel de la discipline qui supposait que désormais les faits étaient recueillis moins pour leur intérêt propre que pour les analyses plus générales qu'ils suscitaient. Mais la désuétude dans laquelle est tombé le terme ethnographie ne se justifie pas, puisque nous sommes d'abord les ethnographes des sociétés que nous étudions sur le terrain et que l'ethnographie demeure le fondement de toute notre activité.

Quant à la vogue actuellement plus marquée du terme anthropologie, elle a d'autres racines que la justification par le contraste entre les niveaux d'élaboration et rien n'indique qu'elle recouvre, le plus souvent, autre chose que l'ethnologie qui a elle-même absorbé l'ethnographie. On en vient même à parler aujourd'hui de « l'anthropologie des populations nomades[3] », ce qui, il y a vingt ans, eût paru faire référence, soit à l'anthropologie physique, soit aux conceptions anthropologiques de ces populations elles-mêmes. Cela s'explique, en partie, par l'alignement sur la tradition anglo-saxonne qui n'a vraiment commencé à influencer de tout son poids les travaux français, en s'en nourrissant dès lors elle-même de façon plus suivie, qu'à partir de ce renouveau qu'incarnait la première parution de *L'Homme*. On peut y voir, d'autre part, un effet des attaques dont l'ethnologie et les ethnologues ont été parfois l'objet, sous ces vocables, de la part d'idéologues divers, issus de certains des pays où nos recherches étaient menées et aussi du sein même de la profession en France. Le terme d'anthropologue, avec la distance plus grande qu'il évoque par rapport à la présence sur le terrain et aux particularités de nos travaux, a pu paraître à certains moins compromettant. Il connote enfin l'ambition théorique la plus vaste et flatte mieux sans doute les lettres de noblesse scientifiques dont on souhaite se parer, mais aussi l'espoir constant d'aboutir, par des raccourcis, à des propositions générales concernant l'homme et non les seules « ethnies ». Si les Anglo-Saxons n'utilisent qu'un seul terme là où nous en avons deux, ceux-ci désignent pour nous à la fois la même chose et un contraste quelque peu équivoque, qui n'est pas sans rapport avec la tendance plus prononcée aux spéculations de portée universelle et aux débats idéologiques que nos confrères étrangers disent souvent noter chez nous en y voyant une audace peut-être stimulante, mais aussi un travers proprement indigène.

Beaucoup d'ethnologues caressent le secret espoir de pouvoir, dans un même écrit à propos de leur terrain de recherche, passer de la présentation des données ethnographiques à des formulations innovatrices de théorie anthropologique fondamentale. Evans-Pritchard, dans ses grands livres sur les Zande et les Nuer, a sans doute été le premier, resté inégalé dans cet art, à décrire les faits minutieusement observés de telle sorte que d'eux-mêmes ils se fassent comprendre à un niveau d'abstraction adéquat débouchant sans effort apparent sur des progrès décisifs dans la théorie anthropologique de l'époque. Chez lui, les trois niveaux d'élaboration se recouvrent dans un même jet où le talent littéraire ne laisse pas ressentir au lecteur toute l'érudition, le comparatisme implicite et la profondeur d'une analyse menée simultanément sur plusieurs paliers requis et disposant le détail concret de façon à révéler le principe général qui explique son occurrence dans le contexte évoqué. Cet état de grâce qui permettait de balayer d'un coup, sans quitter son poste d'observation, tant de spéculations fausses qui avaient cours alors, ne s'épanouirait sans doute plus de la même manière dans la situation actuelle, si compliquée et si diversifiée, de notre discipline. Mais cet exemple permet de se demander, à titre utopique, si une description ethnographique vraiment judicieuse, dans sa présentation idéale, ne pourrait pas être en même temps le fruit et le manifestation probante d'une anthropologie accomplie. A cet égard, la position médiane de l'ethnologue, à la fois sujet et objet de son expérimentation, reste stratégique.

Cette position médiane et la conception traditionnelle des niveaux d'élaboration ont été mises en cause, de façon ressentie comme provocante et qui a soulevé quelque émotion, dans un article de mon ami Dan Sperber, publié dans *L'Homme*, suivi d'une polémique, puis repris sous forme modifiée dans un recueil d'essais intitulé *Le Savoir des anthropologues*[4]. C'est d'ailleurs un passage de l'œuvre d'Evans-Pritchard qu'il utilise pour illustrer son propos par une analyse fine qui, étendue à la quasi-totalité des monographies ethnologiques, disqualifierait leur prétention à servir de base pour une approche théorique véritablement scientifique. Le terme même d'ethnologie est complètement évacué au profit de celui d'« ethnographie interprétative » par opposition à l'ethnographie descriptive, seule reconnue comme source de données valables pour le théoricien. Dan Sperber propose donc un « divorce » entre l'anthropologie et l'ethnologie telle qu'elle est pratiquée, divorce qui pourrait cependant être provisoire et finalement fécond. L'interprétation, pour lui, n'a pas de place dans un projet scientifique qui doit se vouer tout entier à l'explication.

Pour que les travaux d'ethnologie servent à nouveau de base, il faudrait qu'ils s'accompagnent d'un commentaire descriptif permettant de reconstituer le parcours effectué à partir des données brutes, prises dans leur contexte, pour aboutir au raccourci de la présentation interprétative. Quant aux interprétations, quand bien même on les concevrait avant tout, ainsi que le faisait Evans-Pritchard, comme des traductions aussi fidèles que possible fondées sur la compréhension, elles ont d'autres raisons d'être qui se justifient et un public qui en a besoin, mais l'anthropologie théorique n'aurait plus à s'assigner pour rôle de les évaluer. Enfin, l'ethnographie descriptive devrait aussi, pour œuvrer dans une perspective scientifique, réviser ses modes de présentation car, malgré l'immense littérature, les données vraiment utiles au projet d'anthropologie cognitive manquent le plus souvent ou sont trop imprécises.

Pour Sperber, la traduction par un individu particulier d'une expérience collective, qui n'est elle-même que le composé d'expériences individuelles fort variées et fluctuantes, est sujette à caution. On peut décrire des procédures et des attitudes, rapporter des dialogues et des citations, et s'efforcer d'expliquer leur occurrence dans tel ou tel contexte à partir d'hypothèses psychologiques rationnelles suffisamment précises, mais écrire que « les Nuer pensent ceci ou cela... » est une généralisation interprétative qui reste elle-même à expliquer et ne constitue pas une donnée scientifique fiable. Bref, l'intuition et la compréhension de l'ethnologue — sa compétence, pourrait-on dire —, instruments sensibles qui font, dans la plupart des cas, l'originalité de sa démarche, sont des processus cognitifs comme les autres et sont à mettre objectivement sous le projecteur dont ils ne peuvent par eux-mêmes constituer la source lumineuse.

Certes, l'explication des faits socioculturels et des interactions dont ils sont le théâtre ne saurait être réduite que partiellement à l'explication psychologique. Pour parer à cette objection et étendre les perspectives de son modèle théorique de façon plus positive que simplement critique, Sperber, soulignant pour sa part l'absence d'autonomie ontologique de la culture, propose, dans des textes ultérieurs[5], la constitution d'une sorte d'épidémiologie des représentations ; cette approche de l'anthropologie serait à celle de la psychologie cognitive dans un rapport analogue à celui de l'épidémiologie à la pathologie.

Les positions de Sperber sont cohérentes, argumentées, plus nuancées qu'il n'y paraît à première vue et, même sans adhérer à ses présupposés, on peut accepter le bien-fondé de beaucoup de ses remarques critiques et de sa préoccupation de renouveler notre pratique, notamment dans le rapport de la théorie au terrain. Quoi qu'il en soit, elles font partie du tableau qui nous est offert aujourd'hui, où les entreprises indiscutablement ambitieuses et respectables sont rares.

Quant aux présupposés, ils reposent sur un double credo : l'anthropologie théorique peut et doit accéder à l'idéal scientifique, fût-ce au prix de mutilations ; elle ne peut y tendre actuellement qu'en se référant à la psychologie cognitive, elle-même inspirée par l'œuvre de Chomsky. A cet égard, Sperber prend la suite de Lévi-Strauss qui se référait aux acquis de la linguistique structurale. Ce qui heurte plutôt, c'est l'impression qu'il donne de prétendre camper sur une position qui seule détiendrait l'exclusivité de l'étiquette scientifique, mettant ainsi anthropologues, ethnologues et ethnographes dans l'obligation de choisir entre suivre, proposer mieux ou s'exclure de cette partie de la science en marche à laquelle ils croient œuvrer. Mais, après tout, il est normal qu'une perspective de ce genre porte à vouloir déblayer le terrain avec vigueur pour faire place nette, et que cela dérange.

Le choix d'Evans-Pritchard pour illustrer le manque de

pertinence de l'ethnographie interprétative pour une théorie scientifique explicative n'est pas sans signification, car Evans-Pritchard était au fond d'accord avec Sperber sur l'essence de ses propres travaux. Son nom est associé à un débat mémorable où, contre son maître Radcliffe-Brown, il défendait l'idée que l'anthropologie sociale ne saurait être une science sur le modèle des sciences naturelles, mais fait partie de ce que nous appelions les humanités ou, au sens large, les lettres. De façon concomitante, il s'est aussi converti, avec un certain retentissement, au catholicisme, en soutenant qu'on ne pouvait comprendre une religion sans adhérer à l'une d'entre elles. Parlant de lui à Cambridge, en 1975, avec son vieux compère Meyer Fortes, dont l'œuvre ne trouverait sans doute pas plus grâce scientifique aux yeux de Dan Sperber, je me suis fait raconter cette brève anecdote peu connue qu'il ne me semble pas trop déplacé de mentionner ici : « Evans-Pritchard, disait Meyer Fortes d'un air scandalisé, n'a jamais été un scientifique ! Un jour, nous étions sur le même bateau au retour d'Afrique et, par temps calme, il s'asseyait à une table sur le pont pour commencer à rédiger son livre sur les Nuer. Au fur et à mesure qu'il progressait, il jetait ses notes de terrain à la mer ! » Il faut sans doute faire la part de l'esprit provocateur et malicieux d'Evans-Pritchard dans ce geste qu'on ne peut, bien sûr, donner en exemple à personne, mais il faut comprendre qu'il avait décidé de se libérer ostensiblement du carcan « scientifique » et de l'atmosphère raréfiée qu'imposait alors la prépondérance de Radcliffe-Brown sur l'anthropologie britannique. Ce faisant, il a accompli une œuvre magistrale qui annonçait sur bien des points, notamment par le déplacement du sens de la notion de structure vers la recherche d'un agencement significatif des représentations, l'entreprise plus ambitieuse de Lévi-Strauss où l'idéal scientifique devait de nouveau être prôné grâce à l'émergence de modèles linguistiques.

Lorsque Dan Sperber, dans un autre essai du recueil cité, évalue l'œuvre de ce dernier, qui fut aussi son maître, il lui reconnaît une valeur pré-théorique par rapport à la position qu'il préconise, et non a-théorique comme celle qui marque les autres approches, notamment relativistes et empiristes, de notre discipline interprétative. Il affirme cependant que cette œuvre vaut mieux, de ce point de vue même, que l'estimation qu'en fait son auteur lorsqu'il en commente la pertinence et confond démarche, méthodologie et théorie, d'une part, et son propre talent créateur avec le structuralisme, d'autre part[6]. Tout en reconnaissant qu'il « n'existe pas aujourd'hui de 'théorie anthropologique' générale qui soit plus élaborée que celle de Lévi-Strauss », il estime que, « comme il en conviendrait lui-même, ses hypothèses ne sont pas 'scientifiques' au sens que le mot prend en physique ou en biologie » ; il souligne que « Lévi-Strauss est un savant doublé d'un artiste », que son attitude intellectuelle est à la fois « exigeante et téméraire » et que « c'est en séduisant qu'il convainc[7] ». A sa façon, il situe la source et les limites des accomplissements « préthéoriques » de Lévi-Strauss dans les qualités d'intuition, d'imagination créatrice et de labeur ardu qu'Evans-Pritchard revendiquait pour sa propre pratique en demandant qu'on les laisse s'épanouir en dehors des préoccupations prétendues scientifiques de son époque. La position de Sperber à l'égard de Lévi-Strauss est ainsi symétrique et inverse de celle d'Evans-Pritchard par rapport à Radcliffe-Brown.

Commentant cet ancien divorce et estimant que la pensée ethnologique voyait à tort de véritables antinomies dans certaines oppositions qui font l'originalité de sa démarche, Lévi-Strauss écrivait en 1960 : « On a beaucoup discuté ces temps derniers, surtout en Angleterre, pour savoir si l'anthropologie [...] relève des sciences humaines ou des sciences naturelles [...]. L'anthropologie nous semble, au contraire, avoir pour caractère distinctif de ne jamais se laisser réduire à l'une ou l'autre dimension. Il est clair que l'histoire d'une part, les sciences naturelles de l'autre, appréhendent la même réalité bien qu'elles la saisissent à des niveaux différents. Qu'elle le veuille ou non, l'anthropologie ne réussit jamais à se situer exclusivement à l'un de ces niveaux, ou à un niveau intermédiaire : elle pratique une coupe perpendiculaire qui, à défaut d'une perspective profonde qui lui manque, l'oblige à considérer simultanément tous les niveaux[8]. »

Le structuralisme a certainement fourni un cadre et des moyens neufs à cette obligation, mais sans doute en payant pour cela un prix qui peut être jugé excessif, au sens soit d'une prise en compte insuffisante des hypothèses qui permettraient de reconstituer la « perspective profonde » et des objectifs plus proches de ceux de la science, soit de l'abandon relatif de certains niveaux et perspectives proprement anthropologiques mais plus rebelles aux critères de l'objectivité. La simultanéité peut alors céder la place à des démarches qui s'ignorent, s'opposent ou alternent en attendant qu'une nouvelle synthèse puisse prétendre les réunir de façon précaire.

Dans *Le Totémisme aujourd'hui*, Lévi-Strauss montre bien que Radcliffe-Brown et Evans-Pritchard apportèrent chacun au problème une contribution qui préfigurait partiellement la sienne ; leurs partis pris opposés quant à la démarche anthropologique n'étaient pas en cause, sinon en ceci qu'ils bloquaient chez le premier l'épanouissement de certaines hypothèses et empêchaient le second de donner à ses intuitions une formulation plus ample de la solution entrevue. Le déplacement fécond des questions posées au totémisme était en germe chez chacun d'eux, mais ni le cadre de pensée auquel se référait l'un, ni la liberté que se donnait l'autre, ne leur ont permis d'aboutir à une formulation décisive, et c'est en appliquant à ce thème classique une pensée formée sur d'autres objets que Lévi-Strauss y est parvenu avec la force de l'évidence. Ces déplacements sur divers plans déterminent plus souvent les progrès marquants de la discipline que la mise à l'épreuve, dans un cadre défini d'avance, d'hypothèses théoriques appliquées aux données d'un grand nombre de sociétés. Et si les analyses des ethnologues sont, jusqu'à un certain point, dans un rapport de subordination à l'égard des formulations théoriques, celles-ci leur servent aussi d'outils variés plutôt que de plans de recherche mutuellement exclusifs. La pensée de l'ethnologue se doit d'être ouverte d'abord à ceux qu'il étudie, en recherchant les moyens d'expression les plus adéquats — y compris, comme le préconisait aussi Evans-Pritchard, dans une large culture humaniste —, avant de s'élever vers les généralisations ; il y a là quant aux priorités une divergence que Sperber dramatise en proposant un divorce.

Les paliers d'abstraction auxquels doit s'arrêter successivement notre démarche posent cependant un problème dont l'approche judicieuse ne se confond pas nécessairement avec des prises de position plus ou moins scientistes. Celles-ci sembleraient même moins aptes que d'autres à harmoniser ethnographie, ethnologie et anthropologie. Une œuvre exemplaire à cet égard, par sa rigueur, la conscience lucide et clairement exposée de la portée de ses cheminements, sa vaste ambition dénuée de prétention, est celle de Louis Dumont qui, à côté de celle, majestueuse, de Claude Lévi-Strauss, occupe et diversifie avec bonheur le paysage actuel de l'anthropologie théorique française.

Inspiré de façon essentielle par Marcel Mauss, Louis Dumont reconnaît en Evans-Pritchard et Lévi-Strauss deux influences qui l'ont, un moment, marqué, et il a construit une œuvre tout à fait originale au sein de laquelle les questions qui viennent de nous occuper trouvent des réponses à la fois fermes et nuancées. Pour lui, l'anthropologie est la science sociale fondamentale et se doit d'entretenir en elle-même la tension spécifique qui caractérise le rapprochement du social et du scientifique. Elle assume la cohérence de la pensée mythique, « enracinée dans sa multidimensionalité » : comme elle, elle a pour vocation aussi de « ré-unir, com-prendre, re-constituer ce que [la rationalité discursive de la science] a séparé, distingué, décomposé » ; le maintien du projet anthropologique au sein de la communauté scientifique est à ce prix[9].

Dans la perspective de Dumont, l'esprit humain est une partie de la société avant d'être une partie de la nature, et le milieu social, en tant que tel, est « naturel » à sa façon. Il invite ainsi l'anthropologie sociale à poursuivre jusqu'à ses conséquences ultimes un idéal propre avant de mesurer son rapport à la science, car celle-ci et le rationalisme qui la soutient entrent dans le champ de son interrogation : « Si l'on fait le compte des apports réels et des ornements empruntés, on trouvera que l'influence des sciences exactes est positive, leur imitation négative[10]. » Plutôt que d'évaluer, comme Lévi-Strauss et Sperber, jusqu'à quel point l'anthropologie peut et doit être une psychologie, il s'efforce, en procédant à l'investigation comparative des idéologies représentatives de sociétés globales, de réintégrer la sociologie dans l'anthropologie en remettant celle-ci à la tâche que lui assignait Mauss lorsqu'il privilégiait la saisie des touts concrets où la dimension mentale est subordonnée à la dimension sociale, laquelle ne peut être conçue simplement comme le produit d'interactions entre les individus.

La dimension universelle est à saisir par nous à travers ces touts concrets, car « chaque culture (ou société) exprime *à sa manière* l'universel[11] », et « ce que l'anthropologie a de plus précieux, ce sont les descriptions et analyses d'une société déterminée, les monographies[12] ». Pour Dumont, le travail de l'ethnologue et celui de l'anthropologue ne sont donc pas séparables, dans la pratique comme dans la théorie. Le passage de l'observation concrète à différents paliers d'analyse et d'abstractions de portée générale fait l'objet, chaque fois, de discussions scrupuleuses, et on voit mal ce qu'on pourrait opposer à son parti pris et à la façon rigoureuse dont il en suit les conséquences en ramenant sa réflexion de l'Inde à notre propre société et à l'anthropologie elle-même qui en est issue.

Il est sans doute significatif que Dumont ne soit même pas mentionné dans *Le Savoir des anthropologues* de Dan Sperber. Ce sont là deux conceptions qui se tournent résolument le dos et entre lesquelles celle de Lévi-Strauss occupe une position médiane, dont le caractère synthétique a permis à l'un et à l'autre d'y trouver des inspirations tout en s'en distanciant.

L'étude des idéologies au sens de Dumont, celle des

mythes à la manière de Lévi-Strauss et l'approche cognitive préconisée par Sperber portent cependant sur des aspects étroitement solidaires d'une même réalité diversement cadrée et saisie plus ou moins près du social, du culturel ou du mental hiérarchisés en fonction de la perspective retenue. Pour une bonne part, les incompatibilités explicites entre ces auteurs tiennent à leur désir de souligner la pertinence du mode d'approche et des objets d'étude choisis. Leurs accomplissements patents s'opposent moins que les objectifs ultimes qu'ils font miroiter, laissant entendre que d'autres démarches ne seraient peut-être pas aussi nécessaires ou fécondes. A cet égard, l'ethnologue confronté aux données du terrain peut rester le maître de son jeu et s'interdire de choisir de façon trop unilatérale. Il est plus le révélateur de ce qui peut être encore pensé que de ce qui l'a déjà été et à quoi il se doit donc de rester constamment éveillé.

La remarque profonde de Louis Dumont invitant à saisir en chaque culture ou société concrète sa dimension universelle est des plus propres à stimuler les rapports indispensables et vivifiants entre l'ethnologie et l'anthropologie théorique qui risquent fort, sans cela, de s'essouffler et de s'étioler. La dimension universelle se présente dans une société globale autant par tout ce qui y est présent que par tout ce qui est en creux ou absent ; elle se révèle, à divers niveaux, dans l'agencement de l'ensemble. La tâche primordiale de l'ethnologue reste d'en faire le tableau adéquat qui ne peut résulter que de la comparaison au moins implicite avec d'autres, guidée nécessairement par les diverses mises en relief de la réflexion théorique.

Ce qui décourage sans doute dans les *Mythologiques*, c'est qu'elles donnent l'impression que chaque société ne dispose que de bribes dont on ne peut tirer grand-chose sans les confronter à mille autres venues d'ailleurs. Mais la notion de « mythe unique », introduite à la fin du dernier volume, devrait nous permettre de concevoir, armés de cette confrontation accomplie, que le mythe est tout entier aussi au sein de chaque culture, comme toute la langue est dans chaque langue. Ce qui y est évoqué ne l'est sans doute que d'une façon, mais tout y est nécessairement évoqué, fût-ce dans les creux que font apparaître les comparaisons et les transformations.

L'étude de l'idéologie conçue comme « ensemble social de représentations » n'exclut pas une épidémiologie des représentations telle que la conçoit Dan Sperber, car si on comprenait comment une population « attrape » certains ensembles de représentations plutôt que d'autres et les entretient, on saisirait mieux aussi comment, selon Dumont, le milieu social est, à ce niveau, « naturel » à sa façon.

Enfin, le procès fait à l'interprétation par Sperber me semble porter davantage, dans la perspective qui peut le justifier, sur le niveau auquel s'arrêtent habituellement les interprétations des ethnologues que sur le fait même de l'interprétation. L'interprétation ou la « traduction », quand elles se présentent finalement comme les seules possibles, rejoignent l'explication ou en constituent le levain. Décrire et expliquer les attitudes cognitives des individus au sein d'une société, plutôt que celles de leur ensemble, nécessitent aussi de recourir aux tâtonnements des hypothèses interprétatives. La rigueur est une, au bout du compte, à chacun des niveaux, mais elle s'y exerce différemment. La méthode employée par Louis Dumont pour explorer les ensembles sociaux de représentations ne répond pas aux exigences de l'anthropologie cognitive, mais elle prend le même problème par l'autre bout.

On ne peut, certes, aller trop loin dans la conciliation d'approches divergentes. Il n'en reste pas moins que le projet anthropologique ne survivra, dans sa diversité complexe, que par le souci de maintenir vivante et unifiée une tradition déjà grande en assumant ses ambitions les plus nobles. En France, aujourd'hui, continuer Claude Lévi-Strauss, adopter Louis Dumont et rester attentif à Dan Sperber me paraît être pour les ethnologues l'une des meilleures voies propres à assurer ce souci.

PIERRE SMITH.

NOTES

1. R. Needham, *Essential Perplexities*, Oxford, Clarendon Press, 1978.

2. L. Dumont, « La Communauté anthropologique et l'idéologie », *L'Homme*, 1978, XVIII (3-4), 83-110. Reproduit dans : *Essais sur l'individualisme. Une perspective anthropologique sur l'idéologie moderne*, Paris, Le Seuil, 1983, 188-189.

3. *L'Homme*, 95, 1985, XXV (3), 97.

4. D. Sperber, « L'Interprétation en anthropologie », *L'Homme*, 1981, XXI (I), 69-92. Nouvelle version : « Ethnographie interprétative et anthropologie théorique », *in Le Savoir des anthropologues*, Paris, Hermann, 1982, 13-48.

5. D. Sperber, « Anthropology and Psychology : Towards an Epidemiology of Representations », *Man*, 1985, 20 (1), 73-89.

6. *Le Savoir des anthropologues, op. cit.*, 91, 125.

7. *Ibid.*, 126.

8. C. Lévi-Strauss, *Paroles données*, Paris, Plon, 1984, 34.

9. L. Dumont, *Essais sur l'individualisme, op. cit.*, 207-209.

10. *Ibid.*, 206.

11. *Ibid.*, 195.

12. *Ibid.*, 17.

HOMMAGE

A propos de

*La Potière jalouse**

de Claude Lévi-Strauss

* Plon, 1985.

En 1962 paraissait La Pensée sauvage *qui précédait de peu le premier volume des* Mythologiques : Le Cru et le Cuit. *En 1985, avec* La Potière jalouse, *le thème de la poterie a succédé à celui du feu de cuisine, mais il s'agit toujours de mythologie amérindienne, du passage de la Nature à la Culture, et aussi et surtout d'une réflexion sur la nature de la pensée mythique qui, « surgie du fond des âges, tutrice irrécusable, [...] nous tend un miroir grossissant où sous forme massive, concrète et imagée, se reflètent certains des mécanismes auxquels est asservi l'exercice de la pensée ».*

Ces ouvrages ont marqué les anthropologues, qu'ils s'en rendent compte ou non. Aussi, en clôture de cet ouvrage et en hommage au fondateur de L'Homme, *avons-nous voulu que figurent deux commentaires de l'œuvre la plus récente de Claude Lévi-Strauss.*

DU DÉNICHEUR A LA POTIÈRE

Emmanuel Désveaux

La Potière jalouse suppose et reprend l'une des thèses fondamentales développées dans les *Mythologiques*, à savoir que la mythologie américaine est une. Dans cette perspective le livre se veut un complément des quatre volumes qui composent les *Mythologiques*, dont le thème conducteur était la conquête du feu par l'humanité sur les puissances célestes. Avec *La Potière jalouse*, C. Lévi-Strauss montre, parallèlement à cette leçon, que des mythes américains provenant parfois de populations très éloignées les unes des autres s'accordent pour expliquer l'origine de la poterie : l'humanité ne l'aurait pas acquise par conquête mais grâce à un don des puissances chthoniennes. La contrepartie de cette facilité originelle réside dans la fragilité de cet acquis. En effet, ces puissances se montrent d'un caractère susceptible, toujours portées à reprendre ce qu'elles ont donné, d'où les multiples précautions rituelles qui accompagnent en général la fabrication des pots, et le fait que les mythes « à poterie » traitent tous de la jalousie d'une façon ou d'une autre. Le raisonnement suivi s'articule à partir d'une réflexion — qui a été élargie — sur la mythologie amazonienne du paresseux, objet du cours donné au Collège de France durant l'année 1964-1965[1]. Quel lien existe-t-il entre le paresseux, la poterie et la jalousie ? Entre l'engoulevent et des histoires scatologico-astronomiques ?

Bien que C. Lévi-Strauss se défende d'avoir voulu faire œuvre pédagogique[2], *La Potière jalouse* paraît d'un abord plus aisé que les *Mythologiques*. Le texte, dont sont exclues les références — rassemblées en fin de volume —, est relativement bref. Toujours dans le souci, semble-t-il, de faciliter la lecture, le système d'indexation des mythes disparaît ainsi que leur présentation sous forme de résumés typographiquement distingués de leur analyse. Il est vrai que les matériaux mobilisés ici sont sans commune mesure avec la masse de ceux traités dans les *Mythologiques* et n'exigeaient donc pas les mêmes procédés d'exposition. En bref, on a l'impression que la forme choisie tend à couper l'herbe sous le pied de certains détracteurs des *Mythologiques* qui, n'ayant rien trouvé à (re)dire sur le fond, les rejettent en bloc sous prétexte qu'elles sont inabordables.

On perçoit aussi une plus grande liberté de ton qui, au moment de la parution du livre, n'a pas échappé aux commentateurs : ils ont vu un lien entre ce ton nouveau et le fait que *La Potière jalouse* semble être construite selon le principe du « collage », dont l'adoption serait en quelque sorte un hommage rendu par C. Lévi-Strauss aux fréquentations surréalistes de sa jeunesse. Ainsi, grâce à la continuité textuelle, les mythes appelés à comparaître jouxtent directement les savoirs positifs que l'auteur invoque pour les élucider, les analyses que ces mythes inspirent et l'exposé des croyances ou des pratiques rituelles auxquelles ils correspondent. Quelques digressions accentuent encore cet effet de *patchwork* littéraire, qu'elles soient consacrées à des types de classifications sociologiques singulières, à d'exotiques et anciennes pratiques psychanalytiques ou à un rapprochement entre un drame antique et une comédie dite de boulevard. En réalité, cet effet tient surtout aux exigences de la méthode, inchangée depuis les *Mythologiques*, qui impose d'une part la référence à la multiplicité des codes propres au langage mythique, de l'autre des allées et venues constantes entre aires ethnographiques différentes. Mais si ces exigences donnent cette impression, c'est parce que le rythme selon lequel s'enchaînent les propositions est particulièrement soutenu. Enfin, la critique de Freud sur laquelle s'achève *La Potière jalouse* n'est certainement pas étrangère à la tonalité générale du texte. C. Lévi-Strauss choisit avec pertinence quelques citations freudiennes puis en fait ressortir l'inconsistance ou souligne qu'elles se contredisent entre elles. Remarquons que cette démonstration convainc d'autant plus qu'elle est préparée de longue main, si l'on peut dire, depuis le début de l'ouvrage. L'auteur y mène tout au long une sorte de guerre psychologique contre la psychanalyse. Discute-t-il de mythèmes qui relèvent de l'oralité et de l'analité, thèmes chers aux psychanalystes, il établit leur signification en fonction du code cosmique ou décèle leur transformation en d'autres mythes qui, eux, s'expriment essentiellement grâce à ce code. A moins qu'il ne cherche l'escarmouche : ainsi fait-il des Iroquois les précurseurs des psychanalystes en matière d'interprétation des rêves. Selon un procédé qui combine les deux stratégies, guerre psychologique et accrochage tactique, C. Lévi-Strauss montre que le mythe jivaro qui ouvre le livre et qui est repris et analysé à chacune de ses étapes révèle en définitive une structure semblable, bien que plus sophistiquée, à celle du mythe « reconstruit » qu'est *Totem et Tabou* et qu'en conséquence Freud n'a rien inventé qui ne le fût déjà. Nous pourrions déchiffrer le texte dans cette seule perspective et multiplier les exemples à l'envi.

L'aspect « collage » de *La Potière jalouse* masque donc une orchestration thématique qui n'a rien d'arbitraire au regard de son dénouement polémique. Cela dit, ne nous méprenons pas sur son intention véritable. Les quatre premiers chapitres suffisent pour établir la thèse — reprise et développée à la fin — selon laquelle des puissances chthoniennes jalouses auraient donné la poterie à l'humanité. C. Lévi-Strauss ne cherche donc pas uniquement à dégager une mythologie de la poterie à l'échelle du Nouveau Monde. Il se propose plutôt de mettre à nu une structure de pensée latente et de démontrer qu'illustrée concrètement par la bouteille de Klein elle est en fait indépendante de cette mythologie particulière, comme elle l'est de tous les mythes qu'elle fonde. Le parcours suivi ici n'est qu'un des répertoires possibles de tous ces mythes. Ou, pour dire les choses autrement, il s'agit de prouver à partir d'un exemple qu'il existe une même structure logique à l'origine de mythes fort différents quant à leur signification, ne serait-ce que par l'hétérogénéité absolue des objets réels ou imaginaires auxquels ils se réfèrent (en l'occurrence la poterie, la fonction excrémentielle, certains animaux à la distribution géographique très restreinte ou au contraire très étendue, des corps célestes, la jalousie, etc.). Aussi bien, *La Potière jalouse* relève d'une heuristique du champ que définissent les *Mythologiques*. Considérons ces dernières de façon très synthétique pour les besoins du moment : C. Lévi-Strauss partait du mythe bororo du dénicheur d'oiseaux et étendait progressivement à l'échelle de tout le continent sa valeur paradigmatique en tant que signifiant l'acquisition du feu domestique et le passage de l'état de nature à l'état de culture. Dans *La Potière jalouse* en revanche, il dégage la valeur paradigmatique de la poterie — vite établie, on l'a vu — pour la réduire à la structure logique sous-jacente. Dans le cas du mythe bororo de référence, la structure sous-jacente oppose deux représentants de deux générations successives, disjoints sur un axe vertical. Tous les développements des *Mythologiques* tendent vers un double but : démontrer 1. que cette structure vaut pour toute l'Amérique ; 2. que cette universalité tient à sa capacité de signifier, à partir des oppositions les plus fondamentales « qu'il soit d'abord donné à l'homme de concevoir, entre le ciel et la terre dans l'ordre physique, entre l'homme et la femme dans l'ordre naturel, entre les alliés par mariage dans l'ordre de la société » (*L'Homme nu*, p. 558). Dans *La Potière jalouse*, la démonstration ne débouche pas, du moins pas aussi immédiatement, sur un réinvestissement sémantique comparable à celui opéré à la fin des *Mythologiques*. Si la leçon — la structure logique sous-jacente à un mythe est la même que celle à laquelle il faut recourir pour découvrir son sens — est délibérément plus modeste, c'est pour éviter tout risque de malentendu. Offrir une analyse juste d'un mythe ou d'un ensemble de mythes revient à dévoiler la logique qui les sous-tend. Et c'est bien parce que cet aspect des choses avait échappé à bon nombre de lecteurs des *Mythologiques*, notamment anglo-saxons, que C. Lévi-Strauss reprend la question sous l'angle adopté aujourd'hui. A cette occasion, il reformule avec une rare clarté quelques points théoriques. Ainsi rappelle-t-il que la mise en parallèle de la linguistique structurale et de l'analyse structurale ne devient pertinente que lorsqu'elle repose sur la correspondance entre phonème et mythème (p. 197). Il explique de même la fonction psychologique du mythe (p. 227). Enfin, il termine sur une discussion des mécanismes de la signification. Tentative de clarification, ce texte se veut aussi démonstration méthodologique. Y apparaissent en effet plusieurs applications de la « formule canonique », des exemples du passage de la déduction empirique à la déduction transcendantale, une investigation systématique d'un champ sémantique grâce à l'établissement d'une table de commutation, l'illustration du principe de la variante combinatoire...

L'apport de *La Potière jalouse* ne se limite pas à son aspect théorique. L'ouvrage synthétise une masse appréciable de matériaux ethnographiques provenant des deux Amériques. Il propose des solutions, globales ou locales, aux problèmes qu'ils soulèvent. Toutefois ne nous y trompons pas : l'aisance et le rythme soutenu dont fait preuve C. Lévi-Strauss dans la mobilisation et le traitement de ces matériaux reposent sur le formidable travail de défrichement auquel a donné lieu la rédaction des *Mythologiques*. L'auteur ne s'en cache pas[3] qui y renvoie le lecteur en de très nombreux endroits. De fait, en vertu de l'unité de la mythologie américaine, l'itinéraire emprunté dans *La Potière jalouse* croise à plusieurs reprises les principaux cycles transformationnels qu'il y avait tracés, notamment celui de la dispute des astres, auquel appartient justement le mythe jivaro qui fait ici office de mythe de référence. Pratiquement tous les mythes passés en revue renvoient à ce cycle, ce qui n'est pas surprenant dans la mesure où la dispute des astres connote aussi la jalousie. Chez les Modoc en Californie septentrionale comme en Amérique du Sud chez les Karaja, le mythe à engoulevent se confond avec le thème du mari-étoile, ramification directe du même cycle. La grenouille, élément clef de la dispute des astres chez les Indiens des Plaines, se rencontre en liaison avec l'engoulevent aussi bien chez les Ute que chez les Jivaro. Toute la problématique relative aux excréments se rapporte à celle de la lune, soit directement en la personne du démiurge chez les Indiens des missions de Californie — la grenouille joue à nouveau là un rôle primordial —, soit par l'intermédiaire du thème du paresseux amazonien et de ses déjections-météores, soit enfin par le thème du corps mutilé et son corollaire la tête coupée — la triade tête coupée, météores, lune formant système. Par ailleurs, dans d'autres mythologies que C. Lévi-Strauss n'aborde pas ici, la tête coupée est une « tête qui roule » dont la variante combinatoire n'est autre que le rocher avec lequel Engoulevent a des démêlés, thème qu'il identifie en Amérique du Nord pour le rapprocher de celui des éclats, toujours en association avec l'engoulevent et la poterie dans les deux sous-continents. Que les mythes discutés ici, tantôt radicalement différents, tantôt très semblables mais recueillis à des milliers de kilomètres, restent étrangement solidaires d'un des grands thèmes panaméricains suggère une nouvelle dimension du système mythique global. Nouvelle dimension, dans le sens de l'épaisseur aimerions-nous dire : dans les *Mythologique*, on reconstruisait par étapes successives les transformations du mythème de départ en passant le plus souvent d'une aire ethnographique à l'aire voisine. Or, à notre sens, parler de l'épaisseur d'un mythème, en contraste avec ses métamorphoses linéaires, a des implications qu'atteste d'ailleurs l'argumentation de *La Potière jalouse*.

L'épaisseur confère une très grande extension spatiale aux thèmes mythiques concernés. C'est le cas de la « théorie arboricole » et de son expression sous la forme de croyances diverses mais extraordinairement répandues, surtout en Amérique du Nord, en un peuple de nains chthnoniens dépourvus d'anus. A cet égard, la démonstration de C. Lévi-Strauss constitue certainement le morceau de bravoure du livre puisqu'il nous mène du paresseux au démiurge des Indiens des missions qui défèque du haut d'un poteau. Elle pose néanmoins le problème de la valeur relative d'un même schème au sein de chaque mythologie locale qui y a recours. Il semblerait en effet qu'un schème mythique possède une distribution d'autant plus large et homogène quant à sa forme qu'il est le lieu d'un investissement sémantique limité. Les nains chthoniens nord-américains n'occupent-ils pas une place marginale dans les mythologies locales en comparaison de leurs homologues tacana, survivants d'un incendie primordial et ancêtres de l'humanité actuelle, ou encore du démiurge de la Californie méridionale, le fameux déféqueur à moyenne hauteur dont la fin tragique institue la vie brève et participe à l'agencement des ordres tantôt cosmique (son corps devenant la lune pour les Luiseño), tantôt biologico-économique (de ses cendres naissent les plantes cultivées pour les Cahuilla et les Cupeño) ? On pourrait faire la même remarque à propos de la mythologie de l'engoulevent qui recouvre d'ailleurs en partie, et pour cause, celle des nains sans anus en Amérique du Nord. Pratiquement partout représentée, elle ne prend un relief très marqué, en l'occurrence franchement cosmique, que chez quelques tribus du Chaco et, bien sûr, chez les Jivaro avec leur version de la dispute des astres.

Tout se passe comme si la valorisation d'un schème mythique était inversement proportionnelle à la distribution de la forme que prend cette valorisation. En un sens, ceci s'accorde avec ce que l'on sait par ailleurs sur la relation de cause à effet entre affirmation mutuelle de l'identité des groupes d'une part, et différenciation par transformation de leurs mythologies respectives d'autre part. Pourtant, cette différenciation résulte nécessairement d'un processus historique, bien que sa nature logique oblitère celui-ci. Notre notion d'épaisseur d'un mythème — nous sommes conscient qu'elle demande à être précisée — ne traduit-elle pas justement une sorte de stratification diachronique du schème à travers l'espace, en quelque sorte perpendiculaire aux cycles — plus aisément déchiffrables — de ses transformations ? Ces questions rejoignent, nous semble-t-il, de très près les préoccupations de C. Lévi-Strauss lorsque, à plusieurs reprises, il reconnaît être frappé par la résurgence de formes mythiques très proches en des lieux géographiques fort distants. Ainsi revient-il plusieurs fois sur une sorte de reduplication des mythes entre l'Ouest de l'Amérique septentrionale et la frange subandine. Ailleurs il remet à l'honneur la thèse de Boas selon laquelle les Iroquois se rattacheraient directement aux cultures du golfe du Mexique et de l'Amérique du Sud... sans pour autant la reprendre entièrement à son compte, il est vrai. Il rapproche de même plusieurs groupes du Chaco de l'Amérique du Nord. Il souligne la commune croyance aux oiseaux-tonnerres et, d'une façon plus générale, les nombreuses analogies entre mythes provenant des deux aires où le code cosmologique semble prédominer. Bien qu'il ne le dise pas explicitement, C. Lévi-Strauss entend par ces rapprochements géographiques rouvrir le dossier d'une corrélation entre distribution spatiale des mythes et histoire des migrations de populations à l'intérieur du Nouveau Monde. Dans ce monde demeuré clos si longtemps, tous les déplacements sont a priori concevables, du Nord au Sud comme du Sud au Nord, par exemple.

On se souvient des critiques très sévères à l'égard des reconstitutions conjecturales chères à l'école culturaliste américaine, que contiennent certaines pages des *Mythologiques*. Cependant, leur auteur ne s'y interdisait pas de noter des résurgences thématiques ou formelles entre mythologies locales éloignées. Il affirmait déjà que ces résurgences n'étaient pas à négliger (à la condition toutefois qu'il ne s'agisse pas de simples ressemblances superficielles), mais renvoyaient au contraire à l'armature logique du vaste système des mythes américains dont elles laissent entrevoir la profondeur historique. C. Lévi-Strauss conçoit d'ailleurs cette histoire comme une succession de réorganisations du système vers un point d'équilibre — c'est-à-dire une cohérence logique entre mythologies locales —, succession d'opérations que seule l'apparition de l'Européen sur la scène américaine a interrompue et dont, en conséquence, les versions des mythes recueillies par les ethnographes ne font que traduire le dernier moment (*L'Homme nu*, p. 184). Ainsi une problématique historique n'a-t-elle jamais échappé à l'auteur des *Mythologiques*. Il n'empêche qu'avec *La Potière jalouse*, dont l'argument s'attache principalement à révéler une structure mythique aux manifestations si éparpillées à travers l'espace américain, C. Lévi-Strauss désigne clairement l'une des directions propres à prolonger, sur un autre plan, sa formidable entreprise. D'emblée, la tâche paraît encore immense sinon impossible qui devra, à l'échelle du continent entier, restituer l'histoire de la distribution spatiale des populations, elle-même indissociable de celle des organisations sociales. Il n'en demeure pas moins qu'en l'état actuel des connaissances les acquis de l'analyse structurale des mythes constituent la base la plus solide pour un tel projet.

*

« Peut-être découvrirons-nous un jour que la même logique est à l'œuvre dans la pensée mythique et dans la pensée scientifique, et que l'homme a toujours pensé aussi bien. Le progrès — si tant est que le terme puisse alors s'appliquer — n'aurait pas eu la conscience pour théâtre, mais le monde, où une humanité douée de facultés constantes se serait trouvée, au cours de sa longue histoire, continuellement aux prises avec de nouveaux objets » (*Anthropologie structurale*, p. 255). Sur ces lignes, écrites il y a trente ans, se terminait l'article « La Structure des mythes » qui inaugure tous les développements à venir sur la question tels que nous les connaissons aujourd'hui. Voici d'ailleurs la conclusion de *La Potière jalouse* : « Ainsi, la réciprocité de perspectives où j'ai vu le caractère propre de la pensée mythique peut-elle revendiquer un domaine d'application beaucoup plus vaste. Elle est inhérente aux démarches de l'esprit chaque fois que celui-ci cherche à creuser le sens ; seules diffèrent les dimensions des unités sémantiques sur lesquelles il fait son labeur. Insoucieuse de trouver au-dehors un ancrage, une référence absolue indépendante de tout contexte, la pensée mythique ne s'oppose pas par là à la raison analytique. Surgie du fond des âges, tutrice irrécusable, elle nous tend un miroir grossissant où sous forme massive, concrète et imagée, se reflètent certains des mécanismes auxquels est asservi l'exercice de la pensée » (p. 268).

On mesure la fidélité de l'auteur à son interrogation initiale, de même que son sentiment d'y avoir répondu pour une grande part. En 1955, le préoccupait surtout de démontrer que pensée mythique et pensée positive sont équivalentes du point de vue de leur fonctionnement logique ; la chose lui paraît désormais bien établie. On perçoit aussi une évolution dans sa réflexion. Ce qui, à l'origine, opposait un type de pensée à l'autre était la nature de leur objet respectif, alors que désormais la différence n'est plus qu'une question d'échelle à l'intérieur d'un même champ, celui de la production du sens. Avec les *Mythologiques* on se trouve conduit d'une première approche partiellement extrinsèque (en se référant à l'objet de la pensée) à une compréhension purement intrinsèque (« insoucieuse de trouver au-dehors un ancrage, une réference absolue indépendante de tout contexte ») de l'activité signifiante. Dès le début de son entreprise sur les mythes, et déjà avant, à propos de l'étude de la parenté, C. Lévi-Strauss a toujours dit s'inspirer du modèle qu'offre la linguistique structurale. Jamais comme dans les dernières lignes citées la justesse d'une telle revendication n'est si clairement apparue.

Beaucoup, sans doute, ne retiendront de *La Potière jalouse* que le chapitre critique à l'égard de la théorie psychanalytique. C. Lévi-Strauss souligne chez Freud non seulement un usage abusif du code sexuel mais, de façon plus fondamentale, une incapacité à trancher « entre une conception réaliste et une conception relativiste du symbole » (p. 247). Or, une telle critique, et le moment de sa formulation, s'expliquent parfaitement une fois reconstitué l'itinéraire de l'auteur. En gros, C. Lévi-Strauss reproche à Freud d'avoir toujours navigué à vue alors que selon une trajectoire parallèle lui-même a fermement tenu le cap jusqu'à atteindre sa position actuelle — résolument mentaliste — sur la nature du symbole comme des autres expressions du même ordre de l'esprit humain.

EMMANUEL DÉSVEAUX.

NOTES

1. *Cf.* « Esquisse pour un bestiaire américain », *in Paroles données,* Paris, Plon, 1984, 109-111.

2. *Cf.* l'entretien accordé au *Nouvel Observateur* daté du 27 septembre-3 octobre 1985, 86-87.

3. *Cf.* l'entretien cité plus haut.

POINT DE CONVERGENCE

Charles-Henry Pradelles de Latour

En l'espace de seize mois Claude Lévi-Strauss a écrit un ouvrage qui renouvelle une fois de plus la problématique de l'anthropologie. L'auteur nous fait non seulement entrer dans l'univers des mythes amérindiens qu'il décode avec son art habituel en mariant le sensible à l'intelligible, mais aussi découvrir qu'une famille de mythes est sous-tendue par une armature dont une surface topologique est l'illustration. De plus, il laisse entrevoir, mieux que quiconque, qu'il y a entre l'ethnologie et la psychanalyse des points de convergence saisissants. C'est ce que nous montrerons lorsque nous aurons appris ce que la potière, en fait plus jalousée que jalouse, met en jeu.

Plusieurs récits provenant de l'Amérique du Sud et de l'Amérique du Nord attestent que la terre à poterie est le motif d'un combat entre un peuple céleste et un peuple aquatique ou souterrain dont les hommes sont les témoins passifs (p. 20). Le mythe initial jivaro et un mythe final iroquois serviront ici de repères.

Les Jivaro racontent qu'à l'origine des temps « le soleil et la lune, alors humains, vivaient [...] sur la terre ; ils avaient même logis et même femme ». Celle-ci, nommée

Aôho c'est-à-dire Engoulevent, préférait la chaleur de Soleil à la froideur de Lune. « Soleil crut bon d'ironiser sur cette différence. Lune se vexa et monta au ciel en grimpant le long d'une liane ; en même temps, il souffla sur Soleil et l'éclipsa. Ses deux époux disparus, Aôho se crut abandonnée. Elle entreprit de suivre Lune au ciel en emportant un panier plein de cette argile dont se servent les femmes pour faire de la poterie. Lune l'aperçut et, pour se débarrasser définitivement d'elle, coupa la liane qui unissait les deux mondes. La femme tomba avec son panier, l'argile se répandit sur la terre où on la ramasse çà et là. Aôho se changea en oiseau de ce nom » (pp. 23-24).

La version achuar de ce mythe mentionne que lorsque Lune fit couper la liane, la femme Engoulevent, prise de peur, déféqua çà et là en désordre, chacun de ses excréments se convertissant en gisement d'argile à poterie (p. 27).

A la suite d'une mésentente conjugale engendrée par la jalousie, une femme est séparée de ses époux et elle-même est dissociée : ses excréments se détachent d'elle et se transforment en argile à poterie. Nous voilà déjà au cœur du problème ; une liaison étroite est établie entre les femmes qui sont généralement potières, l'origine de la terre à poterie et le fait qu'elle sont souvent comparées à des pots. Cette connexion se manifeste de plusieurs manières dans différentes régions. Chez les Desana, seules les femmes font de la poterie, et pour se procurer de la bonne argile elles doivent se rendre sur le territoire de leurs alliés. En liaison directe avec cette règle, on dit que les groupes exogamiques « cuisent » leurs filles avant de les échanger, et d'une femme en état de grossesse qu'elle est un « gros pot » (pp. 238-239). Entre la potière et le pot un rapport métonymique se convertit en rapport métaphorique.

Ce dernier rapport éclaire une autre version plus développée du mythe jivaro. Là, le personnage central du récit, Mika — qui signigie « vase » —, est l'enjeu d'une rivalité entre les puissances du ciel et celles du monde souterrain. Mika, la poterie, est jalousée successivement par Engoulevent, amant éconduit, Paresseux son frère et Serpent d'eau son fils. Ces incestes perpétrés par les deux derniers protagonistes engendrent des conflits irréductibles qui sont à l'origine des guerres entre tribus jivaro.

Ces mythes s'articulent ainsi sur deux séries ternaires : femme-jalousie-excrément d'une part, potière-argile-poterie d'autre part, qui s'entrelacent dans les mythes sous couvert d'un bestiaire et d'une vaste cosmogonie. Engoulevent, femme jalouse et avide d'aliments, est associée à la poterie réceptacle de nourriture, et opposée au Fournier débonnaire et social. Puis Engoulevent est mis en corrélation et en opposition avec Paresseux, animal lui aussi cosmique, mais qui retient ses excréments de peur qu'ils ne se transforment en bolides ou en météores destructeurs. Enfin, d'autres mythes attestent que les météores proviennent d'une décapitation ou de corps morcelés. Cette suite de transformations : jalousie, excrément, météore, corps mutilé, nous amène au mythe iroquois.

« Le récit débute quand la terre n'existait pas encore. Dans le monde d'en bas il n'y avait que de l'eau. Sur une sorte d'île en plein ciel, des êtres surnaturels à forme humaine préfiguraient le genre de vie qui sera plus tard celui des Indiens » (p. 173). Là-haut, dans un village, une famille avait deux enfants, une fille et un fils, qui durent se séparer définitivement le jour où la jeune fille partit épouser un chef indien. L'époux exerça sur sa femme des sévices corporels qui n'assouvirent pas ses craintes ; la jalousie le rendit malade. « En désespoir de cause il assembla la population et supplia qu'on devinât un rêve qu'il avait fait, faute de quoi il mourrait » *(ibid.)*. Météore, un compagnon du chef, celui-là même qu'il soupçonne de relation coupable avec sa femme, devine le « mot » du rêve qui est, selon les versions, « dent », « ordure » ou « excrément ». Le premier terme désigne aussi (par métaphore) une Liliacée ou une Rosacée, toutes deux comparées à l'arbre de lumière. Le sens du rêve est trouvé : il faut arracher l'arbre. « Un trou béant apparaît à l'emplacement des racines. Le chef y conduit sa femme enceinte sous prétexte de déjeuner sur l'herbe et il la précipite dans le vide [...]. Elle tomba 'enveloppée par la lumière du météore', comme une comète, terrifiant les animaux [du monde aquatique inférieur] qui, craignant d'être détruits, créèrent la terre pour amortir le choc » (pp. 176-177). Une autre version précise que la femme apporta dans le monde liquide la première terre à poterie qu'à l'instant de sa chute elle avait arrachée en s'agrippant par les ongles au bord du trou.

A l'instar de l'héroïne jivaro la femme est rejetée par son mari comme des excréments, elle fonce comme les déjections du Paresseux avec la force d'un météore et elle apporte dans le monde souterrain, sous forme de rognures d'ongle, la première terre argileuse. La ressemblance entre les deux mythes est frappante. Dans les deux cas la femme exclue ou ses déchets (partie pour le tout) sont à l'origine de la terre à poterie à laquelle les femmes sont comparées. En reprenant la formule canonique que Lévi-Strauss a dégagée des mythes relatifs à la sarbacane et à la pipe (p. 216), on peut dire : l'excrément-contenu est à la femme-contenant ce que la femme-contenu (femme en tant que personne) est à un contenant qui n'est pas un excrément mais une terre - I, c'est-à-dire une terre transformable en poterie. Ce qui peut s'écrire :

$$F_{\textit{contenu}}(\text{excrément}) : F_{\textit{contenant}}(\text{femme}) :: F_{\textit{contenu}}(\text{femme}) : F_{\textit{excrément} - \text{I}}(\text{contenant})$$

D'extrinsèque au début, la femme devient intrinsèque ; et l'excrément passe de l'état de contenu à celui de contenant. Cette formule est dite canonique car elle exprime un aspect de toute transformation mythique (*L'Homme*, 93, XXV (I), II).

Par ailleurs Lévi-Strauss signale : « la femme, cause efficiente de la poterie, se métamorphose en son produit ; de physiquement extérieure elle devient moralement [métaphoriquement] intégrée à celui-ci » (p. 239). Ce qui peut s'écrire :

$$F_{\textit{contenu}}(\text{poterie}) : F_{\textit{contenant}}(\text{potière}) :: F_{\textit{contenu}}(\text{potière}) : F_{\textit{poterie} - \text{I}}(\text{contenant})$$

La poterie-contenu est à la potière-contenant (pot fabriqué par une femme, rapport métonymique) ce que le contenu-potière est au contenant-poterie - I, c'est-à-dire la terre argileuse ou l'excrément (métaphore).

Il ressort de cette présentation que la formule canonique, qui agence quatre termes à l'aide des deux principaux tropes de la rhétorique, est une illustration de la bouteille de Klein. Cette surface topologique permet effectivement de passer de l'extérieur (contenant) à l'intérieur (contenu), et de repasser de l'intérieur (contenu) à l'extérieur mais inversé (contenant - I), qu'il faut se représenter comme un gant retourné. La formule canonique trouve ainsi non seulement une application pertinente, mais aussi une figuration convaincante. De plus, cette analyse serrée relie tout naturellement le cycle de la poterie à celui de la nourriture. L'anal est articulé à l'oral. « La terre à poterie d'abord extraite, puis modelée, mise enfin à cuire, devient un contenant destiné à recevoir un contenu : la nourriture. Et celle-ci suit le même parcours en sens inverse ; d'abord placée dans un récipient de terre, puis mise à cuire, ensuite élaborée à l'intérieur du corps par la digestion, enfin éjectée sous forme d'excrément :

argile → extraction → modelage → cuisson → récipient
excrément ← éjection ← digestion ← cuisson ← nourriture » } p. 232.

En suivant ces transformations les mythes étiologiques de la poterie et les mythes d'origine de la cuisine mettent en œuvre une dialectique du dehors et du dedans : « congrue aux excréments *contenus* dans le corps, l'argile sert à façonner les pots *contenant* une nourriture qui sera *contenue* dans le corps avant que celui-ci cesse en se libérant d'être le *contenant* des excréments » (p. 235). Le ternaire argile-pot-poterie s'emboîte ainsi dans le ternaire nourriture-corps-excrément par des rapports métonymiques et métaphoriques qui font écho à la sexualité. Déjà dans le mythe jivaro Mika, le pot, se marie avec son fils le serpent d'eau, symbolisant respectivement les organes femelle et mâle (p. 244). D'autres mythes attestent que le corps d'un poisson figure l'utérus et la queue le vagin (pp. 239-240) qui est effectivement considéré dans certains cas comme un pénis retourné.

En somme oralité, analité et sexualité constituent la base d'un code psycho-organique dont il est dit qu'il n'offre pas la même valeur opératoire que les autres codes technique, zoologique, astronomique, etc., auxquels des mythes différents font appel (p. 246). C'est ainsi que les mythes relatifs aux orifices du corps se signalent par une armature commune dont l'image de la bouteille de Klein fait ressortir la spécificité (p. 231). L'auteur de *La Potière jalouse* rejoint par ce biais inattendu Lacan qui s'est servi de cette surface pour illustrer les rapports du sujet à l'image en miroir du corps, laquelle est sous-tendue par des objets non spéculaires, connus plus généralement sous le nom d'objets oraux ou anaux (*cf. Problèmes cruciaux de la psychanalyse*, Séminaire XII du 3 février 1965). Que l'analyse des mythes puisse corroborer dans sa formalisation celle des données cliniques peut surprendre ; une vision que nous avons trouvée dans *C. G. Jung, ma vie. Souvenirs, rêves et pensées recueillis par Aniela Jaffé* (Paris, Gallimard, 1973, « Témoins »), en apportera ici la preuve.

« Par un beau matin d'été de cette année 1887, en revenant du collège à midi, je passais sur la place de la cathédrale. Le ciel était merveilleusement bleu dans la rayonnante clarté du soleil. Le toit de la cathédrale scintillait, le soleil se reflétait dans les tuiles neuves, vernies et chatoyantes. J'étais bouleversé par la beauté de ce spectacle et je pensais : 'Le monde est beau, l'église est belle et Dieu a créé tout ça et il siège au-dessus, tout là-haut dans le ciel bleu sur un trône d'or...' Là-dessus, un trou, et j'éprouvais un malaise étouffant. J'étais comme paralysé et je ne savais qu'une chose : maintenant surtout ne pas continuer de penser ! 'Quelque chose de terrible risque de se passer. Pourquoi pas ? Parce que je commettrais le plus grand péché qui soit' » (p. 56).

L'angoisse de Jung se dénoua trois jours plus tard lorsqu'il se demanda : « 'Que veut Dieu ? Que j'agisse ou n'agisse pas ? Il faut que je trouve ce que Dieu veut, et ce qu'il exige précisément de moi.' [...] Je rassemblai tout mon courage, comme si j'avais eu à sauter dans le feu des enfers, et je laissai émerger l'idée : devant mes yeux se dresse la belle cathédrale et au-dessus d'elle le ciel bleu ; Dieu est assis sur son trône d'or très haut au-dessus du monde et de dessous le trône un énorme excrément tombe sur le toit neuf et chatoyant de l'église ; il le met en pièces et fait éclater les murs. C'était donc cela ? Je ressentis un immense allégement et une indescriptible délivrance ; au lieu de la damnation attendue c'était la grâce qui était descendue sur moi et avec elle une immense félicité, comme je n'en avais jamais connue » (pp. 59-60).

Jung évoque ensuite les rapports conflictuels qu'il entretient avec son père. Que ce délire soit de nature paranoïaque nous importe peu ; nous retiendrons pour notre part la ressemblance de ce souvenir d'enfance avec le mythe iroquois. Dieu trônant dans sa gloire remplace la femme jalousée comparée à un arbre de lumière ou à la traînée brillante d'une comète. Puis le spectacle sublime laisse entrevoir un trou dans lequel s'engouffre un énorme étron qui détruit, à l'instar d'un météore, les murs de l'église. Enfin le jeune Jung éprouve une heureuse sensation qui le délivre de ses maux, de même dans le mythe l'excrément se transforme en terre bénéfique. D'un tableau resplendissant, évoquant Dieu, métaphore du sublime ou d'une totalité parfaite, choit un reste redoutable dont le rapport métonymique à la divinité est évident. Ou, en termes cliniques, une pulsion scopique exacerbée s'accompagne souvent d'une pulsion anale destructrice. C'est ainsi que certains sujets masculins, envoûtés au premier abord par le charme d'une femme, peuvent, l'enchantement disparu, traiter cette dernière comme un chiffon. Voilà le triste sort de la potière jalousée : du tout (signifié tenu pour vrai par un sujet) sort un résidu qui était dissimulé dans le point aveugle du regard.

Les deux pulsions dissociées dans les mythes et dans le délire de Jung sont amalgamées dans le rêve sous la forme d'une image, elle-même désignée par un mot qui n'a pas tant pour but de réaliser un désir que de le signifier. C'est pourquoi le déchiffrement du rêve procède d'une opération linguistique qui n'est pas étrangère au mythe iroquois. La clef du songe fait par le chef mourant de jalousie est donnée par un signifiant doté d'une double signification : « dent » ou « excrément » d'une part, une Rosacée ou une Liliacée associée à l'arbre de lumière d'autre part. Un pictogramme renvoie par le jeu de la métaphore, de la métonymie ou de l'homophonie à deux signifiés opposés. Cette formation de l'inconscient freudien qui émerge dans le mythe surprend Lévi-Strauss. « Pourquoi », dit-il, « le 'mot du rêve' [...] désigne-t-il tantôt l'arbre qu'il faut abattre, tantôt l'ordure ou l'excrément ? Les sources indigènes et les commentateurs les mieux informés n'apportent là-dessus aucun éclaircissement » (p. 177). Nous rejoignons là, à travers cet étonnement, celui du psychanalysant qui découvre après le décodage d'un rêve que l'objet, cause de son désir, est autre que l'image qui le hantait. Quant à la sexualité, elle reste une énigme car elle ne saurait être ramenée ni à l'image séductrice ni à l'objet résiduel qui la mobilise. La sexualité est ce qu'elle n'est pas. C'est pourquoi nous éprouvons à la suite de l'auteur de *La Potière jalouse* une véritable « volupté intellectuelle » à relire la tragédie de Sophocle et la comédie burlesque de Labiche et à les décoder à la manière d'une énigme policière.

CHARLES-HENRI PRADELLES DE LATOUR.

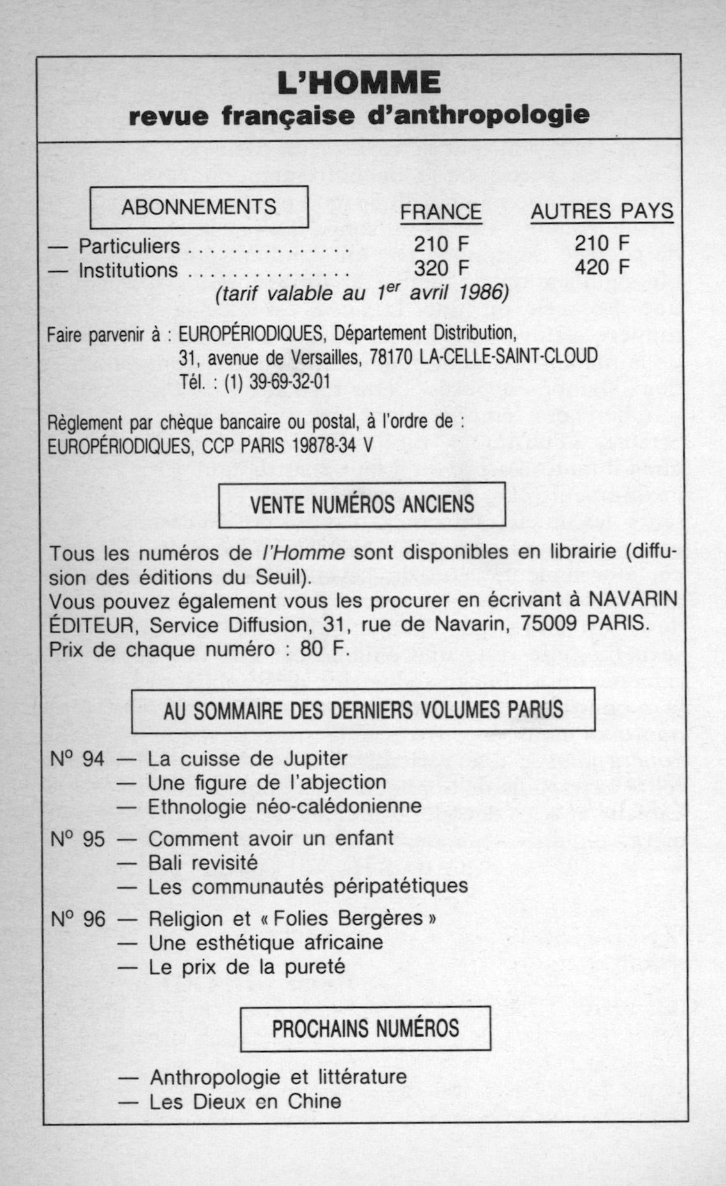
L'HOMME
revue française d'anthropologie
ABONNEMENTS
FRANCE
AUTRES PAYS
— Particuliers .... 210 F 210 F
— Institutions .... 320 F 420 F
(tarif valable au 1er avril 1986)
Faire parvenir à : EUROPÉRIODIQUES, Département Distribution,
31, avenue de Versailles, 78170 LA-CELLE-SAINT-CLOUD
Tél. : (1) 39-69-32-01
Règlement par chèque bancaire ou postal, à l'ordre de :
EUROPÉRIODIQUES, CCP PARIS 19878-34 V
VENTE NUMÉROS ANCIENS
Tous les numéros de l'Homme sont disponibles en librairie (diffusion des éditions du Seuil).
Vous pouvez également vous les procurer en écrivant à NAVARIN ÉDITEUR, Service Diffusion, 31, rue de Navarin, 75009 PARIS.
Prix de chaque numéro : 80 F.
AU SOMMAIRE DES DERNIERS VOLUMES PARUS
N° 94 — La cuisse de Jupiter
— Une figure de l'abjection
— Ethnologie néo-calédonienne
N° 95 — Comment avoir un enfant
— Bali revisité
— Les communautés péripatétiques
N° 96 — Religion et « Folies Bergères »
— Une esthétique africaine
— Le prix de la pureté
PROCHAINS NUMÉROS
— Anthropologie et littérature
— Les Dieux en Chine

Biblio/Essais

Titres parus

Jacques ATTALI
Histoires du temps
Les Trois Mondes
Bruits

Georges BALANDIER
Anthropo-logiques

Gregory BATESON
La Cérémonie du Naven

Jean BAUDRILLARD
Les Stratégies fatales

CAHIER DE L'HERNE
Samuel Beckett
Mircea Éliade

Cornélius CASTORIADIS
Devant la guerre

Catherine CLÉMENT
Vies et Légendes de Jacques Lacan
Claude Lévi-Strauss ou la structure et le malheur

Régis DEBRAY
Le Scribe

Jean-Toussaint DESANTI
Un destin philosophique, ou les pièges de la croyance

Laurent DISPOT
La Machine à terreur

Lucien FEBVRE
Au cœur religieux du XVIe siècle

Élisabeth de FONTENAY
Diderot ou le matérialisme enchanté

René GIRARD
Des choses cachées depuis la fondation du monde
Critique dans un souterrain
Le Bouc émissaire

André GLUCKSMANN
Le Discours de la guerre, *suivi* d'Europe 2004
La Force du vertige

L'HOMME
Anthropologie : état des lieux

Roland JACCARD
(sous la direction de)
Histoire de la psychanalyse (I et II)

Stephen JAY GOULD
Le Pouce du Panda

Angèle KREMER-MARIETTI
Michel Foucault, Archéologie et Généalogie

Claude LEFORT
L'Invention démocratique

Emmanuel LÉVINAS
Éthique et Infini
Difficile Liberté

Bernard-Henri LÉVY
Les Indes rouges, *précédé d'une* Préface inédite
La barbarie à visage humain

Anne MARTIN-FUGIER
La Place des bonnes

Edgar MORIN
La Métamorphose de Plozevet, *Commune en France*
L'Esprit du temps

Ernest RENAN
Marc Aurèle et la fin du monde antique

Marthe ROBERT
En haine du roman
La Vérité littéraire
Livre de lectures
Tyrannie de l'imprimé

Victor SEGALEN
Essai sur l'exotisme

Michel SERRES
Esthétiques sur Carpaccio

Alexandre ZINOVIEV
Le Communisme comme réalité

Composition réalisée par C.M.L., Montrouge

IMPRIMÉ EN FRANCE PAR BRODARD ET TAUPIN
58, rue Jean Bleuzen - Vanves - Usine de La Flèche.
LIBRAIRIE GÉNÉRALE FRANÇAISE - 14, rue de l'Ancienne-Comédie - Paris.
ISBN : 2 - 253 - 03915 - 2

⚙ 42/4046/1